清代史料論述 一

莊吉發 著

文史哲出版社印行

清代史料論述(一) / 莊吉發著. -- 初版. -- 臺北市：文史哲, 民 103.09 印刷
頁： 公分.
ISBN 978-957-547-240-5 (平裝)

1.中國 - 歷史 - 清（1644-1912）- 論文，講詞等

627.007

文史哲學集成 33

清代史料論述(一)

著　者：莊　吉　發
出版者：文　史　哲　出　版　社
http://www.lapen.com.tw
登記證字號：行政院新聞局版臺業字五三三七號
發行人：彭　正　雄
發行所：文　史　哲　出　版　社
印刷者：文　史　哲　出　版　社
臺北市羅斯福路一段七十二巷四號
郵政劃撥帳號：一六一八〇一七五
電話886-2-23511028・傳真886-2-23965656

實價新臺幣三六〇元

民國六十八年（1979）十月初版
民國一〇三年（2014）九月初版二刷

ISBN 978-957-547-240-5　00033

清代史料論述(一)

目次

國立故宮博物院典藏清代檔案述略

檔案是一種直接史料，歷史學家憑藉檔案以認識事實的眞相，使歷史記載與客觀的事實彼此符合，始能寫成信史。清代檔案浩瀚無涯，近數十年來，雖因戰亂遷徙，間有散佚，惟其搬運來臺者爲數仍極可觀。本院典藏清代文獻檔案共有二百零四箱，計宮中檔三十一箱，軍機處檔四十七箱，清史館檔六十一箱，起居注册五十箱，本紀九箱，實錄二箱，詔書一箱，國書、舊滿洲檔一箱，雜項檔二箱，均爲研究清史的珍貴史料。

宮中檔除內外臣工進呈的單片圖册外，最重要的是臣工繳回宮中的硃批奏摺。滿清入關以後，沿襲前明舊制，公題私奏，相輔而行，循常例行公事，皆用題本，用印具題，臣工本身私事，則用奏本，概不鈐印。題本由通政司轉遞內閣，先經閣臣檢校票擬然後進呈御覽，因其碍於體制，陳陳相因，不能暢所欲言，尤其輾轉呈遞，繁複遲緩，不易保持高度機密性，而逐漸失去其功能。清聖祖即位以後，爲欲周知中外，洞悉天下利弊，命臣工於露章題達外，另准專摺具奏。在京宗室王公，文職京堂以上，武職副都統以上，翰詹授職日講起居注官，科道言官，在外各省文職按察使以上，武職總兵以上，皆准專摺具奏，其在京例不准摺奏人員，若奉特旨派往各省查辦事件，及出任學政、織造、各關監督亦許用摺奏事。舉凡錢糧、雨雪、收成、糧價、關稅、漕運、鹽務、吏治、營務、緝盜、勦匪、海防、邊務、薦舉、考核、到任、卸任、僧道及民情風俗等，無論公私，凡涉及機密事件，或多所顧忌，或恐招致怨尤，或有牽制之情，或有不便顯言之處，或有滋擾更張之請，或慮獲風聞不實之咎等俱在摺奏之列。奏摺採行之初，例應由原奏人親手書寫，詞但達意，字畫隨意，直據事理，簡明敷陳，不得轉令幕賓門客綴輯浮詞瀆奏。奏摺齎送過程亦極隱密，在京各衙門奏摺逕送宮門交由奏事太監轉呈御覽，各省督撫奏摺有應速遞者，准由驛馳遞，亦經奏事處進呈。至於尋常事件，其齎摺家丁或千把總俱不得擅動驛馬，只能自雇脚騾，夜宿客店。奏摺固封後儲以加鎖的黃匣或夾板封進，臣工須恭設香案，叩頭拜送，奏摺已奉硃批發還時，亦須郊迎進署，供香啓讀。清德宗以前歷朝諸帝於親政以後，皆親手批摺。聖祖曾因右手有疾，不能寫字，而改以左手執筆批論，不肯假手於人。世宗批摺尤勤，燈下批閱，每至二鼓或三鼓，不覺稍倦，每摺或手批數十言，或數百言，且有多至千言者，皆出一己之見，御極十有三年，常如一日。在康熙年間，奏摺規格長短寬窄，字畫行數，尚未畫一。王鴻緒密繕小摺附於請安摺內封進，其長不及八公分，寬僅四公分。奏摺每幅或五行，或六行，每行或二十四格，抬頭二字，平行寫二十二字，或二十格，平行寫十八字。高宗以後，其規格漸趨一致，地方臣工多用三寸摺，每幅六行，行二十格，平行寫十八字。至於奏摺類別，若依其書寫文字的不同，可分爲漢字摺、滿字摺與滿漢合璧摺，滿字摺清代官書稱爲清字摺；若依其性質的不同，可分爲請安摺、謝恩摺、奏事摺與密摺等；若依其使用紙張的差異，可分為素紙摺、黃綾摺與白綾摺等。臣工為表示鄭重敬謹，於請安與祝賀時多用綾絹黃摺，奏事或謝恩概用素紙摺，白綾摺僅限於皇帝或太后崩殂，新君卽位，臣工瀝陳下悃，馳慰孝思時方准使用。清聖祖在位時，奏摺發還原奏人後，尚無繳回之例。康熙六十一年十一月世宗卽位後，恐「不肖之徒，指稱皇父之旨，揑造行事，竝無證據，於皇父盛治大有關係。」故命各省督撫將軍提鎭等將聖祖硃批奏摺敬謹查收呈繳，不准抄寫、存留、隱匿、焚棄，而且世宗所批奏摺亦須繳回，從此繳批就成了定例，雖然硃批「覽」或「朕安」一二字者亦不得私藏，否則必從重治罪。清代本章，既有題本，又有奏本，同一入告，名目不同，重複繁瑣，各省辦理，尤不一致。乾隆十三年，曾命將向用奏本之處概用題本。惟因題本既有副本，又有貼黃，兼須繕寫宋字，碍於體制，繁複遲緩，又失機要，實遠不如奏摺簡易速覽。因此，臣工於軍務要事固用摺奏，其餘循常例行公事亦用摺奏，奏遂漸多於題。清季變法，舊制屢易，省略虛文，簡化文書程式，臣工多引以為便。光緒二十六年九月，軍機大臣奏准改題為奏，二十八年正月，明令裁撤通政司，奏摺終於取代了題本。

本院現藏宮中檔奏摺除夾片不計外共有十五萬六千一百九十五件，計康熙朝漢字摺約三千件，滿字摺八一〇件；雍正朝漢字摺二二三七五件，滿字摺八九八件；乾隆朝漢字摺五九四四六件，滿字摺六九件，嘉慶朝漢字摺一九九三六件，缺滿字摺；道光朝漢字摺一二四九二件，滿字摺一五五件；咸豐朝漢字摺一七〇九二件，滿字摺四三四件；光緒朝漢字摺一八七五九件，滿字摺四三一件，另附雜檔一四七件，又光緒朝奏摺內含有部分同治與宣統兩朝摺件。其中康熙十六年已見有漢字摺與滿字摺，康熙三十五年于成龍、費揚古等人的滿字摺件數亦多，康熙三十六年皇太子胤礽及滿丕、蘇努等人的滿字摺皆極珍貴，但主要是從康熙四十年以後爲數較多。在各類奏摺中請安摺數量甚多，一方面似與當時密奏制度有關，另一方面亦可看出當時君臣關係的密切，至於雨水糧價方面的摺件所佔比率僅次於請安摺，可以反映聖祖對百姓生計的關切。在康熙朝漢字摺中，其具奏人最多的是武職總兵官，巡撫居次，其餘總督、將軍、提督、副都統、藩臬二司、織造、侍郎、御史等所佔比率都很低。雍正十年，世宗將手批外任大臣官員奏摺，檢出可以頒發者加以刋印，僅成數帙。乾隆三年，高宗復就世宗選定者彙刋成書，都是當時外任官員二百二十三人繳還的五千五百二十三件奏摺，分爲一百一十二帙，稱爲「硃批諭旨」，即所謂「已錄奏摺」，但不過佔雍正朝奏摺總數的十之二三。世宗另檢出部分奏摺準備陸續刋印而高宗時未及付印者，是爲「未錄奏摺」，世宗又檢出部分奏摺，或因未奉硃批，或因硃批文意不雅，或涉及機密不便公諸天下而不準備刋印者，是爲「不錄奏摺」。世宗在位期間，充分地發揮奏摺制度的功能，一方面放寬了臣工專摺具奏的特權，司道微員亦准用摺奏事，另一方面世宗使用奏摺不僅欲周知中外、壓制朋黨或君臣協議政事，亦將奏摺作爲敎誨臣工的工具。世宗刋印硃批諭旨的動機就是要「敎人爲善，戒人爲非」，「俾天下臣民展讀之下而感動奮發，各自砥礪」，而爲人心風俗之一助。惟對照已錄奏摺原件後發現「硃批諭旨」，不僅將有關地方政情及民心士氣等內容逐件刪略，硃批旨意尤多潤飾，所有不利於世宗的文字全行修改。因此，世宗朝奏摺原件實爲極珍貴的第一手史料。乾隆朝奏摺在時間上雖不甚相連，乾隆十五年以前及五十六年以後各年奏摺均缺，但其件數至夥，佔宮中檔奏摺的大部分，可以看出清初盛世的武功，高宗經營邊疆的過程及其由盛而衰的關鍵。嘉慶一朝，民變屢起，尤其關於白蓮教等邪教的活動，尚有不少珍貴的史料。道咸同三朝除籌辦夷務外，關於吏治民生等方面的奏摺仍不少，光緒朝尚保存部分革命史料。

中外史學家討論軍機處設立的時間，異說紛紜，莫衷一是。雖然雍正十年三月始議定「辦理軍機印信」，正式定名為「辦理軍機處」，但在雍正七年下半年世宗因用兵西北已成立軍需房，命內大學士密辦軍需，至是年六月，辦理軍需房，首次公佈王大臣人選。因軍機處不僅辦理戎略，舉凡軍國大計，莫不總攬，遂取代內閣職權，成為清代中央政令所自出之處。軍機處檔案依其來源，可分為軍機處承宣或經辦政事的檔冊；錄副存查的摺件；京外致軍機處的文件；其他各種專檔。其中實以檔冊與摺包二項數量較多。臣工所進奏摺既奉硃批，軍機章京於隨手簿逐件登錄後，尚須抄繕存查，稱為軍機處奏摺錄副〔圖版壹A〕。各摺抄畢時，章京執原摺與所抄副本互相讀校，復於抄件封面書明具奏人姓名，摘記事由，並註明「交」或「不交」字樣，及奉硃批日期，每半月為一包，故謂之摺包。奏摺錄副雖係抄件，但其史料價值實與奏摺原件相等，且較宮中檔齊全，復保留雨水糧價清單供單圖冊等附件。本院現藏軍機處奏摺錄副據初步估計約有十五萬件，計乾隆朝四七一〇四件，嘉慶朝六八三六件，道光朝約二萬六千件，咸豐朝約四千五百件，同治朝約一萬三千件，光緒朝約四萬三千件，宣統朝約八千六百件。其中以乾隆，光緒兩朝件數較多，惟乾隆十一年以前未保存此類錄副摺件。

軍機處承宣諭旨及經辦事項皆須分類登入簿冊，統名之為檔冊。其中如隨手登記檔〔圖版壹B〕就是軍機處重要檔冊之一，簡稱隨手簿或隨手檔。直日章京將每日所接奏摺、片單、所奉諭旨等逐件登錄，然後錄副存檔，各件必須當日繕竣，其所以稱之爲「隨手」者卽表示未可積壓之意。隨手簿登錄時，硃批全載，諭旨及奏摺等僅摘取事由。直日章京收發文件中除諭摺外，尚有題本、國書、勅諭、咨文、試卷、供狀、信函、移會等項，故隨手檔不僅是諭摺總目，亦可說是軍機處檔案索引。隨手檔每年按季裝釘成冊，乾隆嘉慶兩朝以春夏二季合爲一冊，秋冬二季另爲一冊。惟道咸以後，中外交涉日繁，諭摺漸多，故各季分裝一冊，全年四冊。每年元旦爲取吉意，敬書「太平無事」四字於冊端，卽有章奏亦必俟初二日呈遞。但道光中葉以後內憂外患接踵而至，雖係元旦仍照常遞進章奏，乃於冊端改書「吉事有祥」四字。隨手檔於登錄後，凡諭旨明發內閣者由直日章京註明「交」或「交內發」等字樣，其廷寄亦註明馬遞里數，如「馬上飛」、「五百里」、「六百里加緊又緊分寄」等。凡謝恩、陛見等摺件不需錄副存檔，則註明「不抄」字樣。因隨手檔係按年月排比，逐日登錄，於查考舊事，極爲便捷。「樞垣記略」載管世銘「扈蹕秋獮記事」詩中所云「舊事分明記阿誰，獨難顛末誦無遺，試繙隨手當年簿，充棟封題若列眉」，卽指隨手檔而言。本院所藏隨手檔計乾隆五十九年至六十年全四冊，嘉慶元年至二十五年全五十冊，道光三年至十五年存十四冊，同治元年至十三年存六十四冊，光緒三年及三十至三十四年存二十冊。密記檔也是軍機處檔冊之一，係密記摺的抄件，所記皆爲京外大員緣事獲罪奉旨自行議罪或代奏議罪罰俸銀兩事件。其自行議罪摺件奉硃批後卽交密記處筆帖式收領，所有自議密記銀兩不由戶部承追，而由軍機處查催，解交內務府，或逕交廣儲司造辦處銀庫收貯，亦有奉旨解交地方籌辦軍需或海塘河工備用者，內務府即將收到銀兩名稱數目按月呈報軍機處查照彙奏。本院所藏密記檔計乾隆四十年至五十年一冊，五十三年至五十七年一冊，五十八年至六十年一冊，嘉慶元年一冊，內含舒麟、全德、三寶、巴延三、西寧、李質穎、農起、李天培、范清濟、薩載、榮柱、姚成烈、陳用敷、富勒渾、何裕城、雅德、富躬、鄭源璹、李廷揚、馮晉祚、盛住、王杲、舒常、尚安、文綬、張萬選、福崧、劉峩、梁肯堂、伊齡阿、富綱、勒保、倉聖裔、長麟、舒成、明興、吳垣、惠齡、畢沅、李承鄴、覺羅琅玕、浦霖、鹿荃、伊桑阿、特昇額、伍拉納、郭世勳、楊魁、書麟、徵瑞、董椿、奇豐額、歸景照、臺原、基厚、玉德、穆和藺、額勒春、汪肇泰等員自行議罪摺件。寄信檔則是軍機處記載諭旨的重要檔冊。軍機大臣的主要職責爲掌書諭旨，其所擬諭旨可分二類：一爲明發上諭，凡巡幸、上陵、經筵、蠲賑、內臣自侍郎以上外臣自總兵知府以上黜陟調補，及召示臣民曉諭中外者屬之，初由內閣恭擬，自軍機處設立後，始改由軍機大臣草擬進呈，經述旨後發交內閣傳鈔，以次達於部科，用內閣名義宣示中外，而冠以「內閣奉上諭」字樣；一爲寄信上諭，凡誥誡臣工，指授兵略，查核政事，責問刑罰之不當等因恐機事洩漏而不便發鈔者屬之，係由軍機大臣面承口諭後撰擬進呈，經述旨後封入紙函，用「辦理軍機處」銀印鈐之，交兵部加封以軍機大臣名義寄出。因受命者官職高低不同而有區別：其行經略大將軍，欽差大臣、將軍、參贊大臣、都統、副都統、辦事大臣、領隊大臣、總督、巡撫、學政等稱「軍機大臣字寄」；其行塩政、關差、藩臬及各省提鎮等稱「軍機大臣傳諭」。寄信上諭驛遞時，其遲速係視事件緩急由軍機司員註明於函外，或馬上飛遞，或五百里，或六百里加緊。其封函格式，屬字寄者於函右書明「辦理軍機處封寄」，左書「某處某官開拆」；屬傳諭者居中大書「辦理軍機處封」，左下書「傳諭某處某官開拆」；凡奉旨密諭者則書「軍機大臣密寄」字樣。寄信上諭因係寄自內廷，故俗稱廷寄（圖版貳A）。嘉慶十一年以後，寄信上諭檔多改書廷寄檔，道光年間起，另增勦捕廷寄檔，宣統年間，因使用電報，又有電寄檔之目。本院現藏明發上諭檔，包括道光、咸豐、光緒等朝，每年一册或二册不等。寄信檔數量較多，自乾隆二年起至宣統三年，極爲齊全。其中乾隆朝每年一册或二册，嘉慶朝每季一册，全年四册，道咸兩朝每年春夏爲一册，秋冬另爲一册，或每季一册，同治朝每月一册，全年十二册，光緒朝每年一册或二册，宣統朝每季一册，或每季二册。在寄信檔中含有譯漢寄信，議覆廷寄及密寄檔。另有兼載各項上諭的上諭檔（圖版貳B），起自康熙朝止於光緒朝，每年一册，或每季一册或每月一册，內含譯漢上諭、長本上諭、方本上諭及木刻本上諭等。引見檔所載爲臣工帶領引見事項，多爲引見人員姓名清單，現藏同治、光緒兩朝，兩季一册，或每季一册。其他如議覆檔，係奉旨交議者。交片檔，係據咨行京外堂稿彙抄者。早事檔，係記載早朝時某衙門值日，京內某人奏某事，奉何旨及召見某人者，以及太平天國未刊文件等都是價值很高的史料。尤其各種專檔如林案供詞、緬檔、安南檔、苗匪檔、勦捕教匪檔、金川檔、廓爾喀檔、勦捕逆回檔、平定準噶爾文移檔、勦滅逆番檔、邊備夷情檔等，不僅彙抄明發上諭與寄信上諭，而且還抄錄不少的供詞及軍機大臣議覆摺件，都是非常珍貴的直接史料。

清史館位於東華門內，爲清代國史館舊址。清太宗天聰三年，設立文館，命儒臣分直。崇德元年三月，改文館爲內國史、內秘書、內弘文三院。其內國史院職掌爲記注皇帝起居詔令，收藏御製文字，凡皇帝用兵行政事宜，編纂史書，撰擬郊天告廟祝文及陞殿宣讀慶賀表文，纂修歷代祖宗實錄，撰擬礦誌文，編纂一切機密文移及各官章奏，掌記官員陞降文冊，撰擬功臣母妻誥命，追贈諸貝勒冊文，凡六部所辦事宜可入史冊者選擇記載，一應鄰國遠方往來書札俱編為史冊。滿清入關後，設國史館於禁城內。民國三年，設清史館，以趙爾巽為館長，下設總纂、纂修、協修百數十人，國史館遂改為清史館，原設實錄館則移至西單頭髮胡同，惟原有各朝實錄稿本則仍存於清史館內。本院所藏清史館搜集選鈔作為撰修清史稿所用的史料，計為六十一箱，內含各種紀、傳、表、志的稿本，如天文志、時憲書、災異志、地理志、禮志、樂志、輿服志、選舉志、職官志、食貨志、河渠志、兵志、刑法志、藝文志、交通志、邦交志、儀衞志、國語志。現藏國榷則為天歷三年至至正二十六年及明代洪武至崇禎歷朝者。在表方面有皇子世表、大臣年表、疆臣年表、王公表等。列傳方面如后妃傳、皇子傳、王公列傳、欽定國史大臣傳，循吏傳、忠義傳、儒林傳、隱逸傳、孝友傳、藩部傳、藝術卓行傳、文苑傳、疇人傳、列女傳、遺臣遺逸傳、逆臣傳、土司傳、屬國傳等估計一萬件以上。此外如上諭簿、絲綸簿、外紀簿、月摺檔、長編總檔、隨手發繕檔、寄信檔、議覆檔、題奏檔、軍務檔、江南漕運、河工案卷、考查憲政奏摺、聖訓史書、皇清奏議、八旗公侯伯襲職簿冊等史料。其中滿漢吏戶禮兵刑工各科史書，就是紅本即題本的摘要。光緒會典云：「紅本發鈔後由科別錄二通，供史官記注者曰史書。」不過史書實係各科彙鈔題本分冊編訂而成者。內閣為典掌綸音重地，乾隆二年議准各部院摺奏事件，已奉諭旨，即日赴內閣登號，三日內錄原摺並所奉諭旨具印交送內閣以備查覆。絲綸簿（圖版叁A）就是內閣漢票簽處記載諭旨的主要簿册，取「王言如絲，其出如綸」之義，與記載特降諭旨的上諭簿有別，外紀簿〔圖版叁B〕則爲內閣漢票簽處記載臣工摺奏的簿册，嘉慶會典事例卷十二云：「凡記載綸音分爲三册：每日發科本章，滿漢票簽處當直中書摘記事由，詳錄聖旨爲一册，曰絲綸簿；特降諭旨別爲一册，曰上諭簿；中外臣工奏摺奉旨允行及交部議覆者別爲一册，曰外紀簿，以備查考。」軍機處爲內廷，臣工摺件既錄副存查，復有月摺逐日抄繕成册，內閣票簽處所抄錄者爲各省摺奏，即所謂外摺，且因軍機處習稱內廷，內閣在內廷之外，其日行記事檔册稱爲外紀簿，以別於內廷錄副檔案。本院所藏外紀簿，始自嘉慶朝，止於光緒朝，每月一册，閏月增一册。絲綸簿始自乾隆朝，止於光緒朝，兩季一册，或每季一册，或每月一册。清代國史館長編處爲便於編纂列傳，特先辦長編，內分總檔與目錄總册兩類。以總檔爲經，總册爲緯，按日可稽，不致疏漏。本院現藏長編檔册始自乾隆元年，止於光緒朝，係據內閣及軍機處絲綸、外紀、上諭、廷寄、月摺、勦捕檔等編纂成册。乾隆朝每年二册，或每季一册，嘉慶朝以降，每月增爲一册，另附長編總册〔圖版肆A〕，係長編總檔〔圖版肆B〕的人名索引。至於月摺檔〔圖版伍A〕則係軍機處彙抄各部院月摺所成的檔册，按月日排比，每摺抄竣後，附書奉硃批日期及諭旨，間亦有書月具奏日期者。樞垣紀略卷二十二云：「凡發交之摺片，由內閣等處交還及彙存本處者，每日爲一束，每半月爲一包，謂之月摺。」月摺逐日鈔錄，按月分裝成册，與外紀檔性質相近，而與「樞垣紀略」所述月摺包不同。本院所藏月摺檔，始自道光朝，止於光緒朝，其中道光朝多以每季爲一册，全年四册，間有每月爲一册者，咸豐、同治、光緒各朝則每月增爲上下二册，或上中下三册。

本紀起源於古代的編年史，史記大宛傳曾兩引禹本紀，故本紀一名在司馬遷以前已經存在，而非太史公所始創。史記本紀以事繫年，取則於春秋經，本紀之外而別作列傳，則義同於左氏傳，凡本紀所不能詳載者，皆具於列傳。史記索隱云「紀者，記也，本其事而記之，故曰本紀。又紀，理也，絲縷有紀，而帝王書稱紀者，言爲後代綱紀也。」纂修本紀，係以實錄爲本，參以起居注與時政紀等。舉凡帝王徽號、郊天、征伐、大赦、上尊號、立后、賑災、外國朝貢、訂約及改約等皆在記敘之列。本院所藏本紀，始自天命朝，止於光緒朝，有漢文本（圖版伍B）與滿文本（圖版陸A）之別。實錄之纂修起於南朝之梁，係編年史之一種。唐代以降於一帝崩殂後，由繼位新君開館敕修，沿爲定例。取起居注、時政記等資料，年經月緯彙輯成編。清代實錄自天命朝至光緒朝，共十一朝。按清代制度，實錄告成後，例由實錄館繕寫正副本五份，每份具滿漢蒙文各一部，書皮分飾大小紅綾及小黃綾，計大紅綾正本（圖版柒A．B）有二部，一貯皇史宬，一貯奉天大內。小紅綾本二部，一貯乾清宮，一貯內閣實錄庫，專備進呈之用，故又稱閣本。其小黃綾本亦貯於內閣實錄庫，係實錄館於纂修實錄時隨時繕呈之本，經御覽後分繕大小紅綾正本，是以小黃綾本又通稱爲副本。本院現藏清代實錄始自天命朝，內含太祖武皇帝實錄與太祖高皇帝實錄，止於穆宗朝，另有大清宣統政紀稿本。案清代實錄之纂修，係始於太宗時。天聰九年八月，畫工張儉、張應魁合繪太祖實錄圖告成，因與歷代帝王實錄體例不合，尋命內國史院大學士希福、剛林等以滿蒙漢三體文字改編實錄，去圖加諡。崇德元年十一月，纂輯告成，是爲清太祖武皇帝實錄初纂本。康熙二十一年九月，太宗文皇帝實錄告成，同年十一月，特開史局，命大學士勒德洪爲監修總裁官，明珠等爲總裁官，仿太宗實錄體例，重修太祖實錄，辨異審同，增刪潤飾，將原修四卷釐爲十卷，二十五年二月，書成，是爲太祖高皇帝實錄。雍正十二年十一月，復加校訂，畫一譯音，歷時五載，至乾隆四年十二月始告成書。太祖高皇帝實錄屢經重修，盡刪所諱，湮沒史蹟。起居注册與實錄不同，前者撰於當時，後者修成於後一朝。起居注原爲官名，掌侍皇帝起居，卽周左史右史之職。因起居注多記宮中之事，漢代特設女官掌之。後魏始置起居令史，唐宋時置起居郎、起居舍人。自宋代以後，因帝王權力擴大，起居注但記帝王善言懿行。滿清入關後，仿明代制度，設起居注館，有日講起居注官滿洲十人，漢十二人，凡朝會、經筵、軍禮、耕耤、祭祀、謁陵等事記注官均隨侍在側，既退則載筆。記事首上諭、次部本、次通本、次旗摺、次京外各官摺奏、次各部院衙門引見，先公後私。編纂起居注時先成稿本，由總辦記注官逐條查覈增改，送掌院學士校閱。例以上年之事至次年按月日排比，每歲十二月具疏，記注官會內閣學士監視儲庫。本院所藏起居注册，始自康熙朝，止於宣統二年，滿文本多於漢文本。康熙朝起居注册，滿文本始自康熙十年，漢文本始自康熙二十九年，俱較其後各朝爲詳盡，每月一册，閏月增一册，全年十二或十三册。雍正朝以降，每月爲二册，閏月增二册，全年二十四或二十六册。

詔書爲皇帝佈告臣民曉諭中外之書，用硬黃紙墨書，所頒者多屬加徽號、上尊謚、卽位、親政、册封皇后等事。本院所藏詔書，計多爾袞母子撤出廟享詔一件，崇慶太后加徽號詔二件，册謚孝慎皇后詔一件，安成莊惠后加徽號詔一件，道光遺詔三件，宣宗配享圜丘詔四件，孝慎成皇后升祔太廟詔一件，孝和睿皇后升祔太廟詔一件，孝敬皇后入祀奉先殿詔三件，咸豐憂詔四件，咸豐加尊謚廟號詔二件，穆宗即位詔一件，孝靜成皇后升附太廟詔一件，慈安慈禧加徽號詔二件，文宗顯皇帝孝德顯皇后合附太廟詔五件，慈安慈禧皇太后加徽號詔四件，穆宗親政詔五件，慈安慈禧太后加徽號詔六件，册封阿魯特氏爲后詔一件，載湉入承大統詔二件。詔書前書漢文，後附滿文。國書爲一國元首代表本國政府致送於他國元首的文書，用於國際交涉時，由特派專使遞送，用於公使赴任卸任時由駐使晉見駐在國元首時遞送。本院所藏各國國書含緬甸國銀表、韓國、日本、俄國、安南〔圖版捌〕、暹羅、比利時、西班牙、葡萄牙、羅馬教皇等致清廷國書，以及清廷致英法等國國書。

有清一代，其內政外交以滿文記載者頗多，康熙至乾隆年間，譯爲滿文的書籍尤夥，而實錄、聖訓、起居注册及中外臣工的奏章等從清初迄清末都有滿文本。本院珍藏清太祖、太宗兩朝舊滿洲檔又稱老滿文原檔〔圖版捌B〕，係清初關外的重要秘籍，其於明清遞嬗的關鍵，滿洲入關前的社會、經濟活動，多爲官修私撰書籍所不載，不僅有助於瞭解清太祖崛起於東北的背景，且可從而瞭解很多爲清代君主所諱飾或刪除的史事。舊檔中所用的文字，有初創滿文時期蒙古文字形的老滿文，有半加圈點的過渡期間的滿文，有近似後日通行的新滿文，間有與蒙古往來書信的蒙文。因此，從其文字的發展而言，舊檔頗有助於鈎考滿文字形與語音由舊變新的重要過程。本院珍藏舊滿洲檔計四十册，其中三十七册係乾隆年間高宗命臣工加以裝裱過的，除一册未編號外，有三十六册是以千字文次序加以編號，另外三册未經裝裱，現編爲滿附一號、滿附二號、滿附三號。至於雜項檔二箱包括章京名册、清語摘鈔、清文補彙、公記備考、滿漢文四書、宣統元年法部統計表，郵傳部第一次統計表、樞垣紀略、順天府宣統元年統計表、清文彙書、大清鑛務章程、內摺總目、商律、謝恩摺件、都統將軍新疆大臣名單、綸音備覽、光緒朝辦案表册、御覽黃册、京外官册、蘇州織造料工銀兩黃册，外交部第二次一覽統計表、爵秩全覽、大美聯邦誌略、京察呈遞名單、浙江鄉試題名錄、京察章京名册、查辦文武廢員單、實錄館調取收發檔、應放副都統人員簿、換班檔、早事檔、電寄檔、收發電檔、收照存根等。

民國五十四年，本院在臺北士林恢復設置以來，院長蔣復璁先生為了宣揚中華文化特質，流傳珍貴史料，已指派專人從事文獻檔案登錄編目工作。五十七年秋，擴大組織，於圖書文獻處下設文獻股專司其事。為便利中外學人研究，將已登錄編目文獻檔案，先行公開運用。目下已完成宮中檔編目工作，並着手軍機處檔案登錄編目事宜。近年來於所藏文獻檔案方面已陸續影印出版「舊滿洲檔」、「清太祖武皇帝實錄」、「道咸同光四朝奏議」、「袁世凱奏摺專輯」、「年羹堯奏摺專輯」、及「故宮文獻季刊」分期刊佈宮中檔奏摺，這是學術界值得慶幸的事情。

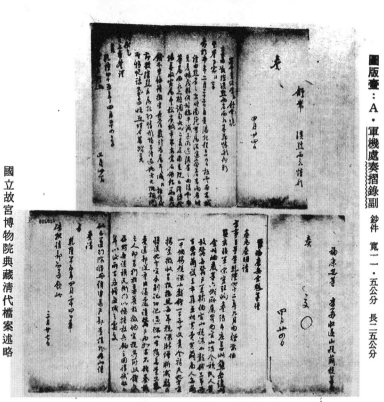

圖版壹：A・軍機處奏摺錄副　鈔件　寬一一・五公分　長二五公分

Plate I. A. Grand Council copy of a Palace Memorial. Hand-written. Width 11.5 cm., length 25 cm.

B・隨手登記檔　線裝鈔本　寬約二九公分　長約三〇公分

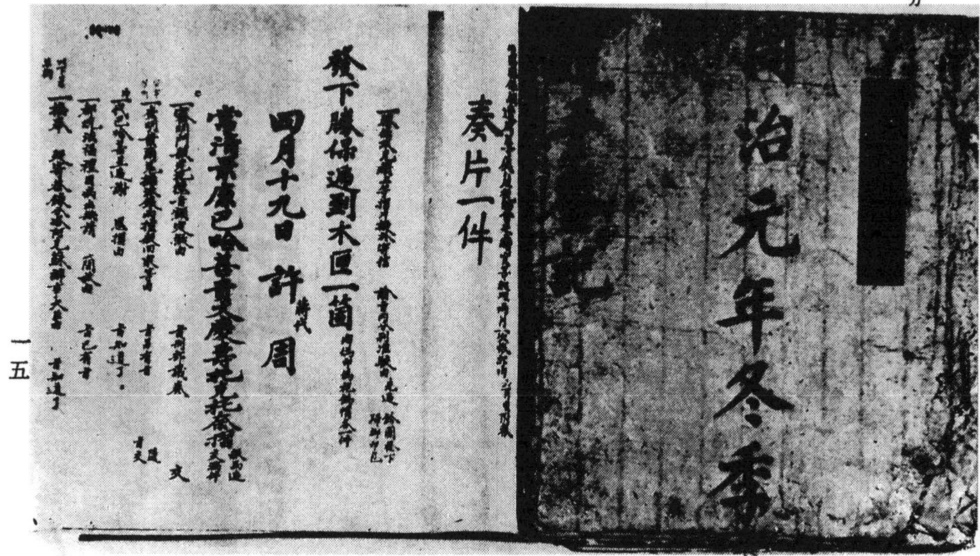

B. Document Registry. Hand-written, traditional Chinese bound book. Width 29 cm., length 30 cm.

圖版貳：A・廷寄檔 線裝鈔本 寬約二〇公分 長約二八公分

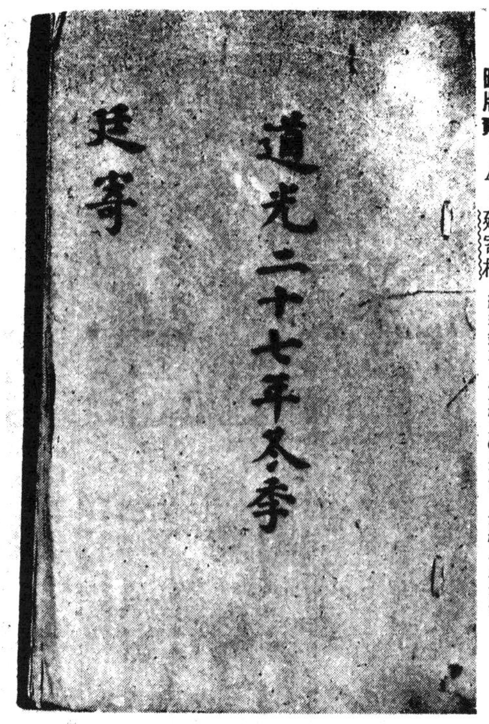

Plate II. A. Record Book of Semi-secret Edicts. Hand-written, traditional Chinese bound book. Width 20 cm., length 28. cm.

B・上諭檔 線裝鈔本 寬約一八公分 長約二九公分

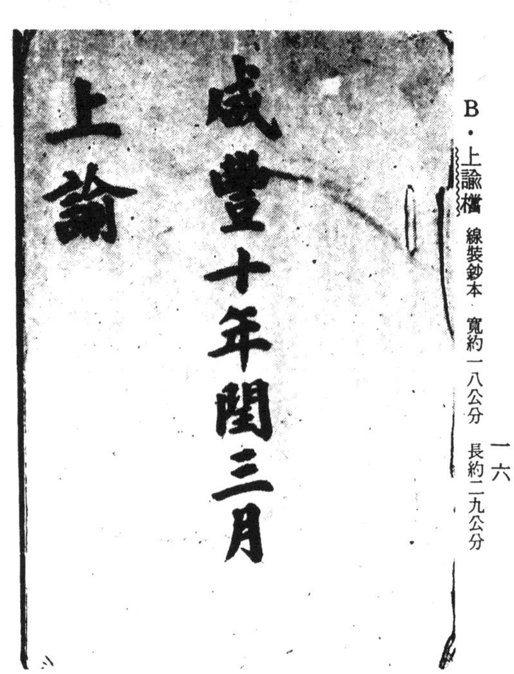

B. Record Book of Promulgated Imperial Instructions. Hand-written, traditional Chinese bound book. Width 18 cm., length 29 cm.

圖版叁：A・絲綸檔 線裝鈔本 寬約二六公分 長約三八公分

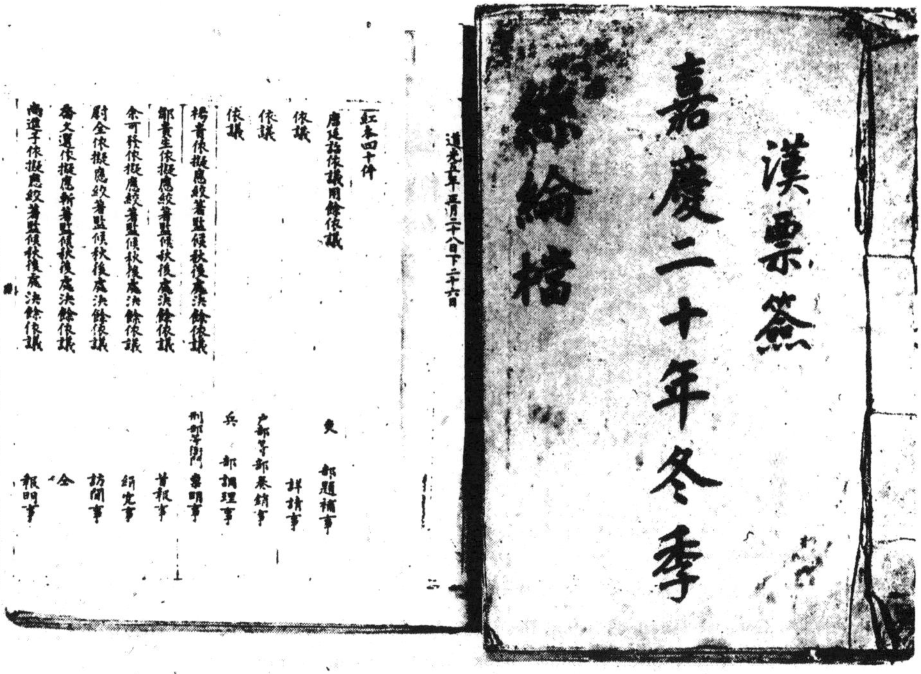

漢票簽

嘉慶二十年冬季

絲綸檔

Plate III. A. Registry of Imperial Endorsements on Routine Memorials. Hand-written, traditional Chinese bound book. Width 26 cm., length 38 cm.

B・外紀檔 線裝鈔本 寬約二八公分 長約三六公分

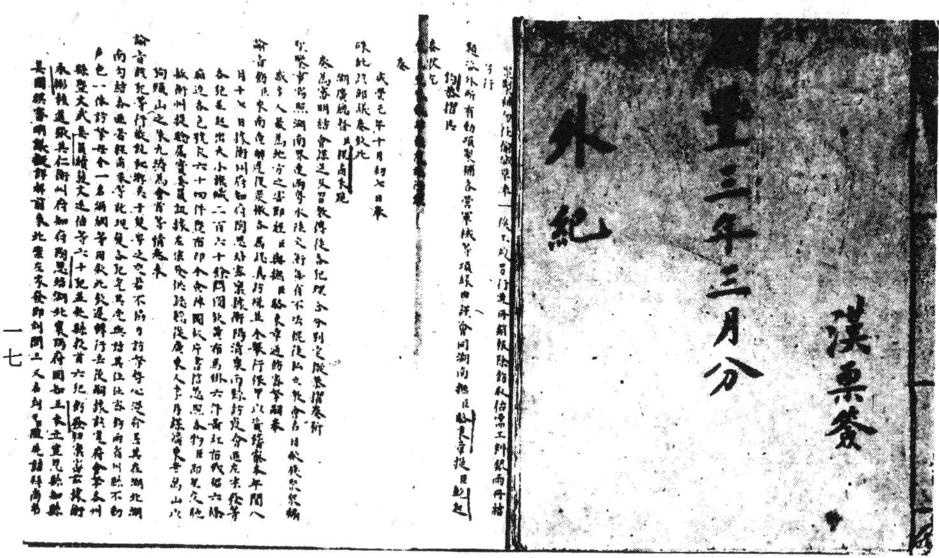

B. Extra Records. Hand-written, traditional Chinese bound book. Width 28 cm., length 36 cm.

圖版肆：A・長編總冊 線裝鈔本 寬約一九公分 長約三〇公分

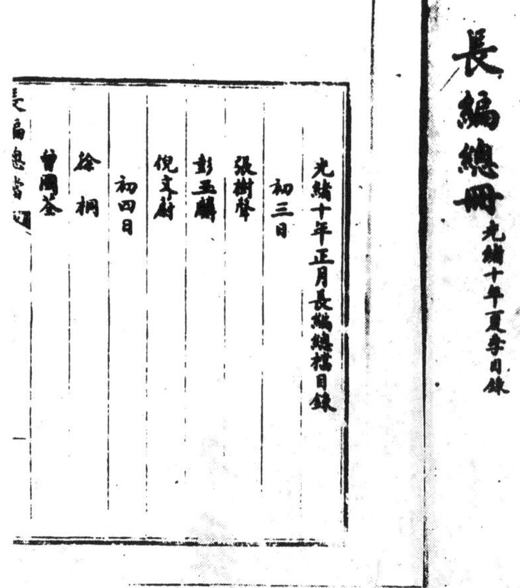
長編總冊 光緒十年夏季目錄

光緒十年正月長編總檔目錄
初三日
張樹聲
彭玉麟
倪文蔚
初四日
徐桐
曾國荃
長編總檔

Plate IV. A. General Personal Name-list from the General Registry. Hand-written, traditional Chinese bound book. Width 19 cm., length 30 cm.

B・長編總檔 線裝鈔本 寬約一九公分 長約三〇公分

長編總檔 光緒十年四月

光緒十年正月長編總檔
初三日
張樹聲奏陳遵籌廣東海防情形
覽奏均悉著該督隨時會商彭玉麟倪文蔚督飭各
軍力守虎門並將此外各口扼要嚴防毋稍疏懈
初四日
徐桐見在出差禮部尚書曾國荃署理
薛允升見在出差刑部左侍郎孫毓汶兼署其所署
長編總檔

B. General Registry of official Documents. Hand-written, traditional Chinese bound book. Width 19 cm., length 30 cm.

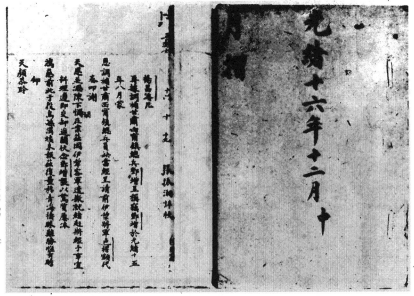

圖版伍：A・月摺檔 線裝鈔本 寬約二〇公分 長約二八公分

Plate V. A. Record Book of Memorials, compiled monthly. Hand-written, traditional Chinese bound book. Width 20 cm., length 28 cm.

B・漢文本紀 內府清繕本 寬約二三公分 長約三八公分

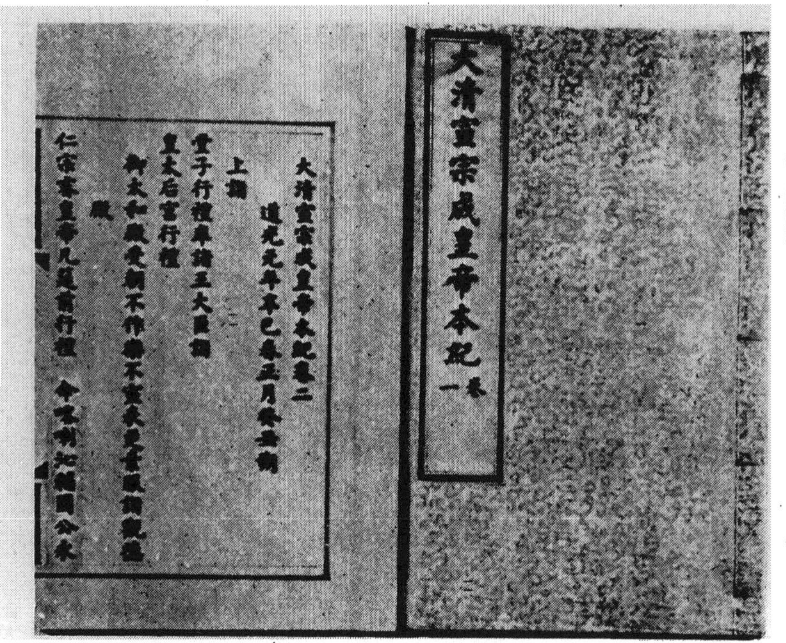

B. Annals of the Imperial House (in Chinese). Hand-copied in the Ch'ing Court, Width 23 cm., length 38 cm.

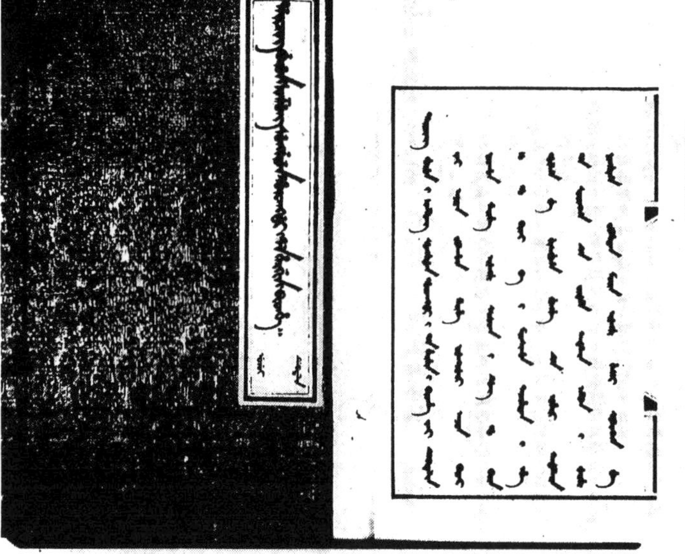

圖版陸：A・滿文本紀 內府清繕本 寬約二三公分 長約三八公分

Plate VI A. Annals of the Imperial House (in Manchu). Hand-copied in the Ch'ing Court. Width 23 cm., length 38 cm.

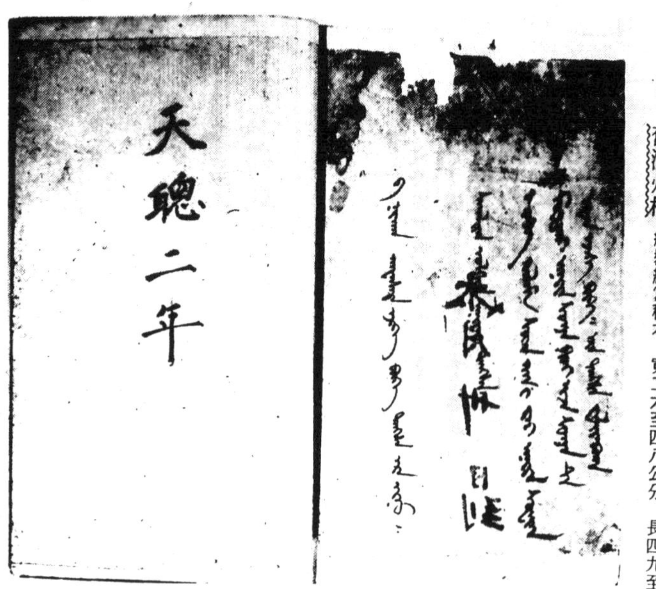

B・舊滿州檔 線裝繕寫稿本 寬二六至四八公分 長四九至六一公分

B. Early Manchu archives. Hand-written draft, traditional Chinese bound book. Width varies from 26 cm.to 48 cm., length from 49 cm. to 61 cm.

圖版柒：A・漢文實錄　內府清繕本　寬二三公分　長約三七公分

大清仁宗受天興運敷化綏猷崇文經武孝恭勤儉端敏英哲
睿皇帝實錄卷之六十二
嘉慶五年庚申三月戊辰
上詣
泰陵行禮　書麟奏勸捐採買道員唐達源按察使銜都
司李豐方和化綱守備王天賦等議敘陞擢有差　以恭
謁
西陵免蹕路經過地方內體經理兵差之宛平良鄉涿三州
縣本年額賦十分之五房山淶水易三州縣本年額賦十分
之三　是日駐蹕黃新莊行宮　己巳月食　祭

Plate VII A. The Veritable Records (in Chinese). Hand-copied in the Ch'ing Court. Width 23 cm., length 37 cm.

B・滿文實錄　內府清繕本　寬二三公分　長約三七公分

B. The Veritable Records (in Manchu). Hand-copied in the Ch'ing Court. Width 23 cm., length 37 cm.

圖版捌：安南表文 原繕本 八幅 每幅寬一七公分 長三三公分 一

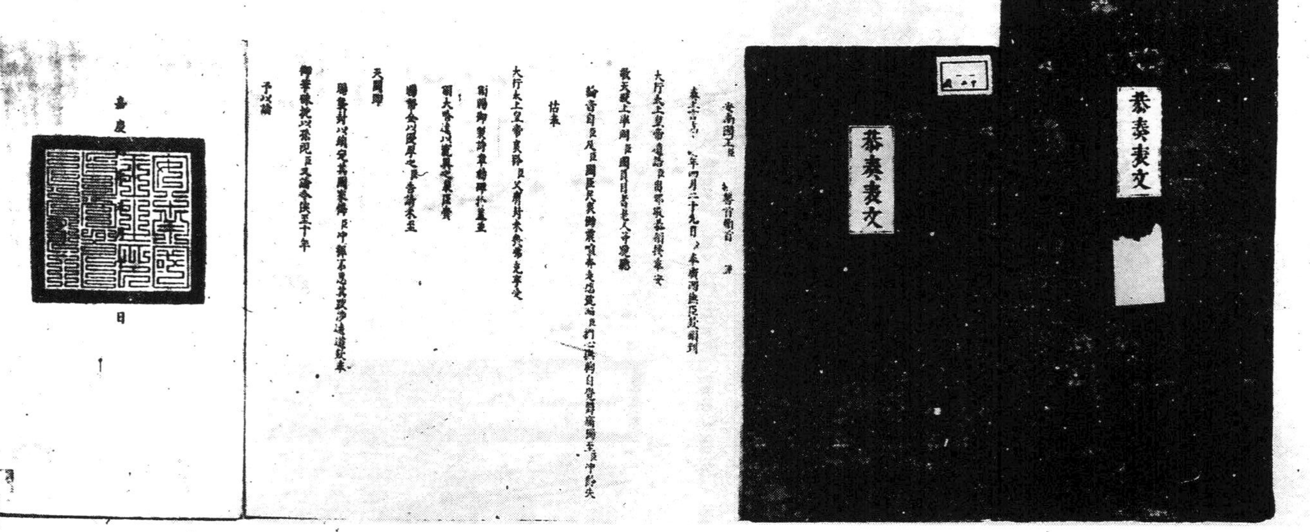

Plate VIII Letter of Credence from Annam. Original document consisting of eight scrolls. Each soroll width 17 cm., length 33 cm.

從鄂爾泰已錄奏摺談「硃批諭旨」的刪改

一　硃批諭旨解題

清初本章制度，沿襲前明舊例，公題私奏，相輔而行。直省循常例行公事，使用題本，用印具題，臣工本身私事，則用奏本，概不鈐印，俱經通政使司轉呈御覽。清聖祖親政以後，鑒於本章輾轉呈遞，缺乏行政效率，爲欲周知中外，洞悉天下利弊，於是倣奏本形式，因革損益，而命臣工於露章題達之外，另准用摺奏事，密封進呈，逕達御前。無論公事或私事，凡涉及機密事件，或多所顧忌，或有更張之請，或有不便具題之處，或慮獲風聞不實之咎，俱在摺奏之列。具摺時例應由原奏人親手書寫，摺內之言，不謀於人，不洩於外，硃批密諭，亦不許互相傳閱，或私相探問。至於奏摺的齎遞過程，尤其隱密，在京王大臣或親詣南書房，將奏摺面交宮報首領（註一），或逕送宮門交由奏事太監轉呈御覽，各省文武的奏摺若屬軍情重務，准由驛馳遞外，其餘摺件俱令親信家丁或千把總齎送入京。奏摺奉君主御批後，即發還原奏人。清聖祖關心地方民情，孜孜求治，臣工於大小事務，凡有見聞，亦皆據實奏聞，天下諸臣成爲君主的股肱耳目，所有地方利弊，施政得失，君主多能洞鑒，其所頒諭旨，訓示方略，亦能措置咸宜，地方文武在千里之外，有如咫尺天顏，親聆睿語。清初政治清明，行政效率尤高，奏摺制度實已充分發揮其功能〔註二〕。

康熙六十一年（一七二二）十一月十三日，淸聖祖崩殂，是月二十日，世宗胤禛卽皇帝位，二十七日，諭令內外文武大臣將所有聖祖硃批諭旨，敬謹查收進呈，不得留匿焚棄，否則定行從重治罪〔註三〕，嗣後繳批遂成了定例，雖硃批「覽」或「朕安」一二字者，亦不准隱匿。世宗在位期間，臣工遵旨定期繳回宮中的奏摺件數至夥，國立故宮博物院現存宮中檔雍正朝漢文奏摺計二萬二千三百餘件，滿文奏摺約八百九十件。雍正十年（一七三二），世宗特檢歷年批發的硃批奏摺，命內廷詞臣繕錄校理，付諸剞劂，工未告竣，僅成數帙。高宗卽位後，不敢意爲增益，但就世宗檢錄已定的手批奏摺，彙著爲目，乾隆三年（一七三八），刊印成書，頒賜文武大臣，計十八函，分爲一百一十二帙，凡三百六十卷，除第九與第十兩函各裝八册外，其餘十六函，每函各裝六册，俱係當時外任官員二百二十三人繳還的硃批奏摺，多者以一人分爲數册，少者以數人合爲一册，冠以世宗硃筆特諭，殿以高宗後序，並開列編次、校對、監造、收掌諸臣名銜，稱爲「世宗憲皇帝硃批諭旨」〔註四〕，此卽一般所謂「硃批諭旨」。因奏摺及夾片均奉御筆硃批，或在簡端，或在句旁，或在餘幅，地方大吏多將硃批奏摺簡稱爲硃批，呈繳硃批奏摺亦簡稱恭繳硃批，此外奏摺內亦常附有硃筆特諭，另以素紙硃書，因此所謂「硃批諭旨」實係硃批奏摺、硃批上諭以及硃筆特諭的簡稱或複合名詞。雍正年間奏摺浩繁，充溢巨簏，世宗隨檢隨發，高宗亦不復排類，並無先後倫次。在二百二十三人內，文職最低者爲知府、同知，如山東兗州府知府吳關杰，襄陽府同知廖坤，其餘則爲道員、布政使、按察使、學政、觀風整俗使、巡撫、總督等。武職最低者爲副將、總兵官，其餘則爲提督、副都統、都統、將軍等，其中有二人或三人會銜具奏者，因此實際署名具摺人數，當在二百三十人以上（註五）。「硃批諭旨」所選刻的奏摺，稱爲已錄奏摺，然不過佔雍正朝奏摺總數的十之一二而已。其後又檢出可以頒發者，準備陸續校理刊印而未予付梓者，稱爲未錄奏摺。其餘奏摺或因未奉硃批，或因硃批文意鄙陋粗俗，或因地方大吏爲世宗所憎惡不足爲天下表率者如年羹堯等輩奏摺，或因奏摺事涉機密而不便公諸天下者，俱不擬刊印，稱爲不錄奏摺（註六）。

清世宗在位期間，充分發揮奏摺制度的功能，一方面放寬臣工專摺具奏的特權，司道微員以下亦准用摺奏事，另一方面世宗採行密奏制度，不僅欲周知中外，或君臣協議政事，亦將奏摺作爲教誨臣工的工具（註七）。世宗頒行「硃批諭旨」的動機，即欲令天下臣民循環跪誦，於展讀之下咸知世宗圖治之念誨人之誠，而感動奮發各自砥礪，以爲人心風俗之一助。世宗於「硃批諭旨」御製序文中亦云「每摺或手批數十言，或數百言，且有多至千言者，皆出一己之見，未敢言其必當。然而教人爲善，戒人爲非，示以安民察吏之方，訓以正德厚生之要，曉以福善禍淫之理，勉以存誠去僞之功。」吳秀良教授於「清初奏摺制度之發展」一書中亦指出在康熙時代奏摺的主要功能是用來瞭解地方情形，至雍正時代奏摺的功能，已不限於政治方面，世宗刊印「硃批諭旨」不僅在教育其臣工，且欲藉以訓導全國社會，打破舊傳統（註八）。「硃批諭旨」係許多外任官員奏摺的集合，亦爲研究雍正時代的歷史所不可缺少的史料。

是書所彙集的資料係世宗個人與地方官員之間私下往來的文書，濃厚地表現出各人的個性。就其內容而言，臣工奏摺的分量雖比君主的文字還多，但臣工的奏議因有君主的硃批，而更增加其價值。且「硃批諭旨」係從地方官員進呈的奏摺挑選刋印者，對於地方政治的實情，提供相當有價值的史料。其中亦含有不便形諸本章的機密事項，或與朝廷體統攸關的瑣屑資料，往往有不少重要的史料（註九）。惟對照宮中檔已錄奏摺原件後，可以發現「硃批諭旨」不僅將臣工奏摺內容逐件刪略，硃批旨意尤多潤飾，而減低了其史料價值。國立故宮博物院宮中檔現藏鄂爾泰奏摺原件共計三百三十四件，「硃批諭旨」所選刻的奏摺即已錄奏摺計二百八十九件，分爲八册，內含附片一件，請安摺九件，其餘俱爲鄂爾泰在江南江蘇布政使、雲南巡撫、雲貴總督任內奏報地方事務的摺件，起自雍正元年十一月二十六日至雍正九年九月初二日。本文僅就宮中檔鄂爾泰奏摺原件與文源書局景印「雍正硃批諭旨」已刋奏摺的比較以探討「硃批諭旨」的增刪潤飾。

二　鄂爾泰傳略

鄂爾泰（一六八〇—一七四五），字毅菴，西林覺羅氏，滿洲鑲藍旗人。曾祖圖捫於清太宗天聰五年（一六三一）從征明朝，大凌河之役，力戰陣亡，授騎都尉。祖圖彥圖襲世職，官至戶部郎中。父鄂拜，官至國子監祭酒。鄂爾泰自幼兼習滿漢文。康熙三十八年（一六九九），中擧。四十二年（一七〇三），襲佐領，授三等侍衛。五十五年（一七一六），遷內務府員外郎。雍正元年（一七二三）三月二十二日，擢江南江蘇布政使司布政使。三年（一七二五）八月初六日，奉旨入京陛見。是月二十五日，實陞為廣西巡撫。十二月二十六日，調雲南巡撫，管雲貴總督事務。四年（一七二六）十月二十六日，實授雲貴總督，加兵部尙書銜。十年（一七三二）二月，授保和殿大學士，兼兵部尙書，辦理軍機事務。十一年（一七三三）十月，充八旗通志總裁，兼署吏部。十二年（一七三四）七月，署鑲黃旗滿洲都統。乾隆十年（一七四五）四月卒，諡文端。

鄂爾泰受清世宗非常知遇，故能由員外郎在三年之內超擢布政使、巡撫、管理總督事務。據禮親王昭槤稱，鄂爾泰任內務府員外郎時，世宗在藩邸，因事召鄂爾泰，鄂爾泰拒之云「皇子宜毓德春華，不可交結外臣。」世宗善其言。世宗即位後，首召鄂爾泰諭云「汝以郎官之微，而敢上拒皇子，守法甚堅，為大臣必不受請託。」是以立授江南江蘇布政使〔註一〇〕。世宗信任鄂爾泰甚專，曾云「朕有時自信，不如信鄂爾泰之專。」〔註一二〕鄂爾泰每具一摺，世宗必嘉其忠誠。雍正二年（一七二四）五月二十七日，署理浙江布政使佟吉圖抵達江蘇，口宣諭旨稱「鄂爾泰自到江蘇，聲名甚好，毫不負朕恩，是天下第一布政。」鄂爾泰在布政使任內，無時不以「報君恩，盡臣職」為念，積極整頓吏治，移風易俗，不遺餘力。世宗亦諄諄教誨，密諭治理地方之道。世宗寵遇鄂爾泰異於他臣，但並未寬縱鄂爾泰。蘇州府同知陳紳署武進縣事任內，虧空地丁銀七千二百餘兩，鄂爾泰失於覺察。雍正二年七月初二日，鄂爾泰接獲其兄鄂臨泰家書，得知奉旨從寬免其處分，鄂爾泰即具摺謝恩，惟奉硃批云「知道了，不可因取信於朕而放縱改易也，勉之又勉，莫負朕用。」世宗與鄂爾泰一種君臣相得之情，不比泛常，世宗每歸之於無量劫善緣所致，故期望鄂爾泰共勉精修。雍正四年（一七二六）二月二十四日，覆奏稱「自顧鈍根，實何修而得此，若不勉力精進，稍有墮落，現在不作善因，未來定受孽果，既不敢亦不忍，惟願生生世世依我慈父，了臣一大事，以求多福而已。」〔註二二〕世宗與鄂爾泰年歲相近，鄂爾泰事君如父，惟世宗常諭鄂爾泰不必作兒女態。鄂爾泰固須循例具摺恭請聖安，亦應將其自身健康狀況奏聞世宗。鄂爾泰曾云「臣之一身疾痛，痾癢呼吸之間，上關聖慮。」世宗關懷鄂爾泰，遠勝己子。雍正四年五月二十五日，鄂爾泰奏陳圖報聖恩一摺，奉硃批云「聞你總不惜力養精神，朕實憂而憐之，若如此則為不知朕，負朕也。似爾如此大臣，朕之關心若不勝朕頑劣之子，天地神明共鑒。」雍正四年十月初二日，雲南府知府袁安煜到任，口傳諭旨云「你到雲南下旨與總督鄂爾泰，聞得他些須小事，每辦至二三更天，若是勞壞了時，不是欲報朕恩，反為負朕矣，嗣後但辦大事，斷不可如此。」鄂爾泰具摺時亦稱「臣之受恩至矣，盡矣，內外臣工無有如臣者。」鄂爾泰凜遵慈訓，加意調攝，且奏請世宗少就暇豫，勿過於任勞。世宗日理萬幾，立志以勤先天下，外來奏摺晚間批諭者十居八九。鄂爾泰捧讀硃批，每當讀至「又係燈下字，墮泪披覽」等語時，則氣咽涕垂，無以自處。凡諸外用大臣入京陛辭時，世宗不忍別至於落泪者，惟鄂爾泰一人。世宗知人甚明，但不輕許人。雍正初年，王大臣之中，惟怡親王胤祥、高其倬、鄂爾泰三人為其股肱心腹。怡親王忠敬性成，勤愼廉明，為不世出之賢王，高其倬端正和平，世宗初亦保不再移其志，因事失寵後，世宗即許鄂爾泰為國家的名器。雍正四年十一月十五日，鄂爾泰謝恩摺內奉硃批云「朕臨御四載，亦只得卿與怡親王二人耳。」世宗與鄂爾泰內外合作無間，君臣之情如同手足腹心。世宗晚年，召鄂爾泰宿禁中，逾月不出。雍正十三年（一七三五）八月二十三日夜，世宗崩殂，召受顧命者惟鄂爾泰一人。

三　史事的刪略

元明以來，苗蠻肆虐，久為西南各省的腹心大患。清初整理苗疆，改土歸流，開始甚早，康熙三十一年（一六九二），四川東川土酋祿氏已獻土改流。雍正初年，在鄂爾泰補授雲南巡撫以前，雲貴總督高其倬已開始積極清理苗疆。督撫開拓苗疆的政策，撥兵進剿各寨頑苗的經過，內廷詞臣奉敕選刻「硃批諭旨」時多經刪略。雍正三年（一七二五）四月，高其倬奏陳調劑黔省事宜云「廣順州所屬之長寨者貢同笱焦山一帶之苗，多係仲家，性好搶掠。其附近各寨，不下數百處，與長寨等處居地相連，暗相依倚，以數百里深阻之地，數百寨凶頑之苗，連成一片，地方文武相離甚遠，鞭長不及，應多設官兵，安立營汛巡防。」（註一三）此摺奏旨依議，鄂爾泰已錄奏摺原件曾節錄高其倬奏文，於雍正四年四月初九日具摺奏陳肅清頑苗。惟世宗敕編「硃批諭旨」時，高其倬已奉旨降調，故將鄂爾泰摺內摘錄高其倬奏文部分悉行刪略。雍正四年八月初六日，鄂爾泰具摺奏請分別流土考成以靖邊事，內稱「前於烏蒙事案，荷蒙聖諭，有改土歸流之旨。此誠聖主之軫恤邊氓良法美意，臣等所當仰體聖心，以推類及餘，雖不必明示大學而爲之，相其形勢，察其事機，可改歸者，即行改歸，其不可改歸，與不必改歸者，姑暫仍其舊。」〔註二四〕易言之，鄂爾泰清理苗疆，不過仰承世宗改土歸流諭旨而行，世宗曾屢飭臣工不准將密諭敍入本章內，「硃批諭旨」既欲頒賜臣工，故將前錄諭旨等項删略不刋。

鄂爾泰爲勦滅頑苗，屢檄粤黔等兵進討，其所撥兵丁數目，「硃批諭旨」多不刋載。雍正初年，苗氛日熾，烏蒙兵馬不及一萬。雍正四年十二月二十一日，鄂爾泰於赴黔之便，沿途酌派官兵及各土兵，在營候調，計：鎭兵一千名，左協兵五百名，右協兵三百名，尋霑營兵二百名，威寧鎭兵八百名，大定協兵二百名，畢赤營兵二百名。鄂爾泰於原摺又奏稱「烏蒙至成都省城一千九百餘里，凡申詳文案，每多耽延，且差遣土人，往往遭野賊刼搶，或爲奸吏停壓，天高聽遠，下情難以上達。今幸聖天子睿哲仁慈，准將東川府撥歸雲南轄治。烏蒙與東川緊連，去滇省不過六百里，情願照例撥歸雲南，所納蕎折糧銀一百二十兩，解歸雲南藩庫。」烏蒙及東川撥歸雲南，重劃行政區域，鄂爾泰奏摺原件實係重要史料。惟「硃批諭旨」但稱「據黃士傑呈送祿萬鍾、祿鼎坤詳文，俱稱烏蒙與東川緊連，去滇省不過六百里，情願照例撥歸雲南等語。」〔註二五〕

威遠等處猓黑，從不耕種，亦無房屋棲止，專以打牲刦擄爲生。雍正五年（一七二七）正月十七日夜間，鎭沅夷猓聚衆數百人，突將衙署放火焚燒，威遠同知劉洪度被害，遊擊楊國華詳稱「威遠猓黑、鎭沅人等於正月十七日午刻，先在抱母井地方抄擄，當夜四更時分奔赴府城，燒衙傷官，刼課放囚。」副將張應宗等亦報稱「正月十八日巳時，有鎭沅府民人及按板井吏目王廷相、者樂甸土官刀聯斗携帶家屬至景東仰里汛被稱有猓黑數百，於十七日晚至鎮沅府按板井二處將各路口邀截，圍燒搶擄，我等投奔前來，其陸續人民，口稱賊衆將劉府衙署及下衙鹽店營房盡行燒毀，傷壞兵民甚多，現在集聚千人，望求招安。」〔註二六〕地方將弁所報頑苗滋事經過甚詳，鄂爾泰據實具摺奏聞，「硃批諭旨」亦刪略不刊。

清理苗疆，首先必將漢奸惡目盡法懲治，絕其根株。雍正五年正月十七日，威遠猓黑夜燒衙署，殺官刦課，縱囚作亂，其爲首奸民，除刀西明外，尚有刀匡國、刀璋、刀廷貴、刀廷傑、方老長、陶正紀、陶運武、張開坤、尤普運、左老大、田保、袁正綱、刀榮祖、刀波遁、曾鬍子、刀廷國、王三禮、鄧把事、謝公枝、段覽、葉在阜、刀有義、方炳、方明、嚴廷獻、方文英、羅喇得、陶波半、陶奔歸、刀如珍、刀二等十一名糾合猓黑共千餘人放火刦殺，把總何遇奇、兵丁劉肇慶等遇害，井民周國鼐等被羈留奸民猖獗，「硃批諭旨」俱將奸民姓名盡行刪略。旋將奸民要犯先後拏獲，頭人刀波幸、陶小保自首，獻出鹽課二封，「一封八十五兩三錢，一封七十三兩三錢。」刀如珠誘擒刀廷貴，綑綁押解到營。在牙賽坡頭查獲刀波瞞，丁怕坡頭拏獲陶波公黨賊方老大及猓黑十名。把總吳起鵬等拏獲戶猛寨夥賊陶小五外，尚有刀三難、陶小四、刀小三、陶波皿、陶波半、王波孤、愛半、張老大、刀波賀、陶波賴、陶波幸、陶老三、陶鼎等，鄂爾泰原摺所開列姓名，「硃批諭旨」俱未刊印。鄂爾泰屢檄文武員弁招撫烏蒙苗酋祿萬鍾，惟祿萬鍾遠竄他處，不肯就撫。鄂爾泰隨檄文武各員搜括其財物。雍正五年五月初十日，鄂爾泰具摺奏稱「今俱具有清册，開有單摺，臣復切囑劉起元、賈擴基等嚴加詰訊，毋令隱匿。續據質審之下，又將隱匿之物一一供吐，雖此外尚有疎漏，難以臆斷。然就漢彝耳目所共見聞者已搜括無遺，如烏蒙一府印信，則有前代部頒者共計五顆，執事則有銀牌、銀瓜、銀月斧、銀鳳鎗、銀蛇鎗、銀方天戟、銀截花、銀兵權、銀提爐之類。器物則有銀罎、銀瓶、金銀壺、金銀盃盤、銀碗、銀勺、銀攢盒、銀壽星、銀鶴鹿、金鞍、銀鞦之類。至於金珠冠帔、金珠首飾、以及珍珠珊瑚瑪瑙錦繡緞疋日用服飾之具，亦大概粗備。但存貯銀兩現無著落，稍遲時日，諒終難隱匿也。」以上起出物件甚夥，頗有助於明清兩代治理土司的研究，惟原文俱不見於「硃批諭旨」。

清軍進勦苗寨經過及苗人頑抗情形，鄂爾泰原摺敍述甚詳。雍正八年（一七三〇）三月二十六日，鄂爾泰於奏聞生苗勦定河路開通一摺稱「以土兵爲奇兵，五路迎敵，當場大砲傷死兇苗三十餘人，帶傷者不可勝計，該苗等始退據隴寨，卑職等卽嚴行督率，先奪其船，且敵且渡，人人奮勇，直逼寨門，又鎗傷兇苗數人。」原摺又稱「正在收兵，忽見北岸苗寨內烈焰衝天，探知係新撫之九𡉕苗民素受來牛荼毒，乘此報復私仇，並見投服之誠等情。又報稱於二十五日密撥官兵埋伏於來牛南岸之上流下流二處，職等帶領少許官兵，離營少許，在南岸中路果有兇苗數千蜂擁北岸，放鎗叫喊，我兵且敵且誘。兇苗見我兵少，遂由北渡南，職等隨放號砲三路齊發，人人奮勇，鎗砲打死苗賊數十名，負傷逃竄赴水淹沒者，不可勝計。兇苗標鎗傷害土兵二名，我兵見同類被傷，愈加奮力，奪船渡江追殺，放鎗打死苗賊數十名，手砍苗賊五名，又搜箐斬殺兇苗二名，日暮收兵。」〔註一七〕鄂爾泰將員弁所報勦苗情形，據實奏聞，其原摺實係研究清初經營苗疆的重要史料，但「硃批諭旨」俱刪略不刊。

鄂爾泰在雲貴總督任內，曾辦理安南畫界及南掌、緬甸進貢事宜，俱係研究清初中外關係的重要史料。雍正六年（一七二八）七月二十一日，鄂爾泰奏稱「安南定界一事，臣因開化文武廢弛已久，屬內屬外並未曾經心，以致交阯土目漸有輕忽之意，故欲乘此整頓以遵體統。今雖蒙恩賞給土地，然該國委員受地時，猶可當下劃清邊界，飭令遵守，原無大干係，此固臣力能調理事也。若明知無大干係，不礙調理，而窺測聖主之虛公從善如轉圜之至意，故陳辯詞停留勅旨，以自博直亮，有擔當之名，此則奸邪之徒，巧於欺罔與於不忠不誠之甚者，臣之心行纖微皆早在聖明洞照之中，敢或不肖至此乎，荷蒙慈訓，一德同心四字，當諸事凜體敬謹誌之。」世宗因寵信鄂爾泰，諸事常不欲自主定意，故多徵求鄂爾泰的意見，鄂爾泰忠誠不貳，諸事凜遵聖諭而行，乃有此奏。前引奏摺不僅有助於研究早期安南關係，亦係研究清世宗與鄂爾泰之關係的重要史料，「硃批諭旨」删略不載。雍正八年十二月十七日，鄂爾泰奏聞南掌使臣回國莽國請貢事宜，內稱是年十月十六日，莽國又名阿瓦，即緬甸，差大頭目猛古叮叭喇等至車里致賀刀詔文承襲宣慰。猛古叮叭喇告知守備燕鳴春云「我莽國原早要進貢，不是被前人嚇怕。國王歸誠，久在南掌之先，今還造化，猶得目覩，回去告知國王，明年一定進貢。但路途遙遠，回去就是數月，不能即來，務懇預先稟明雲南大人，求准代奏。」此段記載有助於清初中緬關係的研究，經「硃批諭旨」纂修詞臣校理後但云「回去告知國王，明年一定進貢，懇預先稟明雲南大人求准代奏。」〔註一八〕

地方豎旗起事案件，「硃批諭旨」多諱飾史事，難窺眞相。雍正八年，兩廣有邪教散箚事件，擒獲李天保等各犯，並搜出邪書。鄂爾泰具摺奏稱「何大什、藍都堂即馮顯成、陳百川、馬朝烈、石公茶、黃道鳳、王公顯等七人姓名，俱有陰名陽名，並載開平、羅平、歸化字樣，治病避鬼符咒乞掘金寶畫圖，並天兵天將喬臣喬人等名色。」又稱「李天保視爲秘本，勾合馮顯成，共推詭稱盤王之李金星卽李布翁爲老祖，歷年往來泗城田州村寨，非借解禳爲誆財，卽托掘窖爲聚衆。迨掘窖不驗，起意散劄獲利，邀徐召年商謀，在韋宋家造稱開平僞號，羅平僞旗，雕印造劄，潛至田州楊秀家住歇。又糾同夥乞窖之蒙薦、班康、吳順、黃全等分散僞劄，每張要銀三兩五錢。僞旗上寫羅平字號，可解瘟疫，並避兵火，以此惑衆騙財。已將李天保等詳解臬司審轉。其供出各犯，現在關移密拿。至田州泗城並無廣東案內供出大倫地名及文姓與楚雲公等，反覆嚴訊各犯，俱稱不知。續拿獲收存木印之羅總重、羅條，並知情之譚六，追獲大小木印二顆。又獲陳百川卽龔武梅、馮顯成及其子馮特宗、馮特祖，搜獲道士印、符咒書、腰刀、鳥鎗等項，俱經起解。」又據思恩府知府劉斌稟稱「奉諭嚴查匪類，因思卑職前任廣西橫州時於雍正二年正月據墟民農扶振首出符牌二張，訊供係道士韋日富身帶之物，詰訊韋日富行踪下落，展轉供扳，而韋日富畏罪遠颺，訪緝無踪，當經具稟前任孔督院蒙諭俟獲首犯，然後詳報。後獲夥犯馬雲標等供與韋日富皆算命看風火營生，併講論開乞古窖，言有符牌，能避瘟疫，惑騙銀錢，錄供呈送前任李撫院，令將現犯分別枷責，押回各原籍拘管在案。今李天保等所犯事亦類此，合行據實稟明。」在廣東方面亦有李梅等揑造謠言案件，鄂爾泰奏云「或稱交趾李九葵係安南國王第七子，要圖大事，和尙智開做軍師。又稱有姓文的說他哥子在陝西要圖大事，招有許多兵馬，從廣西就到廣東。楚雲公是文姓的弟郎，僞造木印劄付八卦旗，詭稱能驅邪，能拒兵馬，訛騙民財，愚民梁子賓、李崑玉等墮其術中，爲之傳佈誘騙，李時行、李伯侯等各出銀錢領旗以爲避禍之具。」〔註一九〕兩廣等地秘密結社，勢力猖獗，地方文武查拏甚嚴，鄂爾泰據實奏聞，敘述甚詳，「硃批諭旨」隱諱史實，俱刪略不刊。

「硃批諭旨」內含有不少經濟方面的史料，惟地方官員虧空銀兩及稅收銀兩數目多經刪略。雍正元年十一月二十六日，鄂爾泰抵江南江蘇布政使新任後奏明交盤已竣並陳額外虧缺情形。其中奏報江蘇藩庫錢糧計存庫銀「二十四萬六千二百五十四兩九錢六分二釐九毫」，在鄂爾泰原摺內以硃筆將存庫銀兩數作刪節號省略，「硃批諭旨」以刪改後的文字刊刻，故不載藩庫現存銀兩總數。前任布政使李世仁虧空雜項等銀計一萬七百八十二兩六錢三分零，經鄂爾泰屢次嚴催，陸續還庫，並由「前任藩臣李世仁、署任臬臣葛繼孔二任內經手」。刊刻「硃批諭旨」時，於銀兩數目處粘貼簽條，改書爲一萬餘兩，其餘各項銀兩，亦將百位數以下銀兩細數刪略，原摺內經手人員李世仁、葛繼孔二人姓名亦刪略不刊。雍正五年五月初十日，鄂爾泰於「遵旨議覆事」一摺內將雍正元年起至雍正四年止各項所增銀兩，俱按年入於正項額外贏餘冊內，其原摺稱「雍正元年分造報過正項盈餘銀五萬八千六百一十七兩六錢三分五釐零，雍正二年分造報過正項盈餘銀六萬五千七百六十四兩九錢二分七釐零，雍正三年分造報過正項盈餘六萬五千七百七十二兩四錢四分九釐零，雍正四年分現在造報正項盈餘銀六萬五千七百三十三兩二錢九分七釐零。雍正元、二兩年分造報過額外盈餘銀五萬三千九百九十二兩五錢五分，雍正三年分並二年分未經造入各項餘存銀四千八十一兩一錢六分零，共造報過額外盈餘銀四萬七千三百一十二兩七錢五分七釐零，雍正四年分現在造報額外盈餘銀四萬七千八百五十七兩八錢五分五釐零。」新開只舊草溪井雍正二三四三年辦獲課銀一萬二千兩。麗江土井雍正三四兩年辦獲課息秤頭等銀五千二十一兩八錢八分八釐。按板、抱母、恩耕、香鹽等井雍正二三四三年辦獲課息等銀五萬七千四百八十一兩六錢六分七釐零。俱照原題留爲創開井地等費，並存放新設普威營官兵俸餉之需。〔註二〇〕以上詳細數目，俱不見於刋刻出版的「硃批諭旨」。雍正五年十一月十一日，鄂爾泰於奏明新增鹽課餘息一兩，奏報麗江井年煎正額鹽共二十萬一千餘斤，「實獲課價秤頭銀二千七百七十七兩零，以二千五百一十兩零撥抵琅安二井減價餘銀，造入額外贏餘册內。」又景東井年額煎鹽十六萬九千二百斤，「辦正課贏餘共餘三千四百八十五兩。」又雲龍井年煎額鹽二百五十一萬一十四斤，趲煎鹽三十萬斤，「每百斤有秤頭鹽二十六斤，徵正課公費銀五千一十一兩零，正項贏餘歸公銀二萬三千八百八十九兩零，額外贏餘銀一千六百兩。」〔註二一〕前列銀兩數目，刋刻「硃批諭旨」時盡行刪略。其餘刪略之例尚多，無煩縷擧。

四　供詞的刪略

宮中檔內附有甚多供單，奏摺中亦抄錄不少供詞，俱係研究當時史事的第一手資料。鄂爾泰經營苗疆期間，俘獲人犯所錄供詞，俱具摺奏聞，「硃批諭旨」多刪略不刋。雍正五年正月十七日夜，鎮沅夷人勾通威遠猓黑乘夜放火焚燒衙署，其起釁情由，各持一說。據夷人刀沛供稱「惡目刀西明、刀如珍、刀廷貴、陶奔歸等逆天不法，揑稱署府待民刻薄，又涎羨鹽課，威逼伊等從逆，不允，即要殺死爲首之人，尙有小班陶贊門子、刀西侯、張開坤，鄉官刀西燦，料理陶正紀，族人刀廷遺糾約城內及各村寨百姓並猓黑，於正月十七日三更時，將下衙焚燒，後到上衙，先逼劉同知要印，隨卽燒殺。」問其府印，據供「係刀廷貴等帶至戶猛村，隨追至戶猛，並無一人，遣各將追擒堵禦招撫，把總何遇奇等始脫圍困。」刀沛所供夷猓黑滋事經過甚詳，惟不見於「硃批諭旨」。

車里宣慰司地方，近逼老撾，遙連緬甸，有窩泥部族。據鄂爾泰奏稱「窩泥一種，雖具人形，而生性冥頑，與禽獸無異，藉江外爲溝池，倚茶山爲捍衞，盤踞萬山之中，深匿巖險之內，入則借採茶以資生，出則憑剽掠爲活計。」〔註三二〕雍正五年四月初六日，窩泥渠魁麻布朋等率衆在慢課慢林等處要截路口，刼殺行人，茶商客衆多被殺傷，經官兵先後拏獲兇犯七十人。訊問各供，據糟鼻子布朋等稱「麻布朋於四月初六日到莽芝小寨，與者老二商量，他們就動手殺死王姓江西一人，李姓景東一人，石屏陳姓一人。土主廟門前殺迤西張姓一人，小蠻磚路殺趙先翰一人，屍骸俱已埋了。」據頗郁等供稱「在大寨殺七個，小寨殺三個，莽芝路上共十個。」又詢殺死係姓何姓名，據供稱「湖廣蕭老五夫妻兩個，劉客長一個，李二哥一個，石屏馮大價一個，老閻一個，其餘五個不知姓名，俱是麻布朋著令莽芝人，傳有手指髮辮，逼勒大家動手是實。」在慢課地方又殺死銅匠一人，姓名爲黎崇文。據李廈乃夜供稱「麻布朋傳手指髮辮來著大家去邀路，就是小的兩個遇著這一個人，卽用弩箭先動手打死了。」猛崙地方又有客人六名被殺。據嫩白勒阿扯約供稱「大家追客至猛崙酒房，殺死湖廣姚弘樹一個，范老官一個，張湖廣一個，大理劉紹先一個，又兩個不知姓名。」又於小寨殺三人，「一係江西楊飛祿，傷重，恐被殺自縊死。一係蘇老三，帶傷來躲，數日而死。其一人自慢林被賊趕來箭傷，至寨藥發身死，不知姓名。」據卑者供稱「劉江西是小的們同倚邦廈扯殺的，手指髮辮傳往莽芝去是實。」又據廈扯供稱「前麻布朋來殺客，大家追至細腰子河邊，殺死迤西趕馬的王姓客一個，得青馬一匹，紫馬一匹，茶十一馱，鞍子十一副。」〔註二三〕雲南窩泥部族，橫逆肆惡，屢次剽掠刼殺，實為地方大害，前引供詞，俱經刪略，不見於「硃批諭旨」。

鄂爾泰為開通都江水道，於雍正八年正月二十一日調遣粵兵勦撫定旦、來牛頑苗。二月初六日，據候補守備高本陽等率同寨比苗民拏解定旦首惡阿當到營。隨加嚴訊起意糾黨兇首共有幾人。據阿當供稱「阿斗、阿掌、阿直、阿爪、阿憒、阿擺、老卓、阿扛、阿叭，與小苗共十個人商量的。」又訊問兇首藏匿何處，據供稱「阿叭已經被火燒死，阿擺、老卓、阿扛三個通被官兵殺死了。」初九日，苗民阿埃到營禀稱兇首等「只在對山坡上，不敢過江。」副將趙文英等預遣兵丁埋伏，令通事阿么誘至江邊，隨拏獲阿直等五人。據寨比等處苗民到營禀稱，「阿當的係積盜，兼會做鬼。」即阿直、阿爪亦稱「打雞蛋卜卦及攔江截殺，總是他起見。」阿當亦供認不諱，隨將阿當斬首。前引供詞，雖嫌瑣碎，惟當時進勦頑苗，其供詞實甚重要。世宗敕編「硃批諭旨」時，苗氛已靖，故將其供詞細節，俱行刪略。

古州三保地方，貼近諸葛大營，車寨尤逼處營側，營基舊為頑苗土地，就地建營後，苗民迄未帖服出沒無常，肆虐刼殺，商客蒙害，此腹心大患一日不除，則地方文武一日不能安枕，鄂爾泰遂奏請勦滅各寨兇苗。雍正八年七月二十四日，鄂爾泰將辦理經過具摺奏聞。土舍楊茂枝帶領各寨老苗跪路哀求稱

「後生們爲寨頭藏弩的人誤害，今被勦盡，只求饒命，盡繳兇器，綑獻首犯。」嚴訊兇苗，據供稱「係車寨人名老戛到龍早來叫我們做的。」通事帶領黨祥、佳沙二寨苗人跪營悔罪云「起意傷人，原係龍早做的，今後再不敢爲歹。」「硃批諭旨」將苗民供詞俱行刪略。據副將趙文英稱「職等看來從前各處山苗俱係車寨勾結是實，初八日，有蠟酉佳色等六寨苗民帶領龍早苗人到營備牛砍款，供有頭人十四個，老歇、老類、老擺、老拉、老路、老戛、老松、老桑、老哀、老遜、老亨、老果、老佳、老商都是他們做的事。今見營門掛頭，割取耳鼻已死了十一個，止有老果、老佳、老商三個逃脫，願拏三個解來。並據供老戛一犯係車寨的人進來勾結我們。又供老歇等殺人，原是車寨叫做的等語。職等勒令擒獻老果等三兇，方免死罪，衆苗鳴誓而去。」〔註二四〕苗民供詞及將弁詳報的內容，俱係研究清初經營苗疆的重要史料，俱不見於「硃批諭旨」。

五　諭旨的增刪潤飾

奏摺密封進呈御覽後所奉硃批，有行間的夾批即旁硃，亦有餘幅的尾批，甚至在封面上亦見硃批，間亦另附硃筆特諭。「欽定四庫全書總目」亦謂所奉硃批少者數十言，多者每至數百言，其肯綮之處，經御筆圈出抹出者尤爲詳悉，「無不循名責實，斥僞求眞，或即委而知源，或見微而識著，玉衡之平，不可欺以重輕，金鑑之明，不可炫以研醜，推求一事，而旁燭萬端，端拱九天，而坐照四海。凡堯儆舜咨具寓於義畫禹書之中，天下臣民循環跪誦，蓋皆得而仰喩焉。」」（註二五）但「硃批諭旨」所收錄的奏摺，其硃批旨意，俱經增删潤飾。或因原摺硃批文字粗俗鄙陋，或因世宗深夜燈下批諭而多錯別字，或因世宗隨意所及而以通俗口語批摺，刋印「硃批諭旨」時幾乎逐句逐字加以潤飾。雍正二年六月初八日，鄂爾泰任江南江蘇布政使時具摺謝恩並繳硃批諭旨，所奉硃批云：

「所奏甚是，向聞得你所做得法，故未諭你，你今既有此奏，將朕意諭你，凡移轉風俗之事，須徐徐漸次化理，不可逆民之意，強以罰繩之也。先前湯濱等有幾任巡撫，亦有此舉者，皆不能挽回而中止，反爲百姓之怨望，無濟於事，如蘇州等處酒船戲子匠工之類，亦養多少人，此輩亦有游手好閑者，亦有無產業，就此覓衣食者，倘若禁之驟急，造作無益之物者，不能養其生理，回田者無地可種，而亦不能任勞，若不能養生，必反爲非他求矣。必須爾等地方大吏，正己率屬，徐徐化導，使百姓明解其非，樂從務本，知其利害，方可長久尊行，風移俗化也，萬不可嚴急，使民失業。至於蘇常等處，還是禮義懦弱之風，雖尙奢靡，不過好嬉戲耳。況人姓哆巧，可以掙得出飯吃，若較好勇鬥狠之風相去遠矣。若盡令去讀書，天下官還不勾蘇州一府人用，非長計也。若驅令歸農，此輩懦怯無能之人，何能力田服勞也。不過棄鄉棄土而往他省，仍務其惡業耳，非長策也。凡事順人情就風俗而理之，漸漸委曲開導方可，此等事一點迂腐淺見不得，虛名務不得，地方上刁頑矜紳縱不得，末業小民苦不得，必須一夫不獲其所，若己推而納之溝中，如此寬仁，如此識見，方可爲民父母。諸事若不打量久長，暫圖一時高興，不能令風移俗美，而翻成勞而無功，沒趣之極也。只可以善言徐徐化導，不可以罰害小民生理也。此朕密諭爾之旨，不可再令一人聞之，要緊，要緊。」

〔註二六〕〔圖版壹〕

清初反滿運動，此仆彼起，君主屢飭地方大吏極力避免激起漢人反滿情緒，欲令百姓各得其所，漸漸消弭種族意識。鄂爾泰補授江南江蘇布政使後即奏稱「江蘇地方，外似繁華，中實凋敝，加以風俗奢靡，人情浮薄，縱遇豐年，亦難爲繼，但逢歉歲，遂致成災。」世宗恐其操之過急，官逼民反，故諄諄密諭治理地方之道。內廷詞臣奉敕編印「硃批諭旨」時，將前諭潤飾改正，先用奏摺紙以墨筆重抄硃批全文惟其重抄時已將世宗誤書錯別字及欠妥詞意俱行改正，如：「向聞得你所做得法」一句，重抄時將聞得之「得」字省略。「凡移轉風俗之事」，重抄作「凡轉移風俗之事」。湯斌，世宗誤書作「湯濱」，重抄時亦經改正。「覓衣食者」，重抄作「覓食者」。「縐急」，改正爲「驟急」。「尊行」，改正爲「遵行」。「人姓多巧」改正爲「人性多巧」。「不勾蘇州一府人用」，將「勾」改正爲「殼」。墨筆楷書抄畢後，續將潤飾字句書於黃簽粘貼其上。茲將原批及修改文句俱錄於後：

「所奏甚是，向聞『你所做』（爾料理）得法，故未諭『你，你』（及），今既有此奏，（因）將朕意諭『你』（爾），凡轉移風俗之事，須『徐徐』漸次化理，不可『逆』（拂）民之意，而強以『罰』（法）繩之也。『先時』（從前如）湯斌等『有』（及）幾任巡撫亦有（爲）此舉者，皆不能挽回而中止，反『爲』（致）百姓之怨望，無濟於事。如蘇州等處酒船戲子匠工之類亦（能）養（贍）多『少』人，此輩『亦』有游手好閒者，亦有無產無業就此覓食者，倘『若』禁之驟急，『

造作無益之物者』，（恐）不能『養其』（別尋）生理，『叵田』（歸農）者無地可種，『而』（且）亦不能任勞，若不能養生，必反為非『他求』（不可究竟）矣。『必須』（惟在）爾等地方大吏正己率屬，徐徐化導，使百姓明『解』（識）其非，樂從務本，知其利害，方可長久遵行，風移俗化也，萬不可嚴急，使民失業。『至於』（究之）蘇常等處，還是禮義柔弱之風，雖（習）尚奢靡，不過好（為）嬉戲耳。況人性多巧，『可以掙得出飯吃，若』（頗嫻技藝，善於謀食），較（之）好勇鬥狠之風，相去遠矣。若盡令『去』讀書，『天下官還不穀蘇州一府人用，非長計也』（勢必不能）。若『驅』（槩）令歸農，此輩懦怯『無能』之人，何能力田服勞『也』，（將來）不過棄鄉棄土『而』（遠）往他省，仍務其『惡』（舊）業耳，非長策也。凡事順人情就風俗而理之『漸漸』（從容布置），委曲開導，方可『此等事』（有成），一點迂腐淺見（存）不得，虛名務不得，地方上刁頑矜紳縱不得，末業小民苦不得，必須一夫不獲其所，若己推而納之溝中，如此寬仁，如此識見，方可為民父母，『諸事』若不『打量』（計及）久長『暫圖』（祇圖）一時高興，（匪惟）不能『令』風移俗美，『而』翻成勞而無功，『沒趣之極也』，只可『以』善『言徐徐』（為）化導，不可『以罰』（使）小民（失其）生理也，此朕密諭爾之旨，不可『再』令一人聞之。要緊，要緊。」（圖版貳）

前引硃批墨抄，『　』內詞句係墨抄原文，（　）內詞句係粘貼黃簽改書的文句，「硃批諭旨」的硃批部分即據粘簽刪改後的文字刊刻成書（圖版叁），其餘奏摺內的夾批或餘幅尾批，即據此刪改潤飾，例繫不勝枚舉。

「硃批諭旨」一書所載奏摺餘幅尾批，有一部分係敕編該書時增補者，並非世宗發還硃批奏摺當時所書。例如雍正八年正月十三日，鄂爾泰於「奏聞黔省撥派調度情事」一摺，餘幅奉硃批云「大局業已蒙上天慈恩，盡屬妥協矣，似此細端，朕不慮也，卿酌量爲之。」（註二七）「硃批諭旨」所載該件奏摺尾批云「大局業已蒙上天慈恩，盡屬妥協矣，似此細端，猶在卿酌量詳愼，不可少忽，以貽後患，然古州一事，朕終不敢信其久無他變也，卿其誌之。若能始終如今日之妥帖，誠出望外。」（註二八）「酌量爲之」一句以下係刊印「硃批諭旨」時增補者。雍正八年三月二十六日，「奏聞清水江苗勦定畏服事」一摺，原摺奉硃批云「嘉悅覽焉，朕爲古州八萬之憂釋然矣。」（註二九）「硃批諭旨」一書所載該件奏摺尾批爲：「嘉悅覽焉，朕爲古州八萬之憂懷，今日始少釋矣，尤宜詳愼。」（註三〇）

宮中檔摺件內除夾批、尾批外，世宗間亦以另紙硃書特諭封入摺內，刊印「硃批諭旨」時，即將所附硃筆特諭刻入奏摺內而成爲該摺餘幅尾批的一部分。雍正四年十一月十五日，鄂爾泰於「奏覆欽奉上諭事」一摺，其原摺餘幅奉硃批云「所論甚是，已密諭韓良輔矣。」此摺另附世宗親書硃筆諭旨一紙，並經墨抄改正及潤飾。其文云：

「陳時夏有母『親』在家，『他』欲告假接其母同『來』（赴）任所，朕許『他』命地方官送來，可以不用『他來』（伊親往），『他』（伊）深感情愿，『你』（爾）可與楊名時委一微員同陳時夏之弟一路用心照看，好好送至蘇州，可命乘驛『再』（前去），爾等亦幫助『前來』（費用），令其如意，即伊家『裡』（中）亦為之安『揷』（頓）妥協，不可令其母繫念，爾等『亦』（併）時常照看『特諭』，將此『諭』亦『與』（諭）楊名時『看』（知之）。（再）起身日期不可催迫，『動身』（遲早）取伊母之便『好』，有年紀人路上著『他們』好生照『看』（料），隨便歇息行走，不必因乘驛定限，『再』（特）諭。」（註三二）

前引硃筆特諭，『　』號內字句係硃筆原文，因詞意欠妥，奉敕刪改或潤飾，（　）號內文字則係墨抄時粘貼黃簽改書的詞句，「硃批諭旨」即將修改潤飾過的硃筆特諭刻入該件奏摺末幅尾批之後，惟硃筆特諭，亦有非世宗親書，而以正楷硃筆書寫者，此類特諭，有一部分疑即出自校理「硃批諭旨」詞臣之手。

「硃批諭旨」一書，不僅將上諭逐件潤飾改正與增補，同時將不便公諸天下者俱行刪略。滿人入主中原後，極力籠絡知識分子，欲緩和漢人的反滿意識，硃批諭旨內凡涉及滿漢畛域者，一律刪略不刋。雍正四年十二月二十一日，鄂爾泰於「欽遵聖諭事」一摺抄錄奉到硃諭具摺覆奏，其硃諭云：

「朕即位來，如此推心置腹待漢人，而不料竟有王曰期，查嗣庭之輩，頑不可化者。今伊等悖逆不道之事，自然天下共聞者。近因查嗣庭進上物件，記載一事，有旨凡漢人進獻，朕皆不納，楊名時所進之物，朕亦引此旨不受發還。諸如各省督撫之進獻，朕本不喜此事，但朕凡百槩遵守聖祖成規而行，若止行此事，非今日之不是，即當日之非也，所以于朕甚不便，今既有此一機，故發露之。但楊名時有名人物，諸漢人之領袖，可勸他求上一疏或一摺，怪查嗣庭之無人臣禮，引古君臣貢獻之儀，芹敬之道。若如此拒絕未免隔君臣之情，虧外臣之典之文奏一奏，則從來此事皆是矣。楊名時迂拙，必委曲令爲此舉方好。密之，密之，萬不令楊名時知朕之諭也。」（註三二）

鄂爾泰原摺所抄錄該道上諭，粘貼黃簽書明「擬删」字樣，「硃批諭旨」遂不見此段硃諭。鄂爾泰覆奏云：

「臣跪誦之下，不勝憤恨。伏惟聖主推誠用恕，遠邇靡遺，凡遇內外滿漢莫不一視同仁，有耳共聞，有目共睹，乃查嗣庭輩悖逆不道，暗肆譏諷，私載日記，以逞奸邪，此誠自然生成，不容於天地者也。臣奉諭後隨札致楊名時，大略謂齎摺家人自京來，聞奉聖旨，因查嗣庭日記一事，凡漢人進獻，一概不受，而老先生貢物，亦遂未蒙賞收。竊思五玉三帛，載在虞書，時享歲貢，紀之周禮，大禹來九州之筐篚，成湯受萬國之共球，凡以通上下之情，洽君臣之誼，二帝三王，未之有易，即漢唐以來，職貢有圖，方物有錄，皆所以昭示海隅，並非以秘藏篋衍也。今查嗣庭輩以奸險之心，逞詭僻之智，致于聖怒，凡屬臣僚，莫不切齒。但忠佞各殊，良楛迥別，雖百爾愛戴之誠，實結於儀物未陳之始，而戔戔微末，用表寸忱，曝背獻芹，野老且然，況大臣乎。即我聖祖仁皇帝，凡於大小臣工貢獻，皆俾得達，其綢繆惇棐之誠，我皇上臨御以來，孝治天下，事事仰承，而於內外臣子教育備至，體恤尤周。今以一二宵小之徒槩拒內外臣工之獻，在群小罪不容誅，而諸臣心難自已。老先生清正典型，爲聖主所眷注，務當敬抒誠悃，援引大義，立具奏本，懇祈聖慈，則不惟聯外臣下之情，並以存千古朝常之體，所關甚鉅，又不獨爲老先生一人計也。愚所見道理實應如是，萬勿小有顧慮等語。臣料楊名時人雖迂拙，頗諳經義，必痛切敷陳，懇乞慈鑒也。」

「硃批諭旨」既將前奉密諭刪略，亦將鄂爾泰此段覆奏之詞及致書楊名時的內容一併刪去。楊名時，字賓實，江南江陰人，康熙三十年（一六九一），進士，改庶吉士，四十一年（一七〇二），督順天學政。五十三年（一七一四），充陝西考官。五十六年（一七一七），授直隸巡道。五十八年（一七一九），遷貴州布政使。五十九年（一七二〇），擢雲南巡撫。雍正三年（一七二五），擢兵部尚書，改授雲貴總督仍管巡撫事。翌年，轉吏部尚書，仍以總督管巡撫事務。尋以題本內誤將密諭敘入，世宗嚴加斥責，命解總督任〔註三三〕。雍正四年十月二十六日，特旨補授鄂爾泰為雲貴總督。楊名時接獲鄂爾泰信札後，即具本進獻方物。是年十二月二十六日，世宗諭內閣云：

「朕即位以來，視滿漢臣工均為一體，時時訓誨，以君臣之間，務敦元首股肱，一體聯屬之實心，而不在於儀文度數之末。至於上之賜賚於下，下之進獻於上，不過藉微物以表誠意之交孚，若誠意不孚，而徒事虛文，則大非君臣一體之道也。朕三年以來，素服齋居，從未令進獻，至上年八月，三年之期已滿。十月為朕萬壽節，在廷諸臣，有進獻書籍筆墨文玩之事。朕以諸臣之意，出於誠懇，若一槩拒却，恐無以聯上下之情，而成泰交之誼，故其物雖極輕微樸陋，朕亦鑒其忱悃，收納一二，此朕優待臣工，曲體下情之深恩，並非因其進獻之物，可適於內廷之用而收納也，旋已命停止群臣之進獻矣。朕之視爾諸臣，實不啻家人骨肉，是以偶有食用之物，朕亦不論物之輕重，遇便即行頒賜，如論語所記，賜食賜腥，古人早已行之，朕實出於一片待下之誠心，豈藉此鼓勵，望其報効乎。

向來年節之時，聖祖仁皇帝以口外所進鹿豕雉兔之類，頒賜諸王外，其餘止及於漢大學士及內廷供奉之翰林，則其優待漢人者如此。朕踵而行之，徧及於在廷大臣，無非家人父子，歲時伏臘，歡欣浹洽之意，不在微物也。乃查嗣庭私編日記，譏訕朝政，而於賞賜進獻之物，則以無爲有，以少爲多，將來散布流傳，必致人議論。卽如楊名時、李紱、何世瑾、甘汝來等所進之物，奏單現在，李紱、甘汝來又因不收，再三奏懇。觀其所獻，俱堪一笑，此亦非伊等今日所進，偶涉菲薄，乃向日之例，大率皆然。我聖祖仁皇帝六十餘年，諸臣進獻之物，不過如此，天下人所共知者，蒙聖祖寬大包涵之度，鑒其微忱，不遺葑菲，所收率多筆墨箋紙書冊之類，恩誼可謂至矣。假若有悖逆狂妄，如查嗣庭之誣妄記載者，六十餘年之久，又不知如何訛言也，不幾以聖祖恤下之弘仁，而反啓僉壬之訾議乎。朕事事率由舊章，祇因查嗣庭之妄行訕謗，是以有禁止漢官進獻之旨，卽年節賞賜之事，朕意亦躊躇，蓋恐照舊行之，或啓無知小人之議論。若將進獻賞賚，槩行停止，又將謂朕之待下，過於嚴峻，無以聯上下之情，而不合於聖祖之政。此雖細微之事，中有關係，朕不得不加詳慎，著將甘汝來奏摺並李紱等進獻奏單，發與漢大學士九卿閱看議奏。」（註三四）

如前引諭旨，楊名時等進獻物件，據實錄所載，係楊名時自願進獻，惟對照鄂爾泰奏摺原件，發現楊名時進獻物品，乃因楊名時爲著名漢大臣，籠絡楊名時，則足以影響其他漢人，以塞天下人之口。楊名時進獻，並非出自其本意，乃係世宗授意於鄂爾泰，開導楊名時藉進獻以抒誠悃。尋漢大學士九卿等援據舊典，合詞具奏，內外官員進獻及廷臣常年賞賜，懇請仍照舊例。奉旨云「此朕愼重之意，惟恐以濫賞啓人議論，又恐因進獻開諂媚之端，故令漢大臣等會議具奏。今覽所奏，援引舊典，情詞懇切，著照所請行。至於諸臣進獻之事，外任大臣自古有進獻方物之理，今仍准其進獻。但所進之物，必令廷臣共知之，朕酌量收納，亦必令廷臣共知之，在內諸大臣，原無方物可獻，若以慶賀令節之期，視爲成例，相率進獻，朕槩不收納。朕前所降諭旨甚明，仍著遵行。」查嗣庭既被指爲無的放矢，遂以謗訕下獄。雍正五年五月，查嗣庭卒於獄，仍戮其屍。

硃批詞意不雅者，亦經删略。雍正五年五月初十日，鄂爾泰「奏陳銅鑛大旺工本不敷懇恩通挪」一摺，行間奉硃筆夾批云「豈有此理，孰肯如此，觀此一事料理而不慶快者除非木石也。」「豈有此理」一語不應出自帝王之口。原摺附該夾批墨抄一紙，粘貼黃簽修改潤飾後云「孰肯如此料理，觀此而不慶快者殊非人情。」〔註三五〕雍正五年六月二十七日，鄂爾泰「奏覆欽奉上諭事」一摺，奏陳泗城同知劉興第係特用之員，或可勝知府之任。奉夾批云「此人朕計初看老成去得的人，細問不實在，少鬼些，不然可總兵才，中上。」「硃批諭旨」改作「此人朕識得，初看老成，人去得，細問不實在，不然可總兵才，中上。」而將「少鬼些」删去，並加以潤飾。

密諭一人知道，未成定案，不便宣露者，亦奉旨删略不刋。雍正五年五月初十日，「硃批諭旨」載鄂爾泰奏報豆麥收成分數，摺尾硃批爲「實慰朕懷，今歲春收，直省可稱大有，近日都中左近雨水甚屬調勻，各省奏報，似亦皆然。但今夏令或恐有雨水過多之處，總在天恩之賜，亦不敢預料。」惟查該摺原件硃批則云「實慰朕懷，今歲春收，直省可稱大有，近日都中左近雨水甚屬調均，各省奏報似亦皆然。

但今夏令少恐有雨過多之景，總在天恩之賜，亦不敢預料。張大有原係平和過於謹愼無能爲人，近來陛見，甚覺昏憒，伊言有病，現命醫調視。常德壽向在戶部漕務，甚是熟悉，未知可勝此任否，此亦預備之意，朕意未定。」（註三六）張大有一節涉及當時人事，不應令諸臣得悉聖意，不便宣示於衆，故刪略不刊。

宦海浮沈，禍福難測。漢軍鑲黃旗人高其倬，於康熙三十三年由進士改庶吉士散館授檢討，尋兼佐領，累遷內閣學士。五十九年，授廣西巡撫，親往招撫叛苗。六十一年，世宗即位後擢雲貴總督。青海羅卜藏丹津叛，入侵西藏，高其倬檄諸將自中甸進駐察木多。雍正二年，平定青海，中甸喇嘛番酋率衆納土請降，世宗嘉高其倬之能，賞給世職拜他勒布喇哈番。三年，進兵部尚書銜，加太子少傅，調閩浙總督，深得世宗寵任。世宗不輕許人，封疆大吏中惟獨高其倬蒙世宗許爲天下第一大臣。雍正四年二月二十四日，雲南巡撫管雲貴總督事務鄂爾泰奏謝聖恩事，摺內末幅奉硃批云「朕又得高其倬一人矣，可喜之至，朕惟以手加額，爾等福壽綿長，永永輔弼朕躬，以利養生也。汝二人實朕之寶棟梁之器，高其倬朕視較汝還優。朕原許你朕第一大臣，今日要許你第二人也，朕實慶幸之至。」（圖版肆）「硃批諭旨」所選刊的奏摺，其末幅摺尾未奉硃批者，實屬罕見。內廷詞臣奉敕編印「硃批諭旨」時，高其倬業已失寵，雍正十二年，高其倬回兩江總督任內因坐徇知縣趙崑珵償海塘工款，部議降調，授江蘇巡撫，故將前引世宗原許高其倬第一大臣之處俱行刪略，而使該件奏摺末幅不見硃批（圖版伍）。其原摺硃批部分係以硃筆抹去，「高其倬」三字則以濃硃塗抹（註三七），其硃筆塗抹，實係世宗敕編「硃批諭旨」時所刪去。因雍正四年五月十四日鄂爾泰家奴保玉齎回奏摺二匣並御賜小種茶到滇，開啓摺匣，恭讀硃批，仍未塗抹，鄂爾泰將所奉硃批抄錄呈覽，並奏稱「臣伏讀至此，不勝驚喜，不勝惶愧。竊思臣元年雲南典試，親見高其倬爲人端方謹愼，又復平恕，及前在途相遇，論事有條理，到滇署後知其臨事能識大體，不沾沾細務，心甚重之，實不能及。乃蒙聖恩以臣相擬，許臣以第二人，而且愛臣如寶，重臣如棟梁，倚臣爲輔弼，望臣以利蒼生，極之於喜之至慶幸之至至矣盛矣喜起之風蔑以加斯矣，臣又何心敢不自勉，敢不自重，願臣等福壽綿長，永永輔弼，竊思聖主膺九如之福，享無疆之壽，永於萬年，臣等亦必自邀福蔭，以永永贊助於無窮也。」（圖版　陸）前引硃批既經刪略，鄂爾泰所奏感恩一段亦不刊。雍正四年六月二十日，鄂爾泰謝恩摺內奉硃批，以怡親王、高其倬、鄂爾泰三人俱爲世宗股肱，「當代惟高其倬汝三人，朕保再不移志者，其他朕實不敢。」（圖版　柒）敕編「硃批諭旨」時將「高其倬」姓名以硃筆抹除，並將「三人」改爲「二人」（圖版　捌）。

高其倬在雲貴總督任內經營苗疆，處理對外交涉，頗具功績，鄂爾泰摺奏時曾屢述及其貢獻，惟「硃批諭旨」竟將涉及高其倬者多加以刪略。雍正六年正月初八日，鄂爾泰奏陳窩泥規畫事，內奉硃筆夾批云「可謂實在情形矣，但李衞曾欲少振作，朕因其人秉性喜自恃，恐其草率孟浪，未敢信任也。先前高其倬、李衞曾見面奏緬國云，有向內之意，伊等曾有招撫處，未知近日可有聲息否。」世宗敕編「硃批諭旨」時，於「高其倬」姓名右旁粘貼黃簽，書明「奉旨不刻」字樣。並將招撫緬甸一段刪略不刊。雍正六年三月二十八日，鄂爾泰抄錄所奉硃批覆奏，並稱「臣查前督臣高其倬曾委遊擊張隺前往採聽，住永昌一年，屢經張偺札移開示。據緬文回稱，內有天朝，外有緬國，原是一片金一片銀，舊無干犯之事，亦無歸附之說等語。金銀之喻，蓋以論尊卑也，及細詢情由，因有一二漢奸勾連近邊彝目，欲內附以叛主，希圖挾制該國，實並無此意。且其地雖與滇省接壤，而過永昌、騰越猶須四十餘日，此亦六合之外，只可存而不論。至於老撾國緊連車里地方，若得內附，用作外衛，甚於邊計有賴。臣早經留意，現在或有機可乘，俟一有確信，即當奏聞。」〔註三八〕此摺原件係研究清初中緬關係的珍貴史料，惟「硃批諭旨」俱刪略不刻。至於緬文內所稱金、銀，並非用以比喻尊卑，實係比喻鄰國和好相處不犯疆界之意。清高宗乾隆三十三年征緬期間，木邦苗溫曾以粽葉緬文致書清軍將領，略謂「自一千一百一十一年上，九龍江十二處土司都我們得了，有漢官二蘇野一位，頓大野一位，帶字來到我們這裡，說兩國成一國，兩塊金子成一塊，成一條金路、銀路，兩國相好，百姓買賣相通，得有利息，兩下裏各還兩國的錢糧，你做永昌的官，管兩國邊界，不要犯了王法。」〔註三九〕易言之，金、銀兩國，彼此相好，不犯疆界。

「硃批諭旨」將有關對外作戰兵敗經過盡行刪略，隱諱史實之處屢見不鮮。雍正八年十二月十七日，鄂爾泰具摺奏聞南掌使臣回國及莽國請貢事，原摺奉硃批云「極好之事，此皆卿代朕宣猷之所致。但總聽其自然，不必有意設法張誘，此等事雖係虛聲，實國家榮幸之實跡，惟靜待天恩，非人力之所能者。再昨諄噶兒出於意料之外，傾其大隊來犯西路軍營，盜劄馬駝，幾至措手不及，技無所施，深費朕之勞慮。蒙上天慈祐，兩次與分遣小營對敵戰敗，今已回其巢穴矣。或復傾其賊衆再來，我軍一一皆作準備，無甚過慮處也。事既緩功可圖，此番事實上天神明恩示以進勦之不可輕忽也，朕實感幸焉。但與醜類萬不可歇手，務必滅此而復朝食，破敵操必勝之策畫已有八九成矣。但所需錢糧浩繁，尚未通盤計算，量已敷用也，隨便諭卿知之，恐卿因前諭或風聞為朕過慮也，特諭。」案諄噶兒即準噶爾，雍正七年，清軍分西北兩路夾攻準噶爾，惟清廷低估其實力，雍正八年，噶爾丹策零汗突率大隊邀截清軍，官兵損失慘重，岳鍾琪等遂因此被繫囹圄。「硃批諭旨」經刪略後云「極好之事，此皆卿代朕宣猷之所致，但總宜聽其自然，不必有意設法誘致，蓋此等事乃國家榮幸之實跡，惟靜待天恩，非人力之所能者。」（註四〇）「硃批諭旨」將有關用兵準噶爾部分，俱行刪除。原摺硃批字數計二百四十一字，經刪改後僅餘下五十三字，出入懸殊。雍正九年五月二十六日，鄂爾泰於「奏覆準噶爾事」一摺略稱「至於諄噶兒逆賊噶爾丹策零悖亂妄誕，自取滅亡，我皇上以萬不得已之深衷，為邊防久長至計，天心有契，睿算無遺，定計尅期不難掃靖。惟是以閫外旋轉之機宜，備煩一人宵旰之謀畫，而調兵輸餉，卹衆安民，鉅細運籌，一出聖慮。臣每敬讀硃諭，不禁心動神馳，上天神明，固應昭鑒精誠，早滅此醜類，又不獨準備已周，早操必勝之策也。」「硃批諭旨」亦不見此段文字。同日，鄂爾泰具摺請旨起程進京後雲貴總督印務交待事宜，七月二十日，接奉硃批，八月初一日，鄂爾泰恭錄硃批覆奏，內有「朕意於今冬或明春再觀朕躬與軍務光景，再降旨著卿來。馬爾賽，朕欲令為軍前統領元戎督進勦事」等語。「硃批諭旨」但云「朕意於今冬或明春著令卿來」，而將軍務籌畫刪略不刊。鄂爾泰又於原摺內敬陳軍務意見云「於西邊軍務，臣雖未悉情形，然地既險遠，賊復狡猾，事非可已，惟應速圖，用兵數萬，歲需糧餉數百萬，緩待一年，即多一年之累，故決策審機，先示以無備，誘之使來，暗截去路，出奇兵擊之，此爲上策。料賊不來，反欲誘軍淺進，以爲擾亂疲敝，計我算必勝即尅定往還日期，疾驅直搗，毋少遲疑，此爲中策。未有大將在軍，諸煩聖慮，指授精詳，猶毫無領會，竟以無備致挫軍威，可諉諸偏裨者。岳鍾琪或長於攻戰，殊短於運籌，就論一端，恐難獨當大任。大學士公馬爾賽忠誠有至性，才亦豁達，雖微少歷練，而識力較優。今仰邀聖鑒，欲令爲軍前統領元戎督進勦事而不親進勦事，是軍分兩路，此爲中樞，且曰聆聖訓，倍悉機宜，即坐鎮邊關，有裨於軍務地方均非淺鮮也。臣本愚陋，材不逾中人，自顧無知，何敢妄言大事，但受恩深重，無與比倫，知無不言，可否非所計。」質言之，鄂爾泰所稱用兵上策，不過爲來勿縱，去勿追而已，終世宗一朝，清廷不肯輕議用兵於準噶爾，即固守此原則，「硃批諭旨」亦刪略不刋。以上所舉諸例，俱係犖犖大者，其餘增刪諱飾之處尙多，無煩縷舉。

六　結語

清聖祖御極六十一年，休養生息，物阜民康。惟康熙末年，因皇太子再立再廢，諸子各樹朋黨，彼此傾陷，紊亂國政，聖祖心力交瘁，用人施政，不免失之廢弛。世宗即位之初，即頒降諭旨，令各省督撫將軍提鎮呈繳硃批奏摺，一方面固恐不肖之徒，指稱聖祖之旨，揑造行事，於聖祖盛治大有關係，另一方面，亦可藉以瞭解地方利弊及施政得失。世宗亟於求治，爲廣諮諏，洞悉庶務，於是擴大採行奏摺制度，放寬專摺具奏的特權，封達御前，世宗亦親筆批發。其有可採者，即見諸施行，介在兩可者，或勅交部議，或密諭督撫酌奪，其有應行指示開導及戒勉懲儆者，則因人而施，量材而教，嚴急者，導之以寬和，優柔者，濟之以剛毅，過者裁之，不及者引之。奏摺遂成爲世宗考核百官、教育臣工的工具，亦爲世宗拆散朋黨，鞏固政權的利器。世宗選刻「硃批諭旨」，卽欲令天下臣民咸知世宗圖治之念，誨人之誠。乾隆三年，高宗於「硃批諭旨」御製後序中謂摺奏浩繁，不勝編錄，世宗敕編「硃批諭旨」時係隨檢隨發，無先後倫次。高宗卽位後，不改父道，刋刻出版「硃批諭旨」，亦不復排類。惟就現存世宗朝宮中檔而言，「硃批諭旨」選刻的已錄奏摺，係經世宗挑選酌量可以頒發者，檢出付刻，其餘未刋奏摺，則係不便公諸天下者。而且「硃批諭旨」的增刪潤飾，姑無論係出自世宗及鄂爾泰之手或內廷詞臣奉旨刪改〔註四二〕，惟其盡刪所諱，湮沒史蹟，將許多重要的史料，刪略不刋。清代雖刋刻「硃批諭旨」，仍未減低已錄奏摺原件的史料價值。有關世宗一朝的史實，仍可從未刋奏摺及已錄奏摺原件找到不少珍貴的史料。

註釋

〔註一〕拙著「從故宮博物院現藏宮中檔談清代的奏摺」，「故宮文獻」第一卷第二期，頁四六。民國五十九年三月。

〔註二〕拙著「清初奏摺制度起源考」，「食貨月刊」復刊第四卷第一、二合期，頁一三，民國六十三年五月。

〔註三〕「宮中檔」第七七箱，九三包，二六四二號，雍正元年二月二十五日，吳陞奏摺。

〔註四〕「欽定四庫全書總目」卷五五，史部，詔令奏議類，頁一一；「硃批諭旨」第十八函，第六冊，高宗御筆後序。

〔註五〕黃培著「說硃批諭旨」，見大陸雜誌史學叢書，第一輯第七冊，頁七三，民國四十九年十一月。

〔註六〕「宮中檔」第七五箱，三九八號，一一八五七號，雍正六年二月十二日，田文鏡奏摺，內附素紙簽云「此係密奏之摺，內有硃筆刪改之處，硃批內又有密諭田文鏡之旨，伏祈皇上訓示，奉旨不錄。」又如「宮中檔」第七七箱，二九五包，三屯營副將趙國瑛密奏十四阿哥拘禁於湯山情形，其奏摺俱奉旨不錄。見拙著「清世宗拘禁十四阿哥胤禵始末」，「大陸雜誌」第四十九卷，第二期，頁二四—三八，民國六十三年八月。

〔註七〕拙著「國立故宮博物院典藏清代檔案述略」，故宮季刊，第六卷，第四期，頁五九，民國六十一年夏季。

〔註八〕Silas H. L. Wu, "Communication and Imperial Control in China: Evolution of Palace Memorial System, 1693-1735." P. 73. Harvard University Press, Cambridge, Massachusetts, 1970.

〔註九〕宮崎市定著「雍正硃批諭旨解題—其史料價值—」「東洋史研究」第十五卷第四號，頁二六—二八，昭和三十二年三月。

〔註一〇〕汲修主人著「嘯亭雜錄」卷一，頁九，九思堂藏本，文海出版社。

〔註一一〕「碑傳集」第十一冊，卷二十二，頁一九。

〔註一二〕「宮中檔」第七九箱，三一六包，六一七六號，雍正四年二月二十四日，鄂爾泰奏摺。

〔註一三〕「宮中檔」第七九箱，三一六包，六一八一號，雍正四年四月初九日，鄂爾泰已錄奏摺。

〔註一四〕「宮中檔」第七九箱，三一六包，六一九五號，雍正四年八月初六日，鄂爾泰已錄奏摺。

〔註一五〕「硃批諭旨」第九函，第一冊，硃批鄂爾泰奏摺，頁一〇〇。原摺見「宮中檔」第七九箱，三一六包，六二一一號。

〔註一六〕「宮中檔」第七九箱，三六一包，九二七四號，雍正五年二月初十日，鄂爾泰已錄奏摺。

〔註一七〕「宮中檔」第七九箱，三一五包，六一五〇號，雍正八年三月二十六日，鄂爾泰已錄奏摺。

〔註一八〕「硃批諭旨」第九函，硃批鄂爾泰奏摺，第八冊，頁三〇。

〔註一九〕「宮中檔」第七九箱，三一五包，六一五五號，雍正八年四月二十日，鄂爾泰已錄奏摺。

〔註二〇〕「宮中檔」第七九箱，三六一包，九二九三號，雍正五年五月初十日，鄂爾泰已錄奏摺。

〔註二一〕「宮中檔」第七九箱，三一四包，六一〇五號，雍正五年十一月十一日，鄂爾泰已錄奏摺。

〔註二二〕「硃批諭旨」第九函，硃批鄂爾泰奏摺，第三冊，頁二八。

〔註二三〕「宮中檔」第七九箱，三一四包，六一〇三號，雍正五年十一月十一日，鄂爾泰已錄奏摺。

〔註二四〕「宮中檔」第七九箱，三一五號，六一六二號，雍正八年七月二十四日，鄂爾泰已錄奏摺。

〔註二五〕「欽定四庫全書總目」卷五五，史部，詔令奏議類，頁一一。

〔註二六〕「宮中檔」第七九箱，三一六包，六一七〇號，雍正二年六月初八日，鄂爾泰已錄奏摺。

〔註二七〕「宮中檔」第七九箱，三一五包，六一四一號，雍正八年正月十三日，鄂爾泰已錄奏摺。

〔註二八〕「硃批諭旨」第九函，硃批鄂爾泰奏摺，第七冊，頁一九。

〔註二九〕「宮中檔」第七九箱，三一五包，六一四九號，雍正八年三月二十六日，鄂爾泰已錄奏摺。

〔註三〇〕「硃批諭旨」第九函，硃批鄂爾泰奏摺，第七冊，頁四五。

〔註三一〕「宮中檔」第七九箱，三一六包，六二〇六號，雍正四年十一月十五日，鄂爾泰已錄奏摺。

〔註三二〕「宮中檔」第七九箱，三一六包，六二〇九號，雍正四年十二月二十一日，鄂爾泰已錄奏摺。

〔註三三〕鑄版「清史稿」，列傳七七，頁一一一六。香港文學研究所出版。

〔註三四〕「大清世宗憲皇帝實錄」卷五一，頁三〇——三二，雍正四年十二月癸未上諭。

〔註三五〕「硃批諭旨」第九函，硃批鄂爾泰奏摺，第二冊，頁七六；「宮中檔」，三六一包，九二九二號，雍正五年初十日，鄂爾泰已錄奏摺。

〔註三六〕「宮中檔」第七九箱，三六一包，九二八七號，雍正五年五月初十日，鄂爾泰已錄奏摺；「硃批諭旨」第九函，硃批鄂爾泰奏摺，第二冊，頁六〇。

〔註三七〕「宮中檔」第七九箱，三一六包，六一七六號，雍正四年二月二十四日，鄂爾泰已錄奏摺。

〔註三八〕「宮中檔」第七九箱，三一四包，六一二九號，雍正六年三月二十八日，鄂爾泰已錄奏摺。

〔註三九〕拙著「清高宗時代的中緬關係」，見「大陸雜誌」，第四五卷，第二期，頁二七。

〔註四〇〕「硃批諭旨」第九函，硃批鄂爾泰奏摺，第八冊，頁三一；「宮中檔」第七九箱，三一二包，六〇三六號，雍正八年十二月十七日，鄂爾泰已錄奏摺。

〔註四一〕Beatrice S. Bartlett. "The Secret Memorials of The Yung-Cheng Period (1723-1735): Archival and Published Versions." National Palace Muesum Bulletin, Volume 9, Number 4. P. 8, 1974.

圖版壹：宮中檔硃批奏摺　故宮博物院藏

Plate 1: Long Yung-cheng vermilion rescript at the end of a palace memorial (the character *tsou* 奏 at the right is the final character of the original memorial). Palace archives.

硃批

所奏甚是向聞爾料理得法故未諭[illegible]令既有
此奏將朕意諭爾凡轉移風俗之事須[illegible]漸吹
化理不可拂民之意而強以滛絕之也[illegible]湯斌
等反致任巡撫亦有此舉者皆不能挽回而中止
反致百姓之怨望無濟於事如蘇州等處酒船戲
亦有無產無業就此覓食者倘[illegible]禁之驟急[illegible]
手匠工之類亦養多少人此輩[illegible]有游手好閑者
亦不能任勞若不能養生必反為非[illegible]矣[illegible]
[illegible]不能別尋生理歸農者無地可種[illegible]
爾等地方大吏正己率屬徐徐化導使百姓明[illegible]
其非樂從務本知其利害方可長久遵行風移俗
化也萬不可嚴急使民失業究之蘇常等處還是
禮義柔弱之風雖尚奢靡不過好為嬉戲耳況人性
多巧頗嫻技藝善於[illegible]較之好勇鬭狠之風相去
遠矣若盡令讀書勢必不能[illegible]
[illegible]若驅令歸農此輩懦怯無能之人何
能力田服勞[illegible]不過棄鄉棄土遷往他省仍務其

圖版貳：宮中檔墨筆抄錄硃批 故宮博物院藏

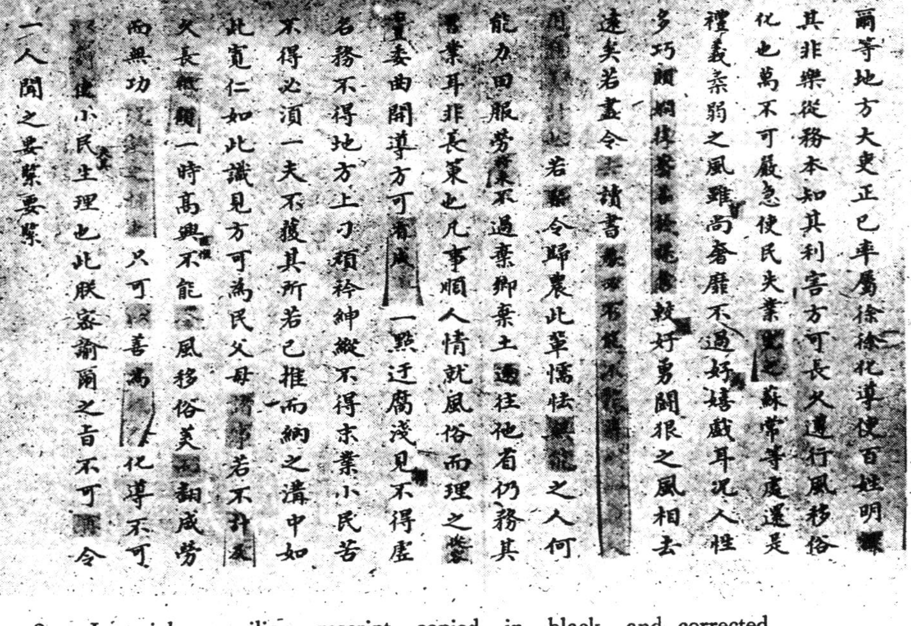

爾等地方大吏正己率屬徐徐化導使百姓明[illegible]
其非樂從務本知其利害方可長久遵行風移俗
化也萬不可嚴急使民失業[illegible]之蘇常等處還是
禮義柔弱之風雖尚奢靡不過好嬉戲耳況人性
多巧[illegible]較好勇鬪狠之風相去
遠矣若盡令[illegible]讀書[illegible]
用[illegible]若[illegible]令歸農此輩懦怯[illegible]之人何
能力田服勞[illegible]不過棄鄉棄土遠往他省仍務其
業耳非長策也凡事順人情就風俗而理之[illegible]
當委曲開導方可有成 一點迂腐淺見不得虛
名務不得地方上刁頑衿紳縱不得求業小民苦
不得必須一夫不獲其所若己推而納之溝中如
此寬仁如此識見方可為民父母[illegible]若不[illegible]
久長[illegible]一時高興不能[illegible]風移俗美[illegible]翻成勞
而無功[illegible]只可[illegible]善為[illegible]化導不可
[illegible]使小民生理也此朕寬諭爾之旨不可[illegible]令
一人聞之要緊要緊

Plate 2: Imperial vermilion rescript copied in black and corrected, preparatory to being published in the planned second edition of the Yung-cheng *Chu-p'i yü-chih*. Palace archives.

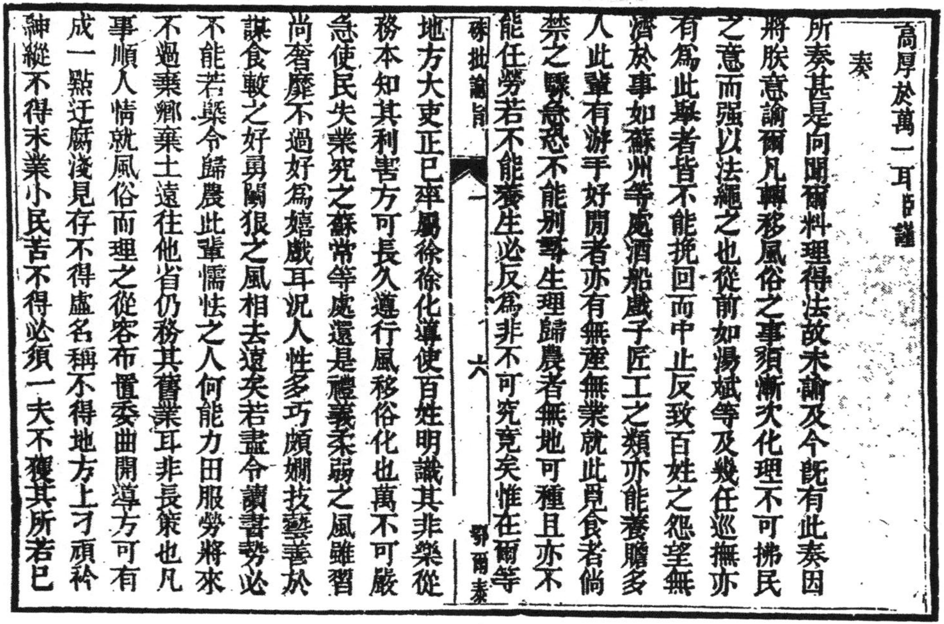

高厚於萬一耳臣謹
奏
所奏甚是向聞爾料理得法故未諭及今既有此奏因
將朕意諭爾凡轉移風俗之事須漸次化理不可拂民
之意而强以法繩之也從前如湯斌等及幾任巡撫亦
有爲此舉者皆不能挽回而中止反致百姓之怨望無
濟於事如蘇州等處酒船戲子匠工之類亦能養贍多
人此輩有游手好閒者亦有無產無業就此覓食者倘
禁之驟急恐不能別尋生理歸農者無地可種且亦不
能任勞若不能養生必反爲非不可究竟矣惟在爾等

硃批諭旨　六　鄂爾泰

地方大吏正已率屬徐徐化導使百姓明識其非樂從
務本知其利害方可長久遵行風移俗化也萬不可嚴
急使民失業死之蘇常等處還是禮義柔弱之風雖習
尚奢靡不過好爲嬉戲耳況人性多巧頗嫻技藝善於
謀食較之好勇鬬狠之風相去遠矣若盡令讀書勢必
不能若槩令歸農此輩懦怯之人何能力田服勞將來
不過棄鄉棄土遠往他省仍務其舊業耳非長策也凡
事順人情就風俗而理之從容布置委曲開導方可有
成一點迂腐淺見存不得虛名稱不得地方上才頑衿
紳縱不得末業小民苦不得必須一夫不獲其所若已

圖版叁：「硃批諭旨」已刊硃批　文源書局景印本

Plate 3: Long Yung-cheng rescript at the end of a palace memorial, as it appeared in the Wen-yüan edition of the Yung-cheng *Chu-p'i yü-chih*.

圖版肆：宮中檔硃批奏摺　故宮博物院藏

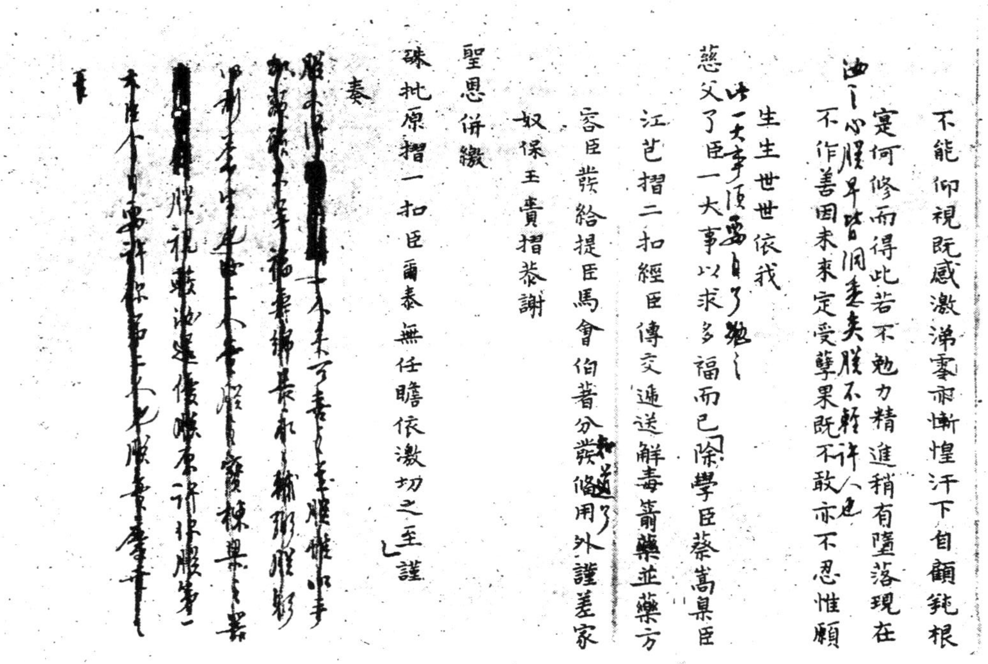

Plate 4: Excerpt from an O-erh-t'ai palace memorial. The imperial rescript was rubbed out with the imperial vermilion brush at a later date. Palace archives.

圖版伍：「硃批諭旨」已刊鄂爾泰硃批奏摺 文源書局景印本

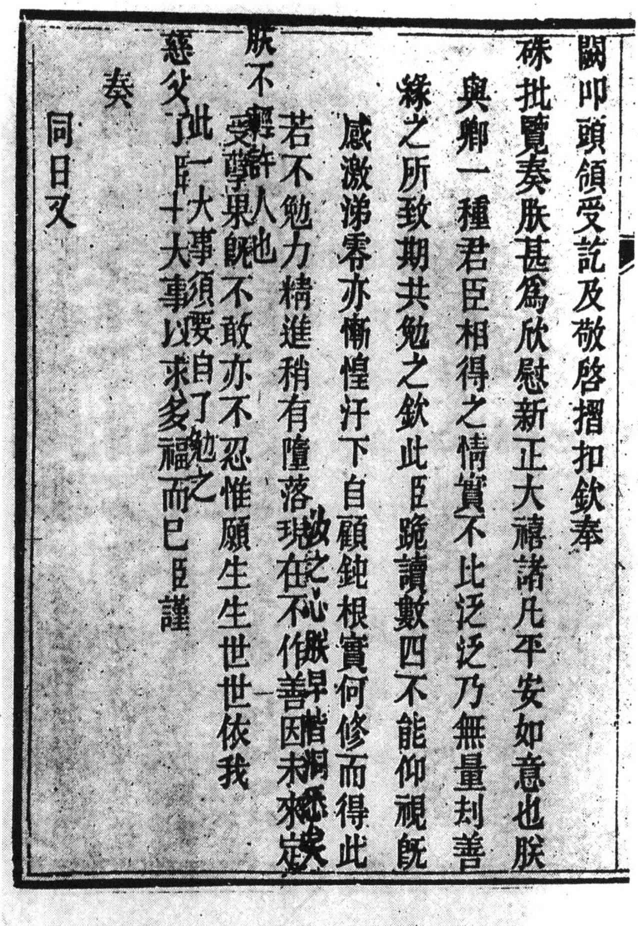

闕叩頭領受訖及敬啓摺扣欽奉
硃批覽奏朕甚爲欣慰新正大禧諸凡平安如意也朕
與卿一種君臣相得之情實不比泛泛乃無量刧善
緣之所致期共勉之欽此臣跪讀數四不能仰視旣
感激涕零亦慚惶汗下自顧鈍根實何修而得此
若不勉力精進稍有隳落現在不作善因未來定
朕不稱許人也
受尊果旣不敢亦不忍惟願生生世世依我
此一大事須要自了勉之
慈父了臣十大事以求多福而已臣謹
奏
同日又

Plate 5:
Copy of an O-erh-t'ai palace memorial as it appeared in the Wen-yüan edition of the Yung-cheng *Chu-p'i yü-chih*.

君下不負親生生世世此身有極此心無極以仰副不
了之了茲蒙
聖訓勉臣自了臣不敢不勉自了也又伏讀
硃批朕又得高其倬一人矣可喜之至朕惟以手加
額願爾等福壽綿長永永輔弼朕躬以利蒼生也
汝二人實朕之寶棟梁之器高其倬朕視較汝遜
優朕原許你朕第一大臣今日要許你第二人也
朕實慶幸之至欽此臣伏讀至此不勝驚喜不勝
惶愧竊思臣元年雲南典試親見高其倬為人
端方謹慎又復平恕及前在途相遇論事有條
理到滇署後知其臨事能識大體不沾沾細務
心甚重之實不能及乃蒙
聖恩以臣相擬許臣以第二人而且愛臣如寶重臣
如棟梁倚臣為輔弼望臣以利蒼生極之於書

Plate 6: Extract from a palace memorial. Palace archives.

圖版陸：宮中檔硃批奏摺 故宮博物院藏

圖版柒：宮中檔硃批墨抄　故宮博物院藏

硃批

怡親王實不世出之賢王卿實國家之名器真皆
朕之股肱心膂朕有意聯此門親也卿當慶喜者
爾前陛見時朕已有旨言你起身促廹未得見怡
親王王查勘河務尚需時日可圖他日會面之旨
及你動身後王回京朕告以你為人居心王之代朕
慶喜之意動諸辭色你一切奏摺朕多與王看王
之一種敬慕稱讚你之懷實難筆諭王實人之有
技若己有之實能容之而兼愛敬之之人王之好
賢嫉惡之公忠實為希有朕所悉知者當代惟
爾汝二人朕保再不移志者其他朕實不敢信其必爾
等皆朕心腹王大臣相識並非有之私交今既
奉旨聯姻一切書札問候來往彼王此規諫以報朕
知遇之恩同心合德贊襄朕與蒼生造福凡形迹
影像之懷一點不必存中遵旨行莫疑

Plate 7: Extract from a palace memorial. Palace archives.

圖版捌：宮中檔硃批奏摺　故宮博物院藏

聖慈怡親王處理應具啟候安合併聲明臣爾泰無任踴躍懽忭感激瞻依之至謹

奏

雍正四年六月二十日

Plate 8: Long Yung-cheng vermilion rescript at the end of a palace memorial. Palace archives.

清高宗乾隆朝軍機處月摺包的史料價值

一 前 言

歷史資料有直接史料與間接史料的分別，檔案是一種直接史料，認識檔案，始能認識史事的眞相。直接史料的搜集、整理與考訂，就是歷史學研究法的基本工作。歷史學家充分運用直接史料，比較公私記載，有系統的加以排比、叙述與分析，使歷史的記載與客觀的事實彼此符合，方可稱爲信史。有清一代，檔案浩瀚，極有助於清史的研究。清代檔案，就其來源而言，最重要的爲：宮中檔、軍機處檔、內閣檔、內務府檔及清代國史館與清季總理衙門檔等，都是珍貴的直接史料。宮中檔主要爲內外臣工繳回宮中的滿漢文御批奏摺，內含硃批、墨批及藍批的奏摺，其中也附有不少的清單、供詞、夾片、特諭及廷寄等。清聖祖在位時，奏摺奉御批發還原奏人後，尙無繳回之例。康熙六十一年十一月，世宗即位後，命內外臣工將聖祖御批奏摺敬謹查收呈繳，不准抄寫、存留、隱匿、焚棄，而且世宗所批奏摺亦須定期繳回，從此繳批就成了定例。臣工繳回的摺件，分別置放於宮中懋勤殿、大高殿、永壽宮、景仁宮等處。

奏摺不是例行公文，不必循例具題，有事具奏，無事不得頻奏，以煩瀆主聽，督撫兩司將軍提鎮等各報各的，不能相商。因此，摺奏內容較爲可信，所有不便形諸本章的機密事件，危言聳聽的特殊事故，或與朝廷體統攸關的事情，都可奏聞。清初奏摺爲君主親手批覽，更增加奏摺的價值。宮中檔除部分廷臣的摺件外，多來自直省地方官員，所以宮中檔摺件內含有非常豐富價值極高的地方史料。同時宮中檔奏摺字跡工整，保存良好，便於利用。軍機處檔案以檔册與摺包二類的數量較多，軍機處承宣諭旨及經辦事項皆須分類登入簿册，統稱爲檔册，如隨手登記簿、上諭檔、寄信上諭檔、密記檔、議覆檔、引見檔、電寄檔等；各種專檔如緬檔、安南檔、苗匪檔、林案供詞檔、金川檔等，史料價值都很高，尤其在各種專檔內抄錄了不少當事人的供詞，是最直接的史料。軍機處的摺包，包括錄副存查的奏摺抄件及直省官員致軍機處的各種文件等，因種類較多，涉及範圍較廣，更值得利用。內閣檔案，主要爲滿洲入關前的盛京舊檔，入關以後的各種案卷、圖册、試卷、碑記及清初徵集的明季檔案、舊存實錄、誥勑等，其數量均極可觀。至於總管內務府設於清初，下轄廣儲、都虞、掌儀、慶豐、會計、營造、愼刑七司及上駟、武備、奉宸苑三院，掌上三旗包衣的政令與宮禁事務。內務府所存檔案，主要爲內務府承接的上諭，各司院所進呈及彙抄的紅本、奏稿、摺件、圖册、單片、以及內務府收發各處的呈稿、咨文、譜諜、戲曲、輿圖、堂諭、告示、火印、腰牌等物品。其餘國史館的長編檔、表、志、傳及清季總理衙門的史料，都是研究清史必備的資料，本文僅就國立故宮博物院現存清高宗乾隆朝軍機處摺包檔，略述其史料的性質與價值，俾有助於清史的整理與研究。

二　辦理軍機處的設立經過

辦理軍機處，簡稱軍機處，其建置時間，清代官私記述極不一致，中外史家的討論更是異說紛紜。趙翼著「簷曝雜記」謂「雍正年間，用兵西北兩路，以內閣在太和門外，儤直者多慮漏泄事機，始設軍需房於隆宗門內，選內閣中書之謹密者入直繕寫，後名軍機處。」（註一）席吳鏊著「內閣志」云「雍正中以邊事設軍需房于隆宗門外。」（註二）梁章鉅纂「樞垣紀略」原序云「自雍正庚戌設立軍機處，迨茲九十餘年，綱舉目張，人才輩出。」（註三）但同書卷二，頁一又謂雍正十年二月命大學士鄂爾泰、張廷玉辦理軍機處事務，爲軍機大臣除授之始。李宗侗氏即以前二條記載不相合，而引「清史稿」軍機大臣年表內雍正七年六月始設軍機房，命怡親王允祥、張廷玉、蔣廷錫密辦軍需一應事宜，及葉鳳毛著「內閣小志」雍正八年春，葉氏爲舍人，中堂已有內外之分，軍機房即內中堂辦事處等條的記載，指出在雍正八年以前軍需房已經設立。李氏又引世宗實錄雍正七年六月癸未條有關征討準噶爾的上諭內「其軍需一應事宜交與怡親王、大學士張廷玉、蔣廷錫密爲辦理，其西路辦理事宜，則專於總督岳鍾琪是任。王大臣等小心愼密，是以經理二年有餘，而各省不知有出師運餉之事。」（註四）而認爲內大學士的實存，必始自雍正五年以前。世宗實錄雍正九年四月庚子條又云：「即以西陲用兵之事言之，北路軍需交與怡賢親王等辦理，西路軍需交與大將軍岳鍾琪辦理，皆定議於雍正四年者。王大臣等密奉指示，一絲一粟，皆用公帑製備，纖毫不取給於民間，是以經理數年而內外臣民並不知國家將有用兵之舉。及至雍正七年，大軍將發，飛芻輓粟，始有動用民力之時。」（註五）因此，李氏指出「內大學士的實存必始自雍正四年的下半年，這可以說是軍需房成立的最始年月。」（註六）

傅宗懋氏著「清代軍機處組織及職掌之研究」一書採納李氏的推論，並引清史列傳內富寧安、張廷玉、蔣廷錫等人的記載作爲旁證，而說明李氏的論證實堪採信（註七）。吳秀良氏撰「清代軍機處建置的再檢討」一文則引北平故宮博物院民國二十四年「整理軍機處檔案之經過」的報告內「摺包起自雍正八年」的話（註八），宮中檔奏摺及起居注册等資料以支持「樞垣紀略」所述軍機處設立於庚戌年即雍正八年的說法。吳氏將史事排比後指出雍正八年以前軍需房不存在，軍需大臣亦不存在。雍正八年，軍需房設立了，秘書人員出現了，內中堂利用軍需房內秘書人員辦事。雍正九年，軍需房已改爲辦理軍需處，辦理軍機大臣等出現了。雍正十年，軍需處已被改爲辦理軍機處，內中堂鄂爾泰和張廷玉受命辦理軍機事務。雍正十一年，辦理軍需大臣的名稱被辦理軍機大臣所代替了。雍正十二年，辦理軍機處確定指爲辦理軍機緊要處。雍正十三年，世宗崩殂後，辦理軍機大臣等所辦事務併歸總理事務大臣等辦理。乾隆二年，高宗復命鄂爾泰等爲辦理軍機大臣，其職責擴大了，包括軍務以外的特別事務。（註九）

世宗實錄雍正九年四月初八日庚子上諭，又見於世宗起居注册，但纂修實錄時，已將上諭刪略潤飾過。起居注册初八日內閣奉上諭內，於「經理數年而內外臣民並不知國家將有用兵之舉」句後續云「以致宵小之徒，如李不器輩竟謂岳鍾琪私造戰車，蓄養勇士，訛言繁興，遠近傳播，達於朕聽。朕將岳鍾琪遵奉密旨之處，曉諭秦人，而訛言始息，即此一節觀之，若非辦理軍需秋毫無犯，何至以國家之公事疑為岳鍾琪之私謀乎。」〔註一〇〕世宗既云密辦軍需定議於雍正四年，王大臣等密奉指示，經理數年，岳鍾琪因造備戰車，訓練勇士，密辦軍需，以致訛言繁興，及至雍正七年動用民力時，臣民始知其故。易言之，在雍正七年以前辦理軍需大臣實已存在，但軍需房設立的時間則較晚。戶部正式設立軍需房的時間是在雍正七年。雍正十三年九月二十二日，總理事務兼總理戶部事務和碩果親王允禮、經筵講官總理事務少保兼太子太保保和殿大學士仍管吏部戶部尚書事張廷玉、內大臣署理戶部尚書事務兼內務府總管海望為請旨事一摺云：「查得雍正柒年派撥官兵前往西北兩路出征，一切軍務，事關機密，經戶部設立軍需房，揀選司官、筆帖式、書吏專辦，惟總理戶部事務怡賢親王同戶部堂官一二人管理。今西北兩路之兵已大半減撤，非軍興之初機密可比，所有一切案件，俱關帑項，應請旨勑令戶部堂官公同辦理，庶幾錢糧得以慎重，案件不致遲延矣。」〔註一一〕原摺奉墨批「依議，尤當慎密辦理。」允禮所述既無可置疑，軍需房實成立於七年。軍需房、軍機房或軍機處，名稱屢易，是一種新制度在草創時期的現象。

雍正十年，鑄頒軍機處印信。據是年三月初三日庚申實錄的記載是「大學士等遵旨議奏辦理軍機處密行事件所需鈐封印信，謹擬用辦理軍機印信字樣，移咨禮部鑄造，貯辦理軍機處，派員管理，並行知各省及西北兩路軍營，從之。」〔註一二〕同年五月二十九日，四川總督黃廷桂接到大學士鄂爾泰等知照，文云「雍正十年四月二十三日奉旨，辦理軍務處往來文移關係重大，今特頒辦理軍機事務印記，凡行爾各處事件有關軍務者，俱著用印寄去，至各處關係軍務奏摺，並移咨辦理軍務處事件，亦著用印以昭信守，欽此。」(註一三)由此可知在軍機處名稱通行以前曾叫做「辦理軍務處」。在雍正十年三月，辦理軍機事務印信啓用日久以後，遂將辦理軍需大臣改稱辦理軍機大臣，也將辦理軍務處改稱辦理軍機處。簡言之，在雍正四年定議辦理軍需時，張廷玉等即以戶部大臣兼辦軍需事務，辦理軍需大臣確已存在，至雍正七年戶部於隆宗門內正式設立了軍需房，雍正十年三月，頒用辦理軍機事務印信以後，因通行日久，遂習稱軍機處或辦理軍機處了。世宗設立軍機處的眞正原因是爲了用兵西北而密辦軍需，高宗即位後，軍機大臣有時也就近承辦高宗所交出的特旨。乾隆二年十一月二十八日，高宗諭云「昨莊親王等奏辭總理事務，情詞懇切，朕勉從所請。但目前西北兩路軍務尚未全竣，且朕日理萬幾，亦間有特旨交出之事，仍須就近承辦。皇考當日原派有辦理軍機大臣，今仍着大學士鄂爾泰、張廷玉、公訥親、尚書海望、侍郎納延泰、班第辦理，欽此。」(註一四)不過就乾隆初年而言，軍機大臣議奏的範圍，尚不出軍務、錢糧、河工、米穀等項，自從用兵金川，及準噶爾等戰役後，軍機處的組織日益擴大，其後軍機大臣兼辦的事項更多了。軍機處原來是戶部的分支，但因其職責範圍擴大了，軍機大臣又以大學士及各部尚書侍郎在軍機處辦事或行走，而漸漸吸收了內閣或部院的職權，軍機處遂由戶部的分支而成爲獨立的機關，這種變化是在乾隆中葉以降的現象。其後軍機處不僅掌理戎略，或戶部事宜，擧凡軍國大計，莫不總攬，終於取代內閣職權，成爲清代中央政令所自出之處。

三　奏摺錄副與摺包檔的由來

清初奏摺與本章不同，奏摺不過是君主廣諮博採的工具而已，並非君臣處理國家公務的正式文書，實無法理上的地位。就康熙雍正年間而言，摺奏固不可據爲定案，硃批上諭亦非經內閣公佈的正式旨意。臣工奉到批諭後，若欲付諸施行，必須另行具本謹題，俟君主向內閣或各部院正式頒旨後始能生效。直省文武臣工的奏摺，一日之間，或數件，數十件不等，君主親自閱覽批發，臣工定期繳回宮中的奏摺，並無掌管的人員。但摺奏事件有不乏涉及政事者，實有交部議奏或抄錄存案的必要。雍正元年，正黃旗漢軍都統兵部尚書盧詢卽曾指出各衙門摺奏事件，有蒙硃批者，有奏事官轉傳諭旨者，都關係政事。因此，盧詢奏請照正本具題事件六科月終彙題之例，定限稽查，將各衙門摺奏奉旨事件，飭令各衙門一月一次，將事件挨次開列，於事件下備細註明緣由，恭呈御覽。（註一五）臣工條陳事件，世宗爲徵詢臣工意見，常將原摺發交廷臣議奏，或裁名發下地方督撫議覆。例如雍正三年四月初七日，貴州大定鎭總兵官丁士傑奏陳耗羨歸公不宜施行一摺，世宗將原摺發交地方官議奏，並於原摺封面以硃筆書明「此丁士傑之奏，亦當留心，如有不妥，不可固執舊事，密之，不可令丁士傑少覺一點。」但有關錢糧及軍機事務等項，必須交部抄錄存案，以便查核。例如雍正七年二月初一日，陝西總督岳鍾琪「奏請撥款建造廟宇移駐達賴喇嘛事」，奉硃批云「交部錄存矣。」同年三月三十日，岳鍾琪具奏餵養馬匹一摺，世宗批諭云「所奏是，照所請行，已交部抄錄存案，於軍需奏册到時查核。」在軍機處設立以前，臣工奏摺已因其事件內容的不同，交部抄錄存案。軍機處設立以後，有關軍務往來文移及辦理軍需摺件，卽由軍機處司員等錄副存查。雍正七年十月初一日夜間，因文選司失火，所有檔案被焚燬。世宗降旨所有內閣本章及各衙門檔案，都應於正本外，立一副本，另行收貯。如本章正本是紅字批發，副本則批墨筆存案，其他檔案副本，另用鈐記，加以區分。大學士等遵旨議奏，直省督撫題奏事件，除副本照例送通政司外，亦應一併送進內閣，俟奉旨後，內閣將副本遵照紅本用墨筆批錄，另貯皇史宬，在京各部院覆奏本章亦照此例辦理〔註一六〕。軍機處將原摺抄錄副本後，即存放軍機處備查。軍機處又須將每日所接奏摺，所奉諭旨登錄於隨手簿。民國二十年，文獻館整理軍機處檔案時指出摺包起自雍正八年，隨手簿則始於乾隆七年。

軍機處所抄錄的奏摺副本，是按月分包儲存的，所以叫做月摺包，簡稱摺包。梁章鉅著「樞垣紀略」云「凡中外奏摺奉硃批該部議奏，該部知道者，皆錄副發鈔，其硃批覽，或硃批知道了，或硃批准駁其事及訓飭嘉勉之詞，皆視其事係部院應辦者，即發鈔，不涉部院者不發鈔。凡未奉硃批之摺，即以原摺發鈔。凡硃批原摺如在京衙門之摺，即存軍機處彙繳，如各省俱於本日錄副後係專差齎奏者，交內奏事封發，由驛馳奏者，即由本處封交兵部遞往。其內閣領鈔之摺，於次日繳回，同不發鈔之摺，按月歸入月摺包備查。」〔註一七〕所謂月摺包，據梁氏稱「凡發交之摺片，由內閣等處交還及彙存本處者，每日爲一束，每半月爲一包，謂之月摺。」〔註一八〕但月摺不能說就是月摺包。案清代制度，奏摺按時間來分，含定期摺與不定期摺二種。不定期摺是以事情的先後，或輕重緩急，隨時具奏。定期摺，多屬尋常例行公事，或半月，或一月限期遞呈。因此，就康熙雍正以降的文書種類而言，所謂月摺，就是各部院衙門每月定期彙奏的奏摺。例如雍正四年十月，世宗諭大學士九御等，略謂「自督撫提鎮至於道府參遊州縣，每一缺出，苟不得其人，朕將吏、兵二部月摺翻閱再四，每至終夜不寢，必得其人，方釋然於中。」〔註一九〕清代官制，凡內外官出缺，由吏部等選補，每月開選一次，稱爲月選，吏部每月按期彙奏，此類奏摺，遂稱爲月摺，其他各部衙門都有每月定期彙奏的月摺。例如「欽定大清會典事例」云「設稽察房，凡各部院遵旨議覆事件，由票籤處傳鈔後，稽察房按日記檔，俟各部院移會到時，逐一覈對，分別已結未結，每月彙奏一次，每日軍機處交出清漢諭旨，由票籤處移交稽察房存儲，詳細覈對，繕寫清漢字合璧奏摺，與稽察事件月摺一併彙奏。」〔註二〇〕就檔案名稱而言，月摺又分月摺檔與月摺包。前者是一種檔冊，又稱爲月摺簿，是軍機處將已奉硃批或墨批的奏摺，逐日抄繕，按月分裝成冊，以便存案備查，凡請安、謝恩與陛見等摺件，俱不抄錄。故宮博物院現藏月摺檔起自道光朝，每季一冊，或每月一冊，咸豐朝的月摺檔，每月一冊，或二、三冊不等。同治、光緒朝的月摺檔，每月有多至五、六冊者。在月摺檔內又含有譯漢月摺檔，每季一冊，或每月一冊，這是抄錄滿文摺件的譯漢檔冊。至於月摺包則爲軍機處將原摺逐件抄錄的副本，軍機處往來文移的原件，部分奏摺原件，及知會、咨文、圖冊等按月分包儲存。民國十五年二月，文獻館開始整理摺包時，曾按包計數，其中有一月一包者，亦有半月一包者。本文即就國立故宮博物院現藏軍機處乾隆朝月摺包的內容，舉例說明，並略述其史料價值。

四　月摺包與宮中檔現存檔案年分的比較

宮中檔奏摺原件，除乾隆元年、四年、五年、八年、十四年、五十七年、五十八年、六十年現存各數件外，主要是從乾隆十六年七月至五十四年十二月的原摺及其附件。其中乾隆十六年六月至二十一年十二月，二十八年一月至三十年十二月，三十二年七月至三十三年十二月，三十八年十一月至三十九年十二月，四十二年一月至四十四年六月，四十六年八月至四十九年五月，五十一年六月至五十四年十二月等年月，所存較全，其餘年月，現存摺件都已不全。軍機處月摺包現存檔案是起自乾隆十一年十一月，其中乾隆十一年十一月至十七年十二月，二十四年正月至同年二月，二十七年五月至同年閏五月，三十三年十一月至三十四年三月，三十四年六月至三十七年十二月，四十三年正月至四十六年九月，四十八年四月至四十九年七月，五十三年十月至五十六年正月等年月所存檔案較齊全，其餘各年現存摺包俱不全。從上列年分可知軍機處月摺包所包含的時間，較宮中檔爲長，可補奏摺原件的闕漏。

就現存檔案的內容而言，宮中檔奏摺及其附件都是乾隆年間的原件，而軍機處月摺包內除乾隆年間的檔案外，尚包含康熙雍正年間的文件，有的是原件，有的是抄件。例如摺包內「諭戶部」文，原件未標明年月，從其內容所叙述的史事，查出是康熙四十九年十月初三日聖祖所頒佈的特諭。「大清聖祖仁皇帝實錄」載此道特諭，惟文詞略異，如特諭原文內「前後蠲除之數，據戶部奏稱，通共會計已逾萬萬」實錄將「通共會計」改作「共計」。又如特諭原文內「原欲將天下錢糧一槩蠲免，因衆大臣集議，恐各處需用兵餉，撥解之際，兵民驛遞，益致煩苦，細加籌畫，悉以奏聞，故自明年始于三年以內，通免一周。」此段文字，實錄作「將天下錢糧一槩蠲免，因衆大臣議奏，恐各處需用兵餉，撥解之際，兵民驛遞，益致煩苦，朕因細加籌畫，自明年始於三年以內，通免一周。」（註二二）實錄將大臣集議細加籌畫，悉以奏聞的字樣，加以潤飾後，已失原意。康熙五十年十月初三日，實錄又載前項特諭，其文字與月摺包內康熙四十九年特諭相近，足見纂修實錄時雖抄錄同一特諭，而前後增刪潤飾仍有不同。月摺包第二七七六箱，一三七包，三二二八四號，是恩詔一道，未書年月。聖祖實錄，康熙五十二年三月十八日乙未條載此道恩詔，惟詞意略異。例如月摺包內原詔云「朕五十餘年，上畏下懼，以敬以誠。」實錄作「朕五十餘年，上畏天命下凜民碞，以敬以誠。」月摺包內原詔又云「大沛恩澤，用稱朕躋世于仁壽之至意，所有應行事例，開列于後，於戲。」實錄將「所有應行事例，開列於後。」字樣刪略不載，類似例子很多，不勝枚舉。

軍機處月摺包內也含有康熙雍正年間的各項清單。例如：「浙省康熙四十九年題定倉貯額數清單」略謂「浙省康熙四十九年於一件請照江南等事案內題定應捐積米額數分別大中小治，大縣自一萬四千餘石至一萬九千餘石不等，中縣自七千石至一萬七千餘石不等，小縣自四千五百石至一萬一千餘石不等。」同時據原清單所開列各府屬縣貯米石數，通省共額貯捐米計七十五萬二千餘石，至康熙六十一年歲底盤查通省實在存米僅二千六百餘石，足見康熙末年倉米虧空已多。另據月摺包內「浙省雍正五年題定倉貯額數清單」所開通省額貯捐米計一百四十萬石，至雍正十三年歲底盤查，實存米數計一百四十九萬六千餘石，並無虧缺。雍正年間，謝濟世揑參田文鏡文案，亦見於乾隆朝月摺包內。刑部尚書德明等會同九卿翰詹科道會議，將謝濟世擬斬立決，於軍前正法，雍正七年九月二十四日，德明等具題。是月二十六日，奉旨命刑部將謝濟世所供李紱、蔡珽向其告知密參田文鏡情由，詢取口供具奏。德明等隨傳李紱蔡珽到案，除訊取兩人口供外，另錄謝賜履供詞，這些供詞都保存在月摺包內（註二二），對研究田文鏡生平事跡，仍不失為珍貴的史料。月摺包內部分史料，有涉及清初史事者。例如「左夢庚事實」一紙，內云「左夢庚，山東臨清州人，明寧南侯良玉子。順治元年，良玉由湖廣統兵下南京，以誅馬士英為名，至九江病歿，夢庚領父衆徘徊江楚間。二年，英親王阿濟格率兵追流賊至九江，夢庚率所部總兵十二員，官兵十萬，船二千隻，銀三萬兩，米一萬石迎降。至京，以其衆分隸旗籍，授夢庚一等精奇尼哈番，准襲十四次。四年，擢本旗漢軍都統。六年，隨英親王征大同叛鎮姜瓖，攻左衞，克之。十年，病歿，賜祭葬如典禮，謚莊敏。夢庚無子，以兄之孫左元蔭承襲。現今世職，係元蔭曾孫左淵承襲。其世管佐領係元蔭曾孫左瀚管理。」（註二三）這是重要傳記資料，對於南明史事的研究，可供參考。「清史列傳」與「清史稿」等雖有傳，但內容略有出入。「清史列傳」等將「寧南侯」改作「寧南伯」，且未載左良玉病歿時間。左夢庚降清時所率部衆兵數及船隻銀米等數，亦未記載。月摺包「左夢庚事實」以順治四年擢左夢庚為漢軍都統，「清史列傳」等改繫於順治六年。順治十年，左夢庚病歿，「清史稿」將其卒年改繫於順治十一年。左夢庚無子，由兄孫等承襲世職及世管佐領，「清史稿」俱未記載。（註二四）

五　月摺包奏摺錄副制度述略

直省內外臣工的奏摺，凡奉有御批者，都錄副存查，月摺包內的奏摺副本，就是這類御批奏摺的抄件。其未奉御批的奏摺，即以原摺存入月摺包內，惟數量較少。奏摺既奉御批，不論發鈔不發鈔，都應另錄副本一分。御批摺件的抄錄，「樞垣紀略」記述較詳。「凡抄摺，皆以方略館供事，若係密行陳奏及用寄信傳諭之原摺，或有硃批應愼密者，皆章京自抄。各摺抄畢，各章京執正副二本互相讀校，即於副摺面註明某人所奏某事，及月日，交不交字樣，謂之開面。」（註二五）錄副摺件，是據原摺逐字抄寫，其與原摺不同的地方是副摺的封面與末幅的塡註。錄副抄件，於末幅註明奉御批日期，間亦書明具奏時間，可以瞭解臣工進呈奏摺的時間及奏摺至京奉批或頒諭的日期，有助於史家的研究，至於副摺封面塡註字樣更便於當時及後世人的查閱舊檔。而且副摺及原摺封面右上角多編有字號，翻檢便利。例如乾隆十三年五月二十七日，兩廣總督策楞議覆吳謙鋕所奏聽民認墾高廉等處荒地一摺，是草書副摺，在封面右上角書明「毀百卅九」字樣。同年七月初九日，漕運總督宗室蘊著奏請揀發衞備以資漕運事一摺，是楷書原摺，其封面右上角的編號是「傷卅七」。其他咨呈間亦編有字號，例如乾隆十六年九月初七日，咨呈一件，其字號爲「僞甲二十號」。在乾隆朝月摺包內的摺件咨文於編號時所使用的代字主要爲萬、及、毀、傷、潔、女、才、良、知、必、改、維、得、莫、靡、恃、己、信、難、量、染、詩、僞甲、羊、克、念、作、聖、賢、德、建、作、立、形、端等字。每字編以號碼，每號一件，但也有部分摺件未予編號。抄錄奏摺時是用本紙或毛邊紙，而以高麗紙包封。

月摺包內的摺件，除末幅摺尾書明日期外，在封面左下方亦書明奉批日期，間於右下角註明到達日期。例如乾隆十四年八月十一日，署理江蘇巡撫印務覺羅雅爾哈善咨呈一件，封面右上角書明「莫一百三十九號」，右下角書明「九月二十八日到」字樣。乾隆三十四年七月十一日，傅恒等具奏貴州丹江營守備胡國正等二員請革職一摺，在封面左下方書明「七月十一日發」，「七月二十六日到」。本摺另附奏片一件，註明「傅恒等摺內夾片一件」，末幅亦註明「七月十一日發，七月二十六日到。」乾隆四十六年七月陳輝祖奏摺錄副封面左下角書明「七月初九日李棨抄」。同月初四日阿桂等錄副奏摺封面左下書明「毛鳳儀抄」。毛鳳儀是候補中書。

月摺包內的摺件，在封面居中上方，除照原摺書一「奏」字外，並於奏字下註明交或辦等字樣。例如乾隆十一年十二月二十日，兩廣總督策楞敬籌粵西鹽務事宜副摺，在封面奏字下註明「交」字樣。乾隆十二年正月初九日，新任江南河道總督周學健具奏閩省配用戰船錄副摺件，則在奏字下書一「辦」字。同日，周學健密陳閩省將驕兵悍惡習一摺，在副摺封面奏字下註明「密交」二字。是月二十一日，暫署山東巡撫方觀承奏除水患一摺，於封面居中書一「交」字，並註明「圖一附」字樣。其他或註明「單一附」，「單二」、「供單一」、「有清單」等字樣，或「提奏」字樣，例如乾隆十三年閏七月十六日，策楞覆奏廣西番目誤傷兵勇由一摺，在封面奏字下書「提奏」二字，摺內附簽條一紙，書明「此一摺等策楞到來，軍機大臣提奏」字樣。亦有註明「奉旨發抄」，「引見時提奏」者。原摺行間裡若奉夾批，錄副摺件，則在該行上方標明「硃」字樣，並於封面居中註明「有旁硃」或「旁硃」等字樣。如重複抄錄時，則在重抄的副摺封面註明「重」字樣。但副摺封面，亦有註明「不交、補交」字樣者。例如乾隆五十五年八月初四日，貴州巡撫額勒春遵旨審擬吳文學控告安修智佔地燒屋一案，其錄副摺件封面書明「供單一、職名單一交，又圖一不交」，其餘例子甚多，不勝枚舉。

月摺包的副摺或原摺，在封面因註明具奏人姓名及所奏內容的簡單摘由，便於檢閱，除謝恩、陛見、請安等奏摺不抄錄存查外，其餘摺件都另錄一份副本。因此，宮中檔部分原摺，軍機處並未錄副存查。以乾隆五十四年正月分為例，宮中檔奏摺的具奏人，包括：兩廣總督孫士毅、四川總督李世傑、雲貴總督富綱、陝甘總督勒保、漕運總督毓奇、湖廣總督畢沅、江南河道總督李奉翰、直隸總督劉峩、兩江總督書麟、河東河道總督蘭第錫、江西巡撫何裕城、廣東巡撫圖薩布、廣西巡撫孫永清、湖北巡撫惠齡、山東巡撫覺羅長麟、湖南巡撫浦霖、江蘇巡撫閔鶚元、安徽巡撫陳用敷、河南巡撫覺羅伍拉納、陝西巡撫覺羅巴延三、浙江巡撫覺羅琅玕、雲南巡撫譚尚忠、新授河南巡撫梁肯堂、蘇州布政使奇豐額、護理山西巡撫布政使鄭源璹、貴州布政使汪新、湖北布政使陳淮、浙江布政使顧學潮、署理福建按察使王慶長、直隸按察使富尼善、江南狼山鎮總兵官蔡攀龍、直隸正定鎮總兵官朱泰德、河南河北鎮總兵官王普、暫署廣西提督廣東潮州總兵官蒼保、直隸宣化鎮總兵官劉允桂、山東兗州鎮總兵官柯藩、河北襄陽鎮總兵官彭之年、臺灣鎮總兵官奎林、湖廣提督俞金鰲、甘肅提督蘇靈、廣東提督高琭、浙江學政朱珪、管理鳳陽關稅務廬鳳道述德、杭州織造額爾登布，以及未書明職銜的金士松、四德、巴忠、徵瑞、蔡新、穆騰額、鄭際唐、鄂輝、全德、穆精阿、曹文埴、閆正祥、海紹等五十七人。在軍機處乾隆五十四年正月分月摺包內，另有大學士管理禮部事務王杰、巡視山東漕務御史和琳、巡視南漕光祿寺少卿項家達、山西巡撫海寧、貴州巡撫李慶棻、福建巡撫徐嗣曾、雲南普洱鎮總兵官朱射斗及未書官銜的福康安、姜晟、阿桂等人的奏摺錄副抄件，其原摺不見於宮中檔。正月分月摺包內福康安的錄副奏摺，計二十件，俱不見其原摺。因此，軍機處月摺包的錄副奏摺實可補宮中檔的闕漏。但宮中檔正月分原摺具奏人內如巴忠、毓奇、蔡新、俞金鰲、鄭際唐、曹文埴、顧學潮、汪新等人的奏摺，則不見於正月分的月摺包，此即軍機處不抄錄存查的摺件。其中巴忠原摺一件，乾隆五十四年正月初三日，巴忠欽奉五十三年十二月初四日寄信上諭，將上諭全文抄錄覆奏。廷寄發下，臣工照例具摺覆奏，但軍機處有案可查，故不必重抄。毓奇奏摺一件，高宗賞賜御書福字、鹿肉等，毓奇具摺謝恩，其餘蔡新、俞金鰲、鄭際唐、曹文埴等人的奏摺，都是謝恩摺，俱不抄錄副本。至於汪新原摺一件，奏報貴州撫李慶棻身故事，月摺包不見此摺抄件。宮中檔乾隆朝奏摺約五萬九千五百餘件，軍機處月摺包乾隆朝錄副奏摺約四萬七千餘件，其數量少於宮中檔，主要原因就是宮中檔內很多請安、謝恩及陛見等奏摺，軍機處俱未錄副存查。

六　月摺包的文書種類

軍機處月摺包，原來分尋常與雜項二種，前者是不分何事、按月歸包，故稱爲尋常摺包。後者則爲專案的錄副摺件，按事分類，每類再按年月分包，此爲清代辦理某案時，將奏摺的錄副抄件彙集歸包，在軍機處檔册內亦有不少專檔，如安南檔、緬檔、金川檔等。乾隆朝月摺包內，曾將辦理專案的摺件，彙集歸包，例如乾隆三十三、四年黃教事件，乾隆五十三年林爽文之役，及乾隆五十三至五十五年，安南事件等，軍機處俱將抄錄的副摺及供詞等彙集歸入月摺包內，所以月摺包內的檔案種類較宮中檔爲多，有漢文、滿文、藏文及回文等類。清初制度，漢大臣能書滿文者，得以滿文具奏，滿州武員及內府人員等例應以滿文書寫。至於朝廷部院滿漢大臣聯銜會奏或議覆具奏時，則滿漢文併書，此類摺件，稱爲滿漢合璧摺（圖版壹）。在乾隆年間滿文的使用，已漸爲漢文所代替，但在月摺包內仍有不少的滿漢合璧摺，高宗批諭時多書滿文。例如乾隆十二年十一月二十七日，鎮守盛京等處將軍達爾當阿（daldangga）奏陳奉省流寓災民陡增應請隨時約束一摺，爲一滿漢合璧摺，於原摺漢文部分末幅書明「此摺係兼清，硃批亦係清字。」所謂「兼清」，即兼書清語。此摺滿文部分書明：abkai wehiyehei juwan juweci aniya jorgon biyai ice sunja de, fulgiyan fi pilehe, hese, uttu icihiyarangge inu, saha sehe. 漢譯應作：「乾隆十二年十二月初五日奉硃批，如此辦的是，知道了，欽此。」由其形式觀之，實爲一抄件。乾隆十三年正月二十六日，禮部尚書海望等具奏康熙二十三年聖祖東巡加恩典禮事，爲滿漢合璧奏摺的原件，內附夾片一件，文中「幸魯盛典」一書，滿文照漢文音譯作：hing lu šeng diyan bithe。乾隆十三年閏七月十五日，國史館總裁官大學士張廷玉等爲天文時憲二志完稿，繕寫裝訂呈覽，具摺奏明。此爲楷書原件，其滿文所批爲：erebe uksun be kadalara yamun weilere jurgan de afabu, 意即「將此交宗人府、工部。」原摺內附漢字簽條一紙，書明「乾隆十三年閏七月十五日具奏，奏旨著莊親王、侍郎何國宗詳細校對，欽此。」除滿漢文的檔案外，亦有部分的藏文資料，例如月摺包內「喇嘛自叙永免差徭的憑據」、「忍的地方上公給喇嘛寺每年撥給背夫照」、「明正司土婦給喇嘛寺永免差役執照」（圖版貳）等件，俱以藏文書寫。

就檔案名稱而言，月摺包內的文書種類亦多於宮中檔。例如乾隆十六年九月二十四日，兵部左侍郎管理順天府府尹事蔣炳「代順天在籍縉紳原任禮部侍郎王景曾等「恭祝皇太后六旬萬壽」一摺，原件楷書，封面居中上方書明「摺底」字樣，下書「單一」，右上角編號爲「羊一百五十」、右下方書明具奏人姓名及內容摘由，並註明硃批日期爲「九月三十日」。因王景曾等呈請代奏，蔣炳即彙合錄寫名單，將王景曾等二十六人的年歲、籍貫、經歷等分別開列。乾隆十六年九月二十四日交給奏事御前二等侍衞安泰轉奏。原件雖書明「摺底」，但就其格式而言，實與正式奏摺無異。此類代奏摺件，有時又稱爲「奏底」。例如高宗八旬大壽時，河東鹽商尉世隆等呈請代進貢品，總督據情代奏時，其原摺封面書明「奏底」二字，內附貢品清單，包括玉吉祥如意、洋鐘等二十七種。有時亦稱爲「副摺」，例如乾隆十七年十二月，福建巡撫陳弘謀具奏拿獲福州府屬羅源縣積惡棍徒張元和解送到京，協辦大學士署刑部尚書阿克敦具奏請旨照光棍例斬立決。原件爲楷書，其封面書明爲「副摺」，內附奏片一紙，註明「二十三日，刑部請旨事。」並書滿文諭旨云：jang yuwan ho be uthai sacime wa. guwa be gisurehe songkoi obu, hese be baire jalin 意卽「張元和著卽處斬，餘依議，爲請旨事。」（註二七）

月摺包內除摺奏以外，又含有「略節」，卽約略叙述事件的大意或要點，而用書面提出的文書，間亦作「節略」。例如乾隆十三年十二月初十日，黃廷桂奏「生息銀兩請兵商兼運」文，在原件封面居中書「略節」二字，下書「此一件係黃廷桂面奏事件，與軍機大臣商議者，已經議奏。」黃廷桂面奏時，將事件大要寫成文書呈遞御覽後批交軍機處辦理。高宗於黃廷桂略節上批諭，令查郎阿、劉於義籌畫定議具奏。查郎阿等將議奏意見書於略節之末幅，其文云「夫兵既困於無借，商又苦於承領，總不若兵借商領兩者兼行之爲得也。乾隆十三年十二月初十日。」此外「長蘆鹽課加斤倒追略節」、「蘆東生息略節」等，其格式除封面書寫「略節」字樣外，其餘與奏摺格式相近，每幅六行，每行二十格，平行書十八字，惟多不書呈遞年月。

宮中檔內常見有臣工繳回的寄信上諭，同樣在軍機處月摺包內亦有寄信上諭。就一般而言，寄信上諭是由軍機處擬定諭旨，經御覽修改後，鈐蓋軍機處的關防於紙函外，由軍機處司員批上遲速里數，交給兵部加封後，由驛馳遞，寄信上諭因寄自內廷，故簡稱廷寄。又因寄信上諭的格式，首書大學士或軍機大臣字寄某人，故又簡稱字寄。然而所謂字寄，亦可由地方大臣寄給軍機處。例如乾隆十六年十二月二十日，高晉寄信給軍機處，封面居中書明「寄字」，其文內云「大學士管江南河道總督事高字寄辦理軍機處，案照本閣暫管兩江總督任內於本年六月十五日接准寄字，京中需用慶典綵紬十萬餘疋，令兩江總督、閩浙總督、兩淮鹽政三處勻派（中略），爲此寄字，請祈察照施行。」（圖版叁）其格式與軍機處交兵部發出的寄信上諭極相近。

清代驛遞制度，凡京中由驛馳送直省的文書，都使用兵部憑照，由各驛站接遞，此憑照，稱爲火票，取其火速之義。月摺包內亦存有兵部火票。例如乾隆四十三年十月十七日，軍機處交兵部報匣一個，由六百里驛遞，兵部卽塡寫火票一紙（圖版肆）。在憑照正上方書「兵部火票」四字，加蓋兵部關防，在火票右上角書「此報匣限日行六百里，遞至河南儀考工次交投，毋悞。」火票內書明事由及沿途應注意事項等。其原文云「兵部爲緊急公務事，照得軍機處交出欽差大學士高報匣壹個，事關緊要，相應馬上飛遞，爲此票仰沿途州縣驛遞官吏文到卽選差的役晝夜星飛馳送至該處交接，毋得擦損。倘有稽遲時刻，查出卽行指名題參，毋違，速速，須票，右票仰經過地方官吏，准此。乾隆四十三年十月十七日。」（註二八）兵部火票是硏究驛遞制度的重要資料，在宮中檔則不見此類文書。

批廻是差員解送物品或齎送文書的驗收字據，軍機處月摺包內間亦見有批廻。例如乾隆三十四年八月二十五日，浙江省委員解書至軍機處交投，並由按察使發給差役批廻一紙，原文云「浙江等處提刑按察使司爲欽奉上諭事除外，今給批差解官管解後項書箱，前赴軍機大人臺下告投，守奉批廻，須至批者。今開解書籍拾伍箱、經板拾箱，齎公文壹角，右給批差解官張廷泰，准此。乾隆三十四年八月二十五日。按察使司押。」批廻左上角鈐蓋關防，並書「乾隆三十四年十月驗訖。」所蓋關防爲「督理崇文門稅務之關防。」

揭帖、知會與咨文其文書名稱不同，但功用相近，這些文書間亦歸入軍機處月摺包。清初定制，京內各部院衙門題本逕送內閣，稱爲部本。各省督撫將軍等題本於封固以後，加以夾板，或木匣盛貯，內用棉花塡緊，外加封鎖，周圍縫口以油灰抹黏，外用黃紬布包固，督撫等捧拜既畢，卽塡用火牌交付驛夫飛遞到京，由駐京提塘官接捧投送通政司開取。（註二九）通政司堂官收本，每天以辰刻爲期接收，已刻即散，各省題本甫至京而趕不及者，由提塘官存貯過夜，次日辰刻交投。乾隆十一年二月二十八日，高宗降諭令通政司每日派堂官一人在衙門值宿接收本章，此後各省本章進城，不拘時刻，即直送通政司交收（註三〇）。內外臣工題奏本章，定例以半幅黃紙摘錄本中大意，附於疏中，稱為貼黃（註三一）。其字數不許過百字。直省督撫等封進本章，除貼黃外，例有揭帖，分遞部院，其分送內閣及各部院衙門的題本副本就叫做揭帖（註三二），這與匿名揭參的文書不同。例如軍機處月摺包乾隆三十五年四月二十六日杭州織造揭帖（圖版伍），其封面居中書明「揭帖」二字，下鈐蓋滿漢文合璧關防，文曰「杭州織造關防」。揭帖首幅第一行書明官銜及事由「管理杭州織造兼管南北新關稅務戶部員外郎西為置辦事。」杭州織造因奉諭為新疆貿易紬緞，遵照辦理分織，具本謹題。揭帖末幅書明「除具題外，須至揭帖者」字樣，又於年月日期處鈐蓋杭州織造關防（註三三）。各部院衙門行文會辦的文書稱為「知會」，例如乾隆三十五年八月分月摺包內所存吏部知會（圖版陸），是月初八日，吏部知會軍機處，其封面書明「知會」，下鈐吏部關防。知會內容為：「吏部為知會事，所有現任福建汀州府知府克興額係正紅旗滿州和成佐領下人。今據正紅滿洲旗分咨報部，該員丁父憂前來，相應知會軍機處可也，須至知會，右知會軍機處。乾隆三十五年八月初八日。在揭帖末幅年月日期處鈐蓋關防。咨文與知會性質相近。例如乾隆十六年十二月分摺包，署理湖廣總督印務巡撫湖北等處地方提督軍務兵部右侍郎兼都察院右副都御史恒文於十二月初十日移文知會軍機處，於文書封面書明為「咨呈」下蓋關防。其首幅書明事由「為知會事」，文書內容為乾隆十六年十二月初九日接准兵部火票遞到軍機處咨文，令督撫遵照寄信上諭將所屬番苗黎獞繪畫圖像咨送軍機處彙奏，恒文接到咨文後，即於翌日移文軍機處。原文末幅年月日期處，註明「知會事」。月摺包內咨文數量甚多，主要是直省督撫移咨軍機處的公文。咨文封面或書「咨呈」，或書「呈」，例如乾隆十六年十月十八日，署理長蘆等處鹽政及乾隆二十四年正月二十二日河南巡撫等咨文，在封面書一「呈」字，但其事由書明爲「咨覆事」或「咨送事」，足見此處呈文，實係咨文。咨呈例應鈐印，但亦有未加鈐蓋關防者，例如乾隆十六年九月初七日，直隸總督方觀承呈送軍機處的咨文並未用關防。清代咨文，除以漢文書寫外，尚有滿漢併書的咨文，例如乾隆十四年八月十一日，署理江蘇巡撫印務覺羅雅爾哈善移文軍機處的咨文，即爲滿漢文合璧的「咨呈」，在漢文部分的封面右上角註明編號爲「莫一百三十九號」，右下角註明「九月二十八日到」。根據咨文的內容，可以瞭解各處咨送的物品及數量等，例如乾隆十六年十一月初一日，署理湖廣總督印務湖北巡撫恒文遵旨將各屬苗猺男婦圖像分別類種照式彙繪說明，裝潢册頁一本，咨送軍機處，對苗疆研究，實有裨益。

藩臬二司以下除進呈督撫的詳文外，間有呈遞部院大臣的稟文。例如月摺包乾隆五十五年三月二十三日，河南布政使景安呈稟中堂，封面爲深褐色紙，居中上方貼方形素紙，其上又貼小方形紅紙，紅紙上書一「稟」字。是月二十四日，廣西思恩府知府汪爲霖呈給軍機大人的稟文（圖版柒），封面爲深藍紙，亦貼紙書寫「稟」字。其文註明具稟人官銜姓名，事由及內容等：「廣西思恩府知府汪爲霖謹稟軍機大人閣下，敬稟者本月二十二日巳刻，卑府等曾於河南延津縣城由五百里馳稟察核，諒蒙恩鑒。茲於二十四日行抵直隸磁州地方，卑府等沿途照料，俱屬寧適。所有行次直隸省境日期，理合由五百里飛稟憲聞，仰慰慈懷，伏乞軍機大人察核，卑府爲霖謹稟。」原稟共計三幅，每幅五行，每行二十五格，末幅書明具稟日期。月摺包內亦見有信函性質的「肅」，例如國泰在山東巡撫任內，高宗南巡入山東境內時，因燈節已過，軍機處寄信國泰不必預備煙火。但國泰先已委員齎款赴京，於內務府匠役處製備煙火。國泰接准字寄後卽函請軍機大臣代奏進呈以備內用。此函封面書一「肅」字（圖版捌），首幅第一行書「國泰謹請軍機大人崇祉」字樣，末幅書「伏祈中堂大人裁酌，謹肅。」國泰以私人信函請軍機大臣代奏，故未鈐蓋關防。

軍機處代擬照會屬國的文稿，亦歸入月摺包。例如乾隆十六年春間，廣西憑祥土州內地土民錯行越界種竹，安南國人卽拔竹毀柵，引起糾紛，清廷卽令廣西巡撫、提督照會安南國王約束其民，並查出滋事之人自行懲處。此照會書明爲「謹擬照會安南國王文稿」，稿末書明「須至照會者」字樣。這類外交文書，仍不失爲研究對外關係的一種直接史料，月摺包內所含直接史料，種類繁多，本文所舉各例，祇是犖犖大端者。

七　月摺包錄副奏摺的附件

軍機處月摺包內有部分的原摺，有時原摺與錄副抄件同存一包之內。例如乾隆三十五年九月二十八日，山東巡撫兼提督銜富明安「奏聞遵旨查閱營伍民樂飽暖」一摺，是楷書原摺，奉硃批「覽奏俱悉」。

原摺歸入月摺包第二七七一箱，七十九包，一二五九六號。同一月摺包一二五九五號，則爲富明安奏摺的抄件。在錄副存查的抄件封面右上方註明「富明安」，並摘叙摺由。左下方註明「十月初五日」，末幅書明「乾隆三十五年十月初五日奉硃批覽奏俱悉，欽此。」下又註明「九月廿八日」。由前舉奏摺的原摺與抄件的比較可知「九月二十八日」是具奏日期，「十月初五日」則是奉硃批的日期。至於京中各部院大臣的奏摺亦多歸入月摺包，例如乾隆十四年八月二十日，太醫院御醫何徵圖奉旨探視建威將軍補熙病情。九月初六日，何徵圖抵達綏遠城診視將軍補熙後具摺奏聞。據稱補熙六脈弦遲無力，類似中風的症狀，以致左半身不遂，口眼歪斜，言語蹇澁，步履艱難。何徵圖即刺灸肩髃、曲池、列缺、風市、足三里、三陰交等穴，內服桂枝附子湯。不久，口眼已正，言語亦清，左半身手足亦能運動。九月十二日，何徵圖本人忽患左半身麻木不仁症，舉動艱難，服藥二劑後，於次日即能運動。原摺開列「桂枝附子湯」藥方及「益氣養榮丸方」。其中桂枝附子湯方爲：川桂枝四錢，白芍藥三錢，甘草一錢，製川附子五錢，當歸三錢，續斷二錢，木瓜二錢，牛膝三錢，杜仲二錢，不加引。又協辦大學士陳大受因患心陰不足挾濕傷脾之症，經右院判邵正文診看後，即用「益氣養榮湯」調治，內含人參三錢，白朮四錢，土炒，陳皮一錢，茯苓二錢，肉桂一錢，去粗皮，熟地三錢，白芍二錢，酒炒，當歸二錢，酒洗，遠志一錢，去心，五味子八分，研，甘草一錢，炙，引浮麥五錢煎服。軍機處月摺包奏摺錄副存有爲數不少的清單。例如直省各屬雨雪糧價單、銀兩米穀單。額徵錢糧單、海關四柱清單、估變家產什物清單、發遣人犯單、枷號人犯單、紳士姓名單、鄉試題目單、中式舉人姓名年齡籍貫等第清單、貢品清單、查訪禁書解送清單、拏獲匪犯解京清單等，在錄副摺件上註明「有單」等字樣者，多附有清單原件或抄件，宮中檔原摺所附呈的清單，大部分都歸入月摺包內，這類清單間亦寫作「清摺」等字樣，所謂摺子，原指清單而言，清摺即是清單。

月摺包內除清摺外，尚有極重要的供摺，即供單，多為奏摺的附件，這類供單就是訊問當事人的供詞。例如閩浙總督喀爾吉善等審結陳怡老案時奏稱龍溪縣民陳怡老私往「番邦」，擅娶「番婦」，謀充甲必丹，專利營私，於乾隆十四年六月內攜帶妻子婢僕搭船偷載回閩。喀爾吉善等將審訊供詞繕摺呈覽。原摺所附供單，經御覽發下後即歸入月摺包內。據陳怡老供稱「小的龍溪縣人，今年四十三歲。因小的有已故胞姪陳恭向在廣東香山縣開雜貨行，小的於乾隆元年往廣東去看姪子，聞得往洋生理甚好，小的就置買茶煙等物，是那年十一月裡由廣東香山澳附搭馬狗番船往噶喇吧貿易，果然得有利息。乾隆二年，小的用番銀五十三員買了嘮噶嗵的番女高冷做妾，生了兩個兒子，叫爭仔、偏仔，一個女兒叫妫仔。小的就學會了番話，因此，番邦頭目認得小的，小的又把內地好貨物送他。那頭目見小的會做買賣，又有眷口在番，因借給小的番銀三萬兩做本營運，賺有利息。」陳怡老又供「乾隆十年，番人又叫小的充甲必丹，替商人估計貨價，代通番語，凡客商到那裡住的房租，也是小的管理催討，從中獲有利息，十數年間，共積得番銀十萬餘兩。」又供「番邦的甲必丹，不是番官，並沒有俸祿，吃的不過遇內地商船到港，替他估計貨物價值，遇漢人置買番貨，代他評品物價，并管理催討客商租住的房租，就如內地牙行地保一般。」〔註三四〕清初嚴厲執行海禁政策，閩粵民人仍屢次犯禁出海，陳怡老的供詞就是重要的直接史料。又如乾隆十六年十二月十六日，湖南省耒陽縣盤獲楊烟昭，呈出字跡十紙，封圖一紙。據原摺所附供單稱楊烟昭本名叫做徐驤，是江南揚州府興化縣人。徐驤供云「十一年九月間，在寧波府奉化縣地方，一日，天色未明，我出門要到別處做生意，不料路上遇着一個面容枯瘦，遍身紫黑色的人，口吐硫磺烟，吹在我鼻子裏，我就昏迷了。據他說是曾靜的鬼魂，從此就精神恍惚，此後我走江南、湖廣，也只是看相行醫，在各處飯店裡寓歇，前年到澧州，寓在東門外杜姓飯店，又遇着曾靜的鬼魂瘋癲了。」呈出的字跡裡有「狂悖之語」，就是邪魔根鬼魂所迷時才寫出曾靜的話。供摺內亦錄下署理湖南巡撫范時授等審訊的問詞，「問，你字內寫着西來曾靜，南有烟昭，分明把曾靜與你相比。又你自稱吾逆曾靜，又替彌天重犯做謝表，這明是你想慕曾靜的行爲，特來訪求他餘黨了。」乾隆初年，曾靜雖被凌遲處死，但餘黨未被清除，而且此案株連亦廣。至於邪教勢力，極爲猖獗，教徒屢被查獲，錄有供詞，實爲研究清代秘密會社的重要資料。例如乾隆十七年十一月初二日，暫署山東巡撫楊應琚奏明鄆城縣拏獲邪教人犯一摺，內附供單，並抄錄劉漢裔首告邪教謀反原呈。據劉漢裔供稱鄆城縣趙會龍等行空子教，教其四句眞言，略謂「趙會龍又教小的肆句眞言，是眞空家鄉，無生父母，見在如來彌勒我主。又說日頭叫太陽，月亮叫太陰，問是在裏在外，說是在裏，只要記住這幾句話，人就知道是教裡的人了。」(註三五)部分奏摺間亦將供詞抄入摺內具奏，但平常所錄詳供是另書供單，附入摺封內呈覽，然後歸入月摺包內，由於其數量較多，內容較詳，於史事的研究，裨益甚大。

在月摺包內所附各種圖表，在錄副奏摺的封面都註明附圖件數。例如乾隆十四年十月初一日，江南河道總督高斌奏聞清口御壩木龍及陶莊積土場去情形一摺，內附雍正十三年形勢圖、乾隆十三、四年形勢圖。（圖版玖）圖上黃簽標明黃河在清河縣以東南岸御壩兩側介於王家庄至舊頭壩之間，有三個木龍及一個龍盤。乾隆十四年形勢圖，黃簽註明御壩外自乾隆五年淤灘，長五百餘丈，寬四五十丈不等。乾隆十四年，新淤灘長六百餘丈，寬六七十丈不等。研究清代河工水利，有不少水利形勢圖值得參考。乾隆十六年九月初六日，高斌等奏覆辦理壩工情形，內附廣西鎮南關憑祥土州隘柵圖。憑祥土州接壤安南，沿山勢相連，凡與安南可通各路，俱有排柵堵截。山屬內地者，使用黃色，山屬安南者，使用墨色，以別中外，土民種竹越界處，則用紅點，黃簽標明各段越界錯種筋竹丈數及界柵高寬丈尺。乾隆二十七年閏五月初五日，直隸總督方觀承奏明籌辦邊衝橋座要工一摺，內附修理懷來縣通濟石橋舊樣圖，橋通長五十九丈八尺二寸。另一圖爲新圖式樣，標明新改橋通長七十二丈四尺九寸，寬二丈八尺，欄板高三尺，厚六寸，長五尺，共計二百一十八堂。至於「清寧宮地盤樣圖」，則爲一藍圖，標明清寧宮之南、鳳凰樓東北角爲祭祀杆子處，鳳凰樓正南爲崇政殿，殿左翊門前爲日晷，右翊門前爲甲亮，殿南爲大清門，清寧宮右爲崇謨閣。閣內貯放滿文老檔、清代歷朝實錄、聖訓等位置架格都繪有圖樣。月摺包內亦見有「捕蚄車式」構造圖（圖版壹拾）。黃簽標明「中柱高柒寸，加左右雁翅各長貳尺，縛竹爲之，推車前行，則兩翅橫掠左右，穀上虸蚄墜入布兜內。」蚄蟲又名虸蚄，爲稻穀害蟲之一，體呈綠色，長約六七分即約二公分，牽稻葉作小繭於其中，成蟲爲灰黃色的小蛾。捕防車輪徑五寸，截圓木做成，軸長五寸，以堅木做成，橫貫左右木內，順穀隴轉動，前行甚速。此外，月摺包內也存有各國表文，碑文，如大遼興中府靈感寺釋迦佛舍利塔碑銘。又有檄稿，甘肅官商與準噶爾貿易議稿、收管奴隸管約書、狀紙等，間亦附有軍機大臣的奏片。例如乾隆三十五年八月十七日，軍機大臣具奏「尚書豐昇額奉旨在軍機處行走，應否閱看硃批奏摺之處請旨遵行。謹奏。乾隆三十五年八月十七日，奉旨，准其閱看，欽此。」由乾隆朝月摺包文書種類的繁多，可知軍機處在乾隆年間職責範圍的廣泛。

八　結　論

直接史料大多爲當事人所寫的文書的記錄，非盡可信，尚須經過鑑別比較。間接史料亦非完全不可信，但直接史料的可信程度，就一般而言，確比間接史料爲高。因此，近代各國特重檔案的保存與整理，史學家亦勤於搜集直接史料，力求完備，目的在使事實的記載與客觀的事實彼此符合。有清一代，極重視官書的纂修。例如歷朝實錄、聖訓、皇清奏議、滿漢名臣傳、通志、通考、會典、方略、紀略、御製文集、諭摺彙存及各種欽定官書等，卷帙浩繁，指不勝屈。惟因清室隱諱史事，增刪粉飾，尚非信史。乾隆三年，雍正硃批諭旨，刊印成書，計一百一十二帖，凡三百六十卷，內含外任官員二百二十三人繳還的硃批奏摺。然而書中盡刪所諱，湮沒史蹟，不僅世宗諭旨多經潤飾，即奏摺所錄供詞及摺內所報事件，亦刪略頗多（註三六）。因此，清史的研究，仍須充分運用當時的檔案，輔以私人著述，以補官書的不足。乾隆年間以降，軍機處組織擴大，職責廣泛，不僅就近承辦君主所交特旨，即軍國大政，莫不總攬，軍機處遂成為清代實權所寄，其承辦文案至夥，種類亦多，直接史料最豐富，價值尤高。本文所述乾隆朝月摺包的檔案，僅舉其犖犖大者，以供參考，罅漏之處，應所不免。

註釋

（註 一）趙翼著「簷曝雜記」，卷一，頁一，壽春白鹿堂重刊，民國四十六年，中華書局。

（註 二）席吳鏊著「內閣志」，頁四，借月山房彙鈔，第十集。

（註 三）梁章鉅纂「樞垣紀略」，原序，頁一，「近代中國史料叢刊」，第十三輯，文海出版社。

（註 四）「大清世宗憲皇帝實錄」卷八二，頁六，雍正七年六月癸未上諭。

（註 五）同前書，卷一〇五，頁一一，雍正九年四月庚子上諭。

（註 六）李宗侗撰「辦理軍機處略考」，幼獅學報，第一卷第二期，頁一至六，民國四十八年四月。

（註 七）傅宗懋著「清代軍機處組織及職掌之研究」，頁一二一至一二三，民國五十六年十月，嘉新水泥公司文化基金會。

（註 八）「文獻特刊」，頁一九，民國五十六年十月，臺聯國風出版社。

（註 九）「故宮文獻季刊」第二卷，第四期，頁二一至四一，民國六十年九月。

（註一〇）「起居注册」，雍正九年四月初八日庚子，內閣奉上諭。

（註一一）宮中檔，第七十八箱，五三二包，二〇四九九號，雍正十三年九月二十二日，允禮等奏摺。

（註一二）「大清世宗憲皇帝實錄」卷一一六，頁二，雍正十年三月庚申，據大學士等奏。

（註一三）宮中檔，第七十八箱，四八八包，一七四一七號，雍正十年閏五月十二日，黃廷桂奏摺。

（註一四）上諭檔，乾隆二年分，十一月二十八日上諭。

（註一五）宮中檔，第七十八箱，二八八包，四八四三之二號，雍正元年九月二十六日，盧詢奏摺。

（註一六）「大清世宗憲皇帝實錄」，卷八七，頁三，雍正七年十月乙巳，據大學士等奏。

〔註一七〕「樞垣紀略」卷一三，頁一五。
〔註一八〕同前書，卷二二，頁六。
〔註一九〕「大清世宗憲皇帝實錄」，卷四九，頁二〇，雍正四年十月甲戌上諭。
〔註二〇〕「欽定大清會典事例」，卷一五，頁一四，中文書局據光緒二十五年刻本景印。
〔註二一〕「大清聖祖仁皇帝實錄」，卷二四四，頁二，康熙四十九年十月初三日上諭。
〔註二二〕軍機處檔，月摺包，第二七七二箱，第九包，一二四六號，德明奏摺錄副。
〔註二三〕軍機處檔，月摺包，第二七四〇箱，六七包，一〇〇一一號，「左夢庚事實」。
〔註二四〕鑄版「清史稿」下冊，頁一〇四二，列傳三十五；「清史列傳」，卷七十九，頁一四，貳臣傳乙篇，中華書局。
〔註二五〕「樞垣紀略」卷二二，頁六。
〔註二六〕軍機處檔，月摺包，第二七七二箱，一二包，一五六三號，乾隆十二年十一月二十七日，達爾當阿奏摺錄副。
〔註二七〕軍機處檔，月摺包，第二七四〇箱，六六包，九七四三號，乾隆十七年十二月二十三日，阿克敦奏摺。
〔註二八〕軍機處檔，月摺包，第二七六四箱，一〇一包，二一三四九號，乾隆四十三年十月十七日，兵部火票。
〔註二九〕宮中檔，第七十五箱，四三六包，一四三八三號，雍正六年二月初三日，莽鵠立奏摺。
〔註三〇〕上諭檔，乾隆十一年分，二月二十八日，內閣奉上諭。
〔註三一〕蕭奭著「永憲錄」卷三，頁二二五。「近代中國史料叢刊」第七十一輯，文海出版社。
〔註三二〕徐中舒撰「內閣檔案之由來及其整理」。「明清史料(一)甲編」頁七，中央研究院。民國六十一年三月，維新書局再版。
〔註三三〕軍機處檔，月摺包，第二七七一箱，七四包，一一九七二號，乾隆三十五年四月二十六日，揭帖。
〔註三四〕軍機處檔，月摺包，第二七四〇箱，三九包，五五二一號，乾隆十五年三月二十二日，喀爾吉善奏摺錄副供單。
〔註三五〕軍機處檔，月摺包，第二七四〇箱，六五包，九四七五號，乾隆十七年十一月初二日，楊應琚奏摺錄副。
〔註三六〕拙撰「從鄂爾泰已錄奏摺談硃批諭旨的刪改」，「故宮季刊」第十卷第二期，頁二一，民國六十四年冬季。

圖版壹：滿漢合璧奏摺錄副　國立故宮博物院藏

Plate I: Copy of a bilingual Manchu-Chinese memorial. National Palace Museum, Taipei.

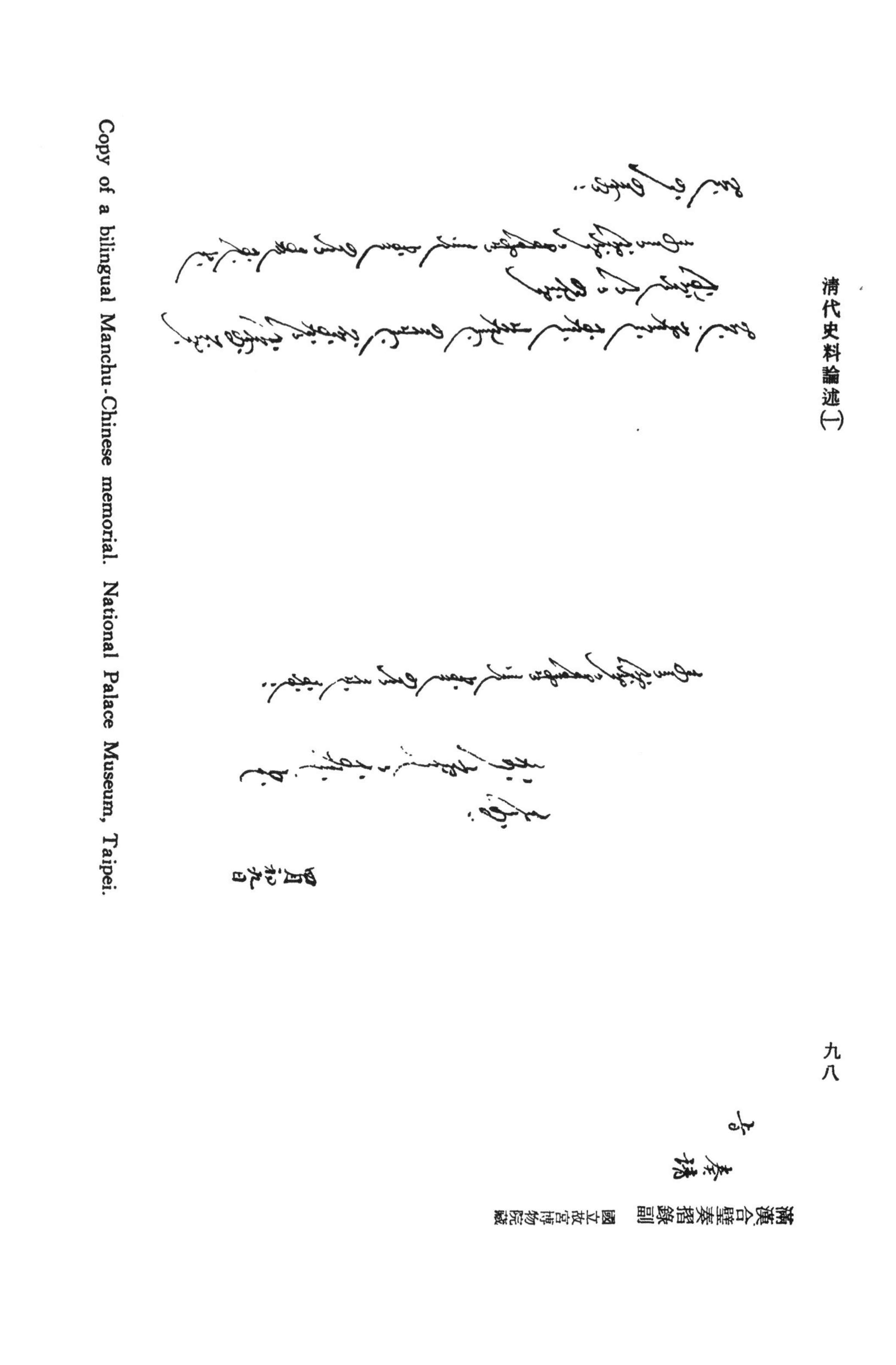

滿漢合璧奏摺錄副
國立故宮博物院藏

四月初九日

Copy of a bilingual Manchu-Chinese memorial. National Palace Museum, Taipei.

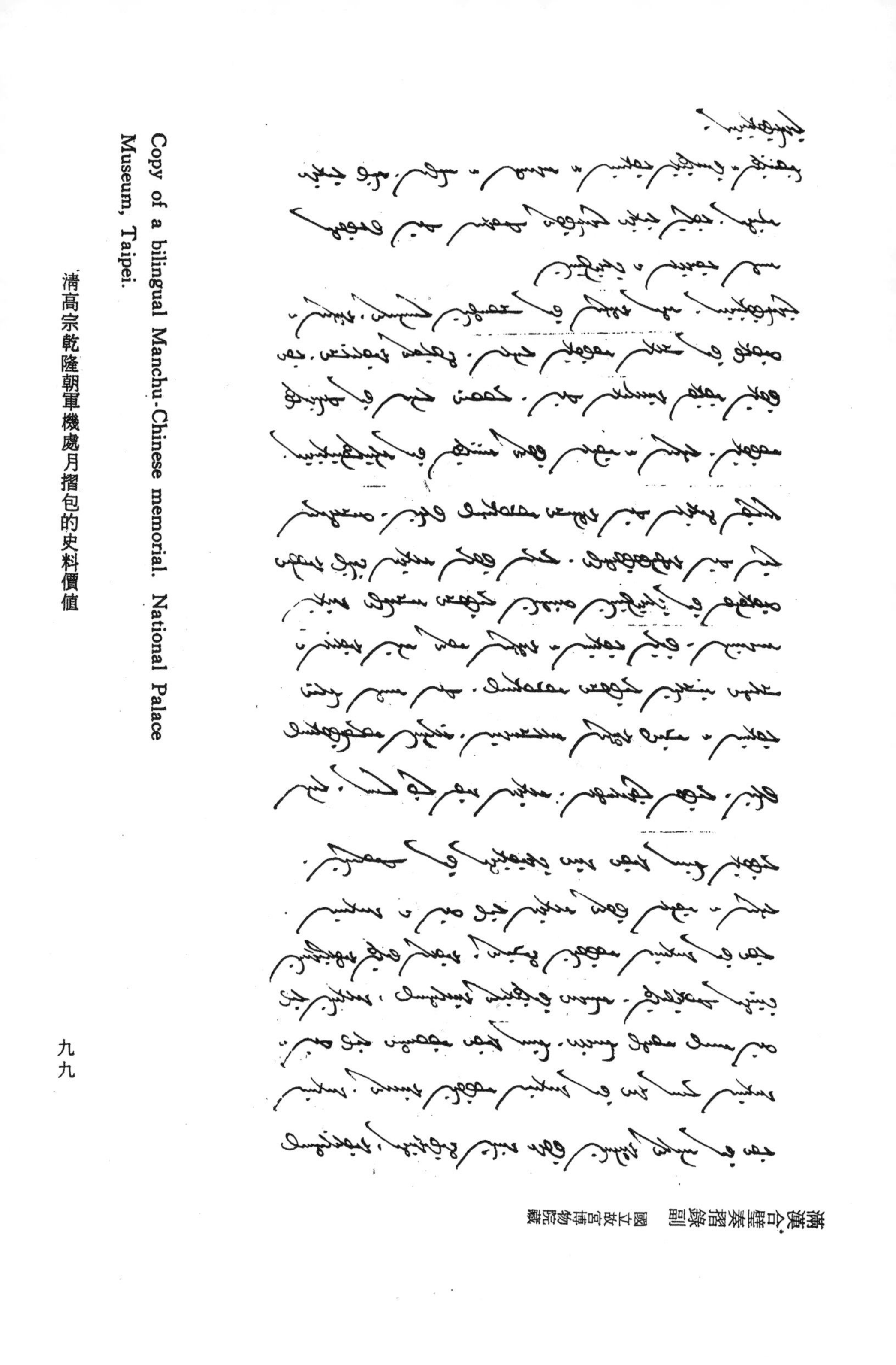

滿漢合璧奏摺錄副　國立故宮博物院藏

Copy of a bilingual Manchu-Chinese memorial. National Palace Museum, Taipei.

滿漢合璧奏摺錄副
國立故宮博物院藏

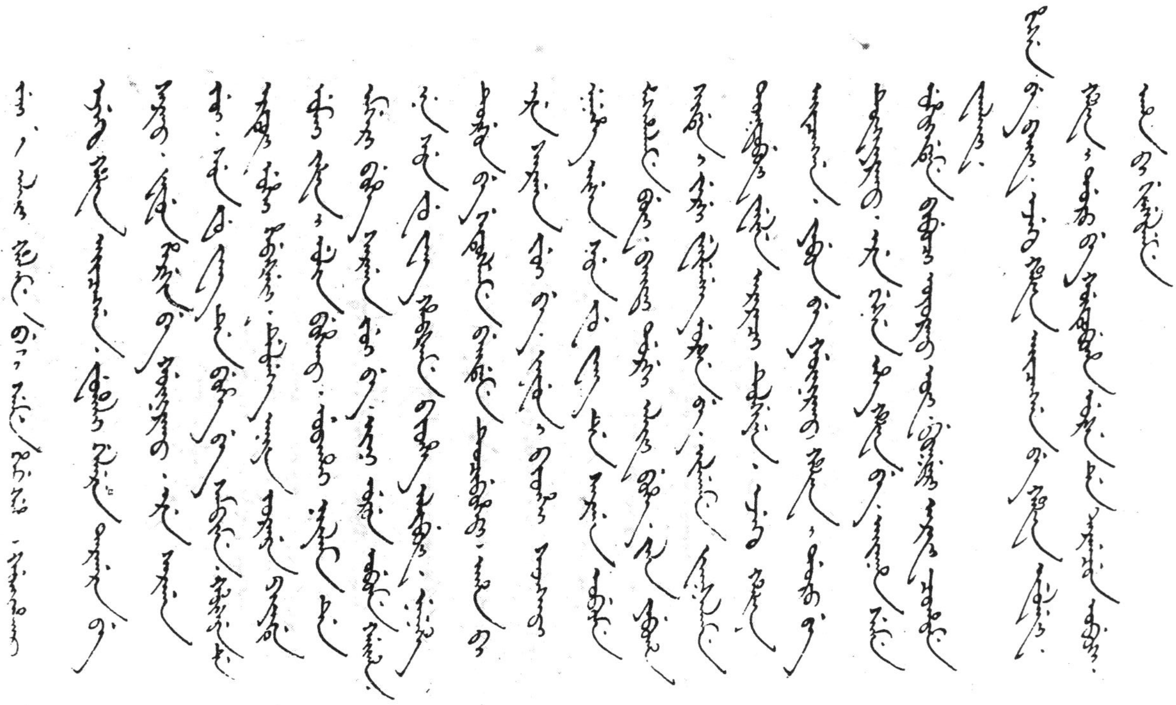

Copy of a bilingual Manchu-Chinese memorial. National Palace Museum, Taipei.

圖版貳：藏文執照　國立故宮博物院藏

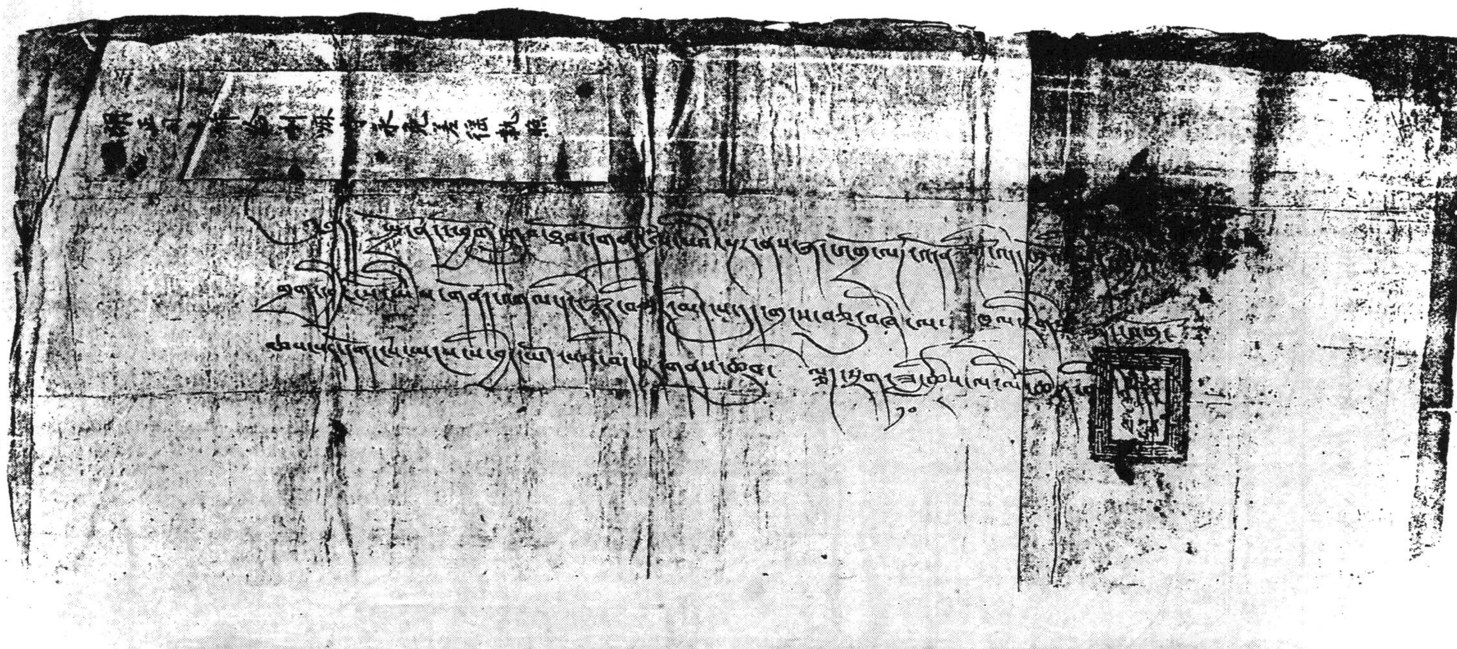

Plate 2: Official document exempting a lama from corvée labor (in Tibetan). National Palace Museum, Taipei.

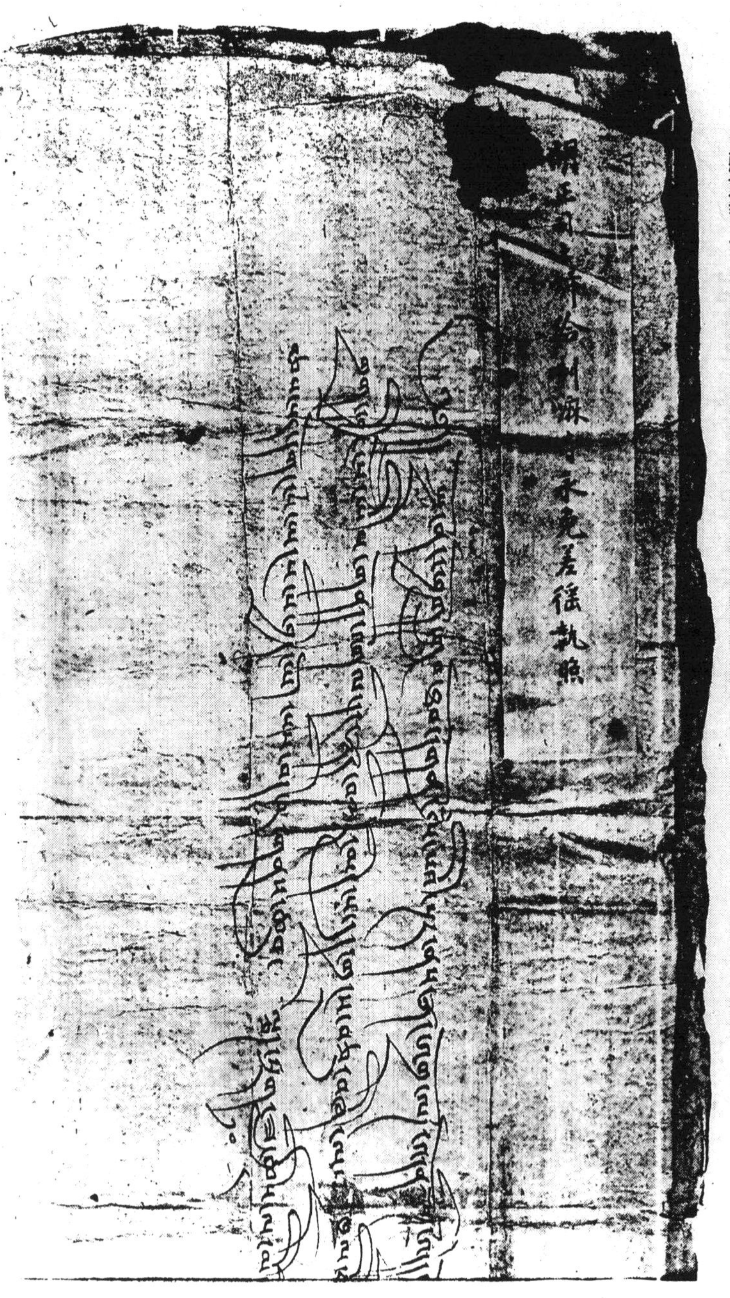

藏文執照　國立故宮博物院藏

Official document exempting a lama from corvée labor (in Tibetan). National Palace Museum, Taipei.

藏文執照　國立故宮博物院藏

Official document exempting a lama from corvée labor (in Tibetan). National Palace Museum, Taipei.

圖版叁　高晉字寄　國立故宮博物院藏

大學士管江南河道總督事高　字寄
辦理軍機處奏照本閣暫管兩江總督任內於本年
陸月拾伍日接准寄字京中需用
慶典綵紬拾萬餘疋令兩江總督閩浙總督兩淮鹽政叁
處勻派各將奏聞
皇上南巡時所備現須變價之舊綵紬加染或有不敷添
買足數照時估冊解送內務府解到時即將原價兌
交解員帶回等因當就兩江總督壹處可辦叁萬叁
千餘疋於捌月內解送緣由先行寄達并札飭江寧
蘇州兩處布政使暫動司庫公項關款銀兩星速購
辦隨據江寧布政使高晉辦得加染舊綵紬壹萬貳
千疋又於山陽高郵貳州縣變價紬內加染綵色得
紬叁千疋又於原寄字之外添辦隨紬綵布壹千伍
百疋尚委效力州同胡昕燿管解於柒月貳拾貳日
自清江浦起程前赴

Plate 3: An official letter from Kao Chin to the Grand Council. National Palace Museum, Taipei.

兩係暫動司庫公項墊給并有山陽清河高郵宿遷
肆州縣加染變價細疋均應撥銀歸款除咨明
內務府撥銀歸款外為此寄字請祈
察照施行

乾隆拾陸年拾貳月　二十　日

乾隆十六年十二月　貳拾　日

An official letter from Kao Chin to the Grand Council. National Palace Museum, Taipei.

圖版肆：兵部火票　國立故宮博物院藏

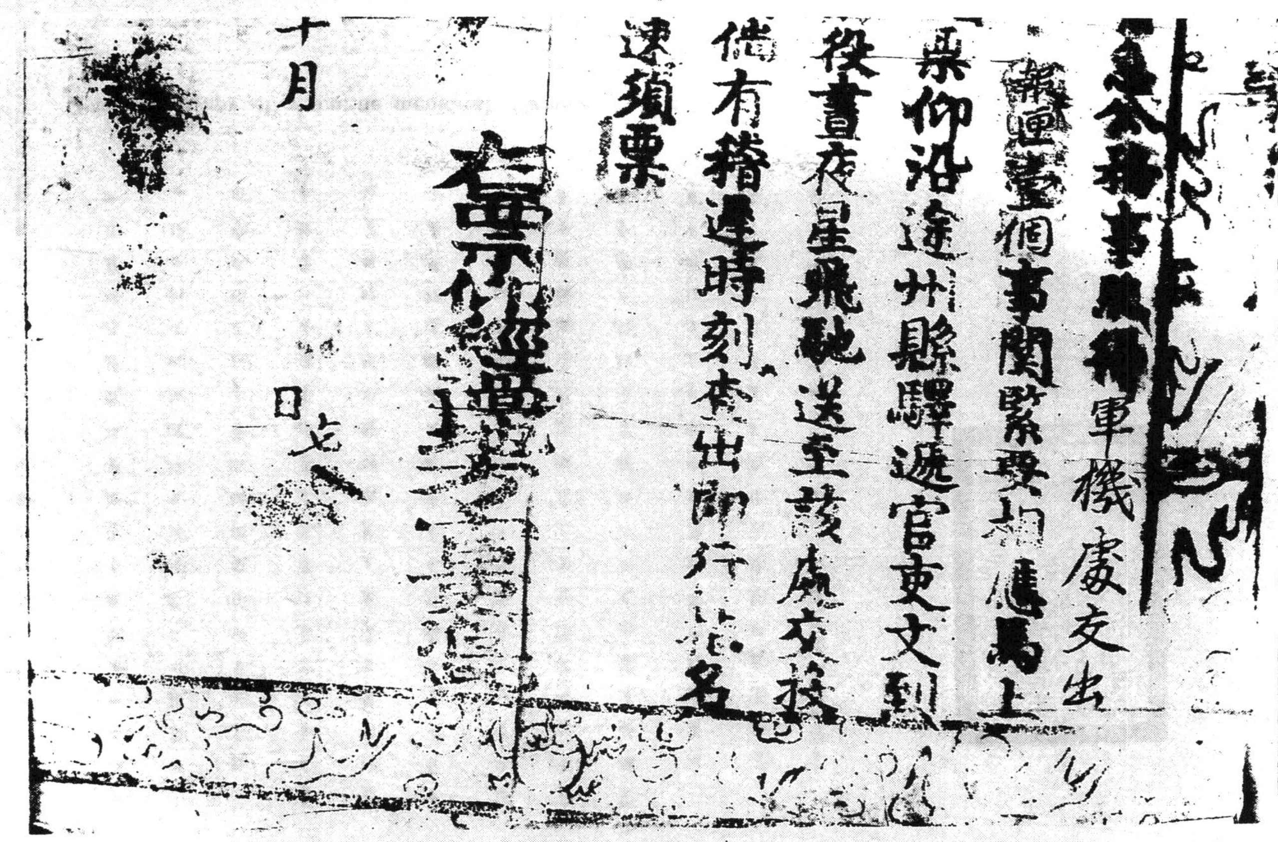

報匣壹個事關緊要仰便馬上

票仰沿途州縣驛遞官吏文到

役晝夜星飛馳送至該處交投

倘有稽遲時刻查出即行指名

速須票

十月　日

Plate 4: Post express tag for insuring swift courier service at imperial post stations (black printing on white, with black, blue, and white border decor). National Palace Museum, Taipei.

圖版伍：杭州織造揭帖　國立故宮博物院藏

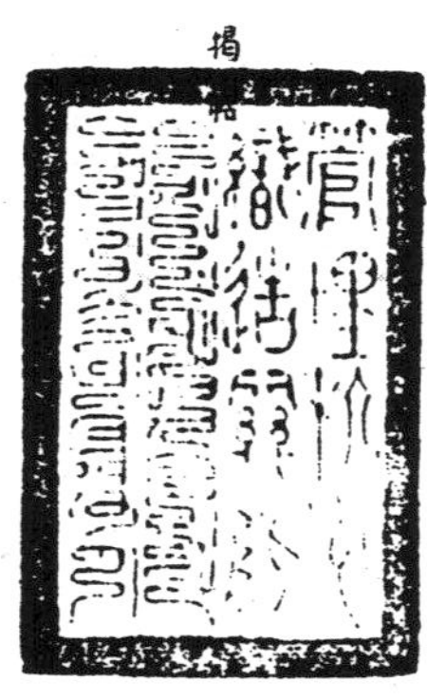

揭帖

管理杭州織造兼管南北新關稅務戶部員外郎西　為
置辦事竊照乾隆叁拾叁年正月貳拾貳日承
准軍機處劄開乾隆叁拾叁年正月初肆日奉
上諭據吳達善奏巳丑年新疆貿易紬緞共應壹萬
貳千伍拾疋請勅下三處織造照樣織辦解甘等
語此項緞疋為數既多自應先期織備以便解送
甘省分運各處貿易著傳諭三處織造即照吳達
善所開數目清單上緊織辦務期顏色鮮明質地
厚重毋得草率從事吳達善摺單俱著抄寄欽此
欽遵并奉抄發擬辦紬緞清單到臣經臣會同
江寧蘇州二處將前項派織紬緞照例按股公
派杭州分織庫千壹拾柒疋隨經移明前任浙
江王永德派委嘉興府同知墨璟公同點驗

Plate 5: Copy of a routine memorial. National Palace Museum, Taipei.

監視封固計裝支箱夾板捌拾壹副已于乾隆
叁拾叁年拾月貳拾捌日起程解送甘肅之次
所有用過料工及裝盛皮箱包裹等項通共用
銀壹萬柒千叁百伍拾玖兩肆錢以分除將工
料價值造冊送部外相應照例分晰具
題伏乞
皇上睿鑒
勅部核覆施行為此除具
題外須至揭帖者

乾隆

Copy of a routine memorial. National Palace Museum, Taipei.

知會

吏部為知會事所有現任福建
汀州府知府克興額係正紅旗滿
洲和成佐領下人據正紅滿洲旗
分咨報該員丁父憂前來相應口
會
軍機處可也須至知會
右知會
軍機處

乾隆三十五年八月初八日

圖版陸：吏部知會　國立故宮博物院藏

Plate 6: Lateral communication from the Board of Civil Office to the Grand Council. National Palace Museum, Taipei.

圖版柒：廣西思恩府知府稟文　國立故宮博物院藏

廣西思恩府知府汪為霖謹

稟

軍機大人閣下敬稟者本月二十二日巳刻卑府等曾於河南延

津縣城由五百里馳稟

察核諒蒙

恩鑒茲於二十四日行抵直隸磁州地方卑府等沿途照料供

屬寧遂所有行次直隸省境日期理合由五百里飛稟

憲聞仰慰

慈懷伏乞

軍機大人察核卑府為霖謹稟

乾隆五十五年三月　二十四　日

Plate 7: Petition submitted to the Grand Council by a prefect. National Palace Museum, Taipei.

圖版捌：國泰肅函　國立故宮博物院藏

國泰謹

請

軍機大人崇祉九月二十一日摺差回捧接

字寄昨奉

諭旨明年南巡時於十二日至上元及燕九共五日准

直隸預備煙火即在行宮門外演放毋庸另設燈棚

看棚至二十日入山東境其時燈節已過煙火等項

俱不必預備即預備亦不必伺候可遇便寄信國泰

知之欽此除欽遵停止恭備外惟查東省恭備煙火

一分前經專差委員賫價赴京已於

內務府匠役處恭照

上用樣款敬謹製備今蒙

字寄欽奉

諭旨停止東省既未敢預備所有業經恭製煙火一分

又未敢存貯現在尚未起運到東可否仰懇

中堂大人遇便代為奏請恭進以備

內用是否有當伏祈

中堂大人裁酌謹肅

Plate 8: A letter from one Kuo-t'ai to a Grand Councillor. National Palace Museum, Taipei.

圖版玖：黃河形勢圖　國立故宮博物院藏

Plate 9: Discussion and plan for repairs of the Yellow River embankments (originally enclosed in a memorial). National Palace Museum, Taipei.

黃河形勢圖　國立故宮博物院藏

於灘灘衝加寬長堤出沙嘴則淸黃劃然分界交會
之處直至惠濟祠後方並行合流順軌安瀾黃水永
無倒灌之虞皆由我
皇上
聖謨廣運指授方略形勢權度
聖祖仁皇帝建設
御壩批諭順成之本意至深至遠也臣等不勝額慶之至所有
清口
御壩未築有效及清口淤積土壩去情形臣等謹繪雍正十三年情
形一圖乾隆十三年情形一圖並本年現在情形一圖
三圖一并恭呈
聖鑒伏乞
皇上睿鑒謹
奏
乾隆十四年十月初十日奉
硃批知道了欽此

005027

Discussion and plan for repairs of the Yellow River embankments (originally enclosed in a memorial). National Palace Museum, Taipei.

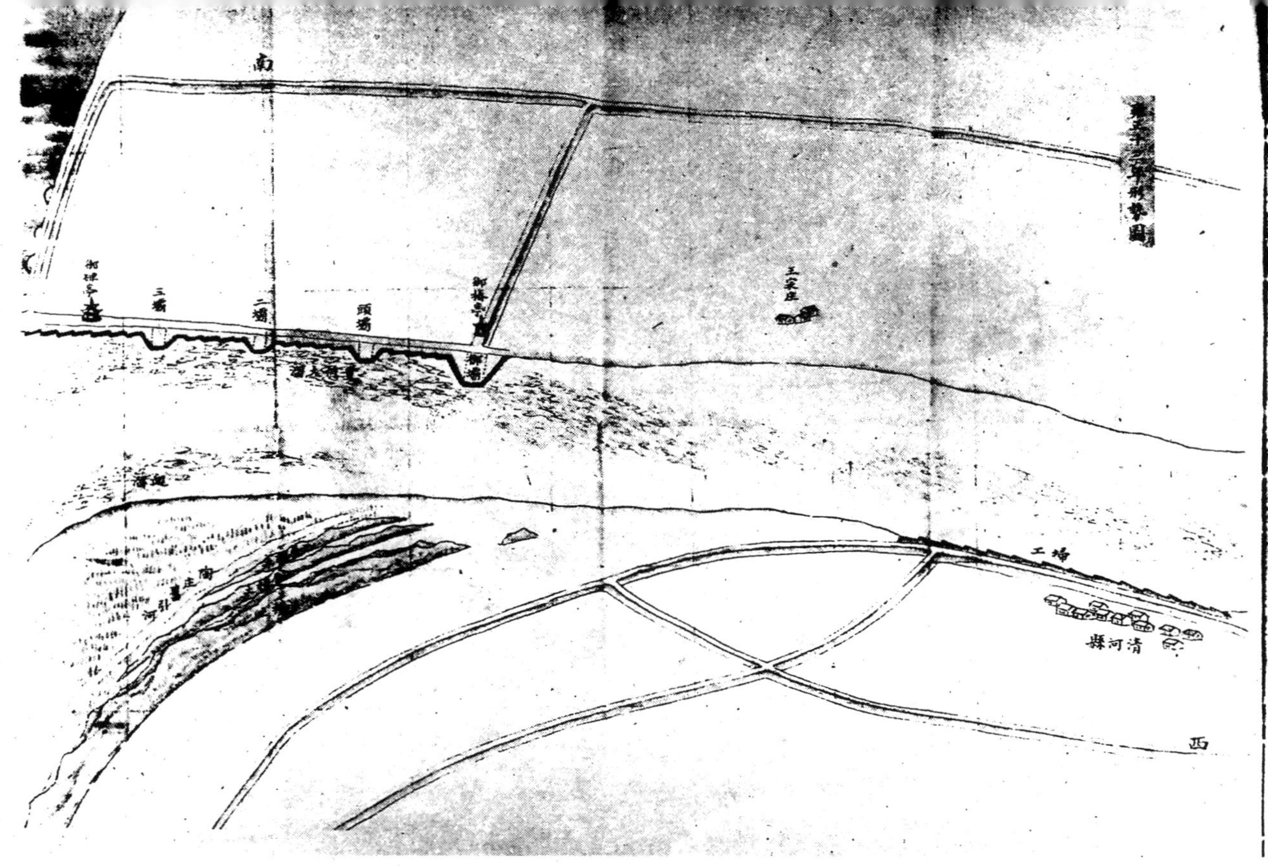

黃河形勢圖　國立故宮博物院藏

Discussion and plan for repairs of the Yellow River embankments (originally enclosed in a memorial). National Palace Museum, Taipei.

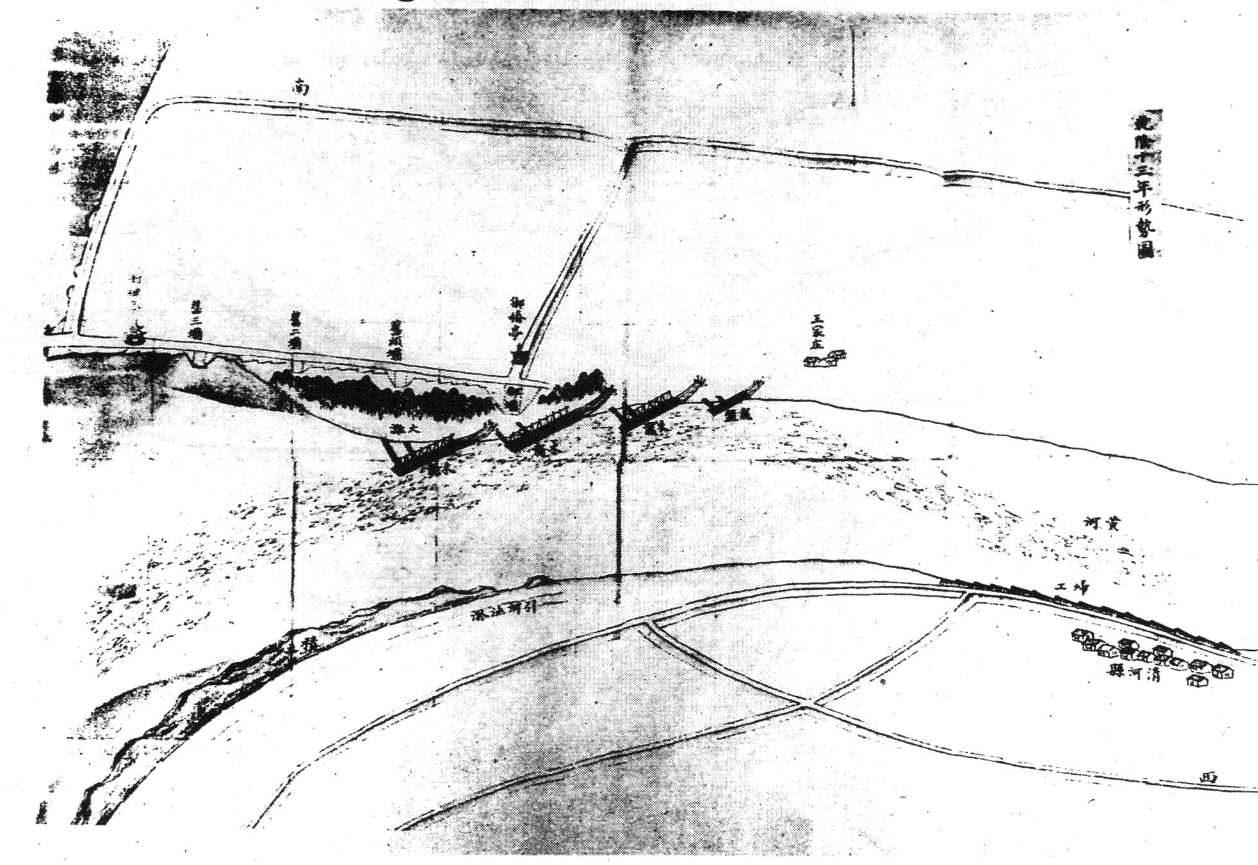

Discussion and plan for repairs of the Yellow River embankments (originally enclosed in a memorial). National Palace Museum,

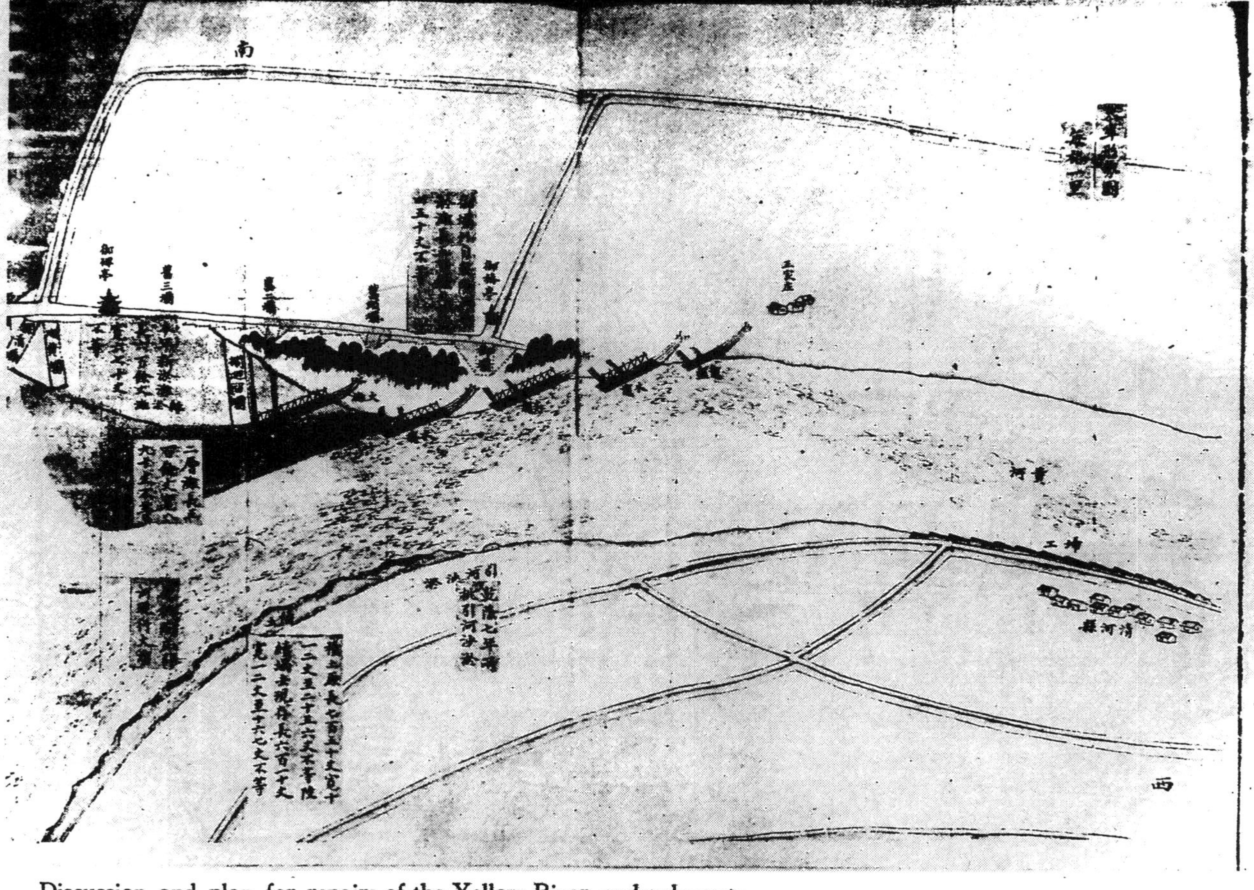

黃河形勢圖　國立故宮博物院藏

Discussion and plan for repairs of the Yellow River embankments (originally enclosed in a memorial). National Palace Museum, Taipei.

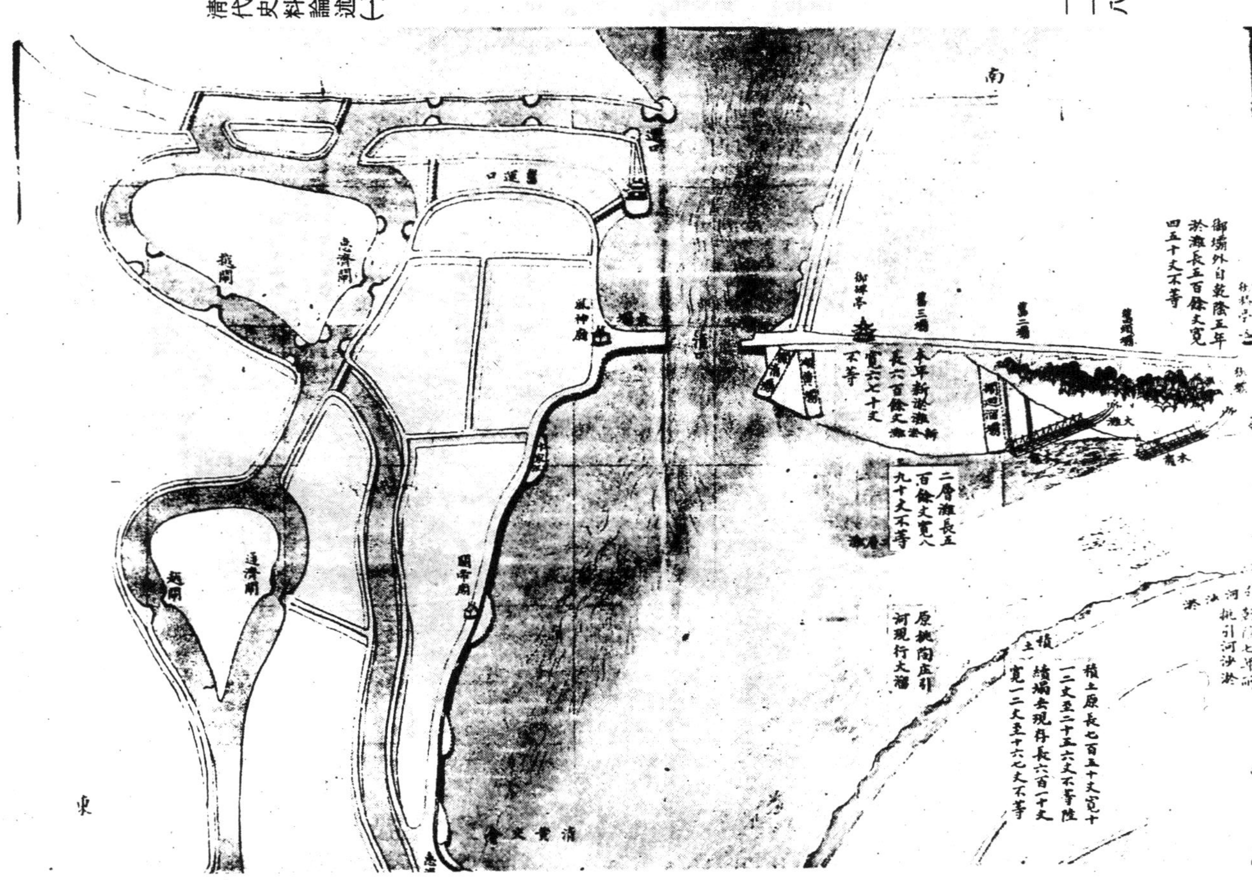

黃河形勢圖 國立故宮博物院藏

Discussion and plan for repairs of the Yellow River embankments (originally enclosed in a memorial). National Palace Museum, Taipei.

圖版壹零：捕蝣車圖　國立故宮博物院藏

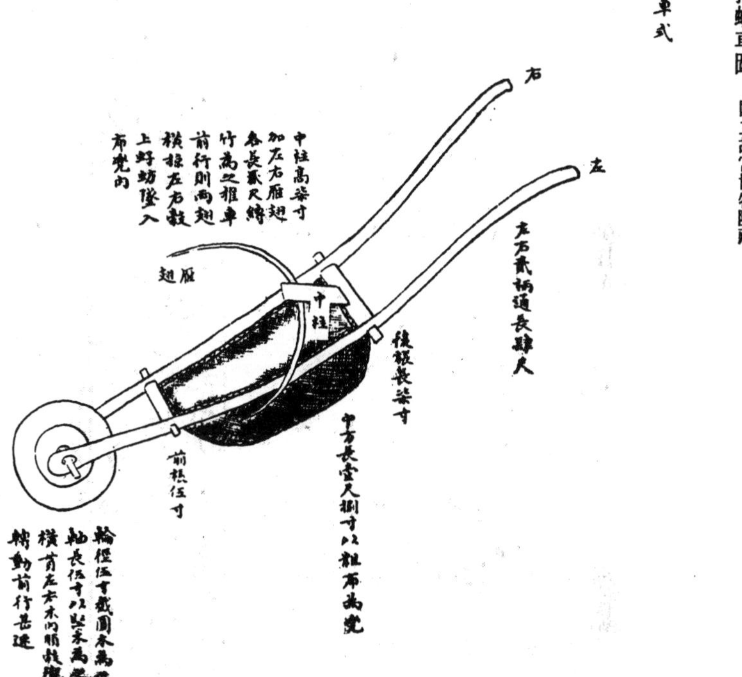

Plate 10: Plan, for an implement with which to brush inchworms from the stalks of growing rice plants (originally enclosed in a memorial). National Palace Museum, Taipei.

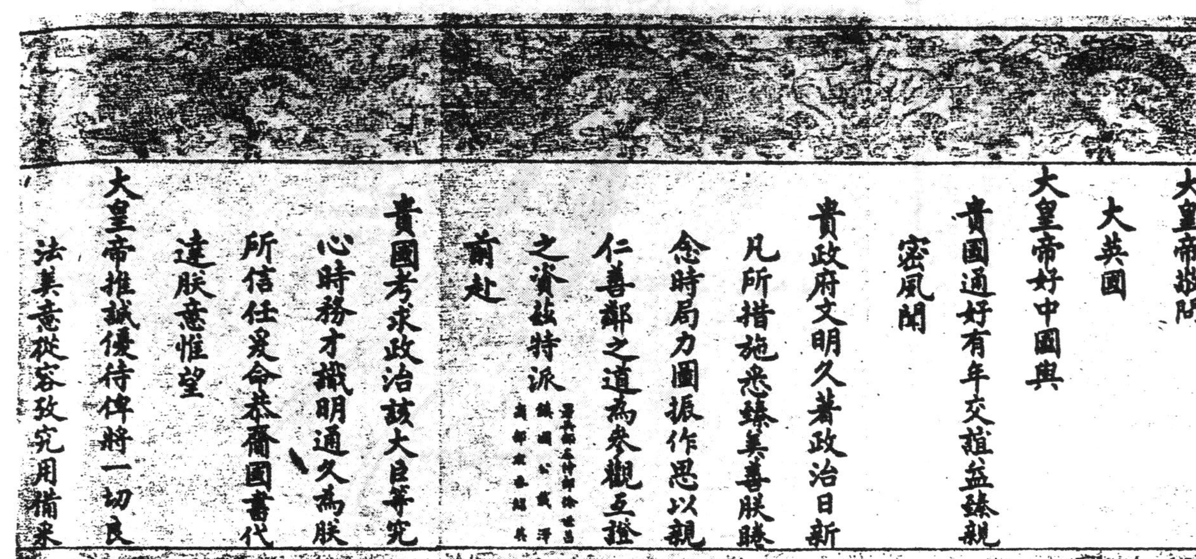

大清國
大皇帝敬問
大英國
大皇帝好中國與
貴國通好有年交誼益臻親
密夙聞
貴政府文明久著政治日新
凡所措施悉臻美善朕驟
念時局力圖振作思以親
仁善鄰之道為參觀互證
之資茲特派 署兵部左侍郎徐世昌 鎮國公載澤 商部右丞紹英
前赴
貴國考求政治該大臣等究
心時務才識明通久為朕
所信任爰命恭齎國書代
達朕意惟望
大皇帝推誠優待俾將一切良
法美意從容考究用備采

大皇帝嘉惠友邦之厚誼

從國立故宮博物院典藏宮中檔談清代台灣史料

內閣大庫檔案、軍機處檔案、清史館檔案及宮中檔等都是研究清代臺灣史所不可缺少的重要資料。國立故宮博物院現藏宮中檔，除上諭、廷寄、圖册及單片外，最主要的就是臣工繳回宮中後來置放於懋勤殿、大高殿、永壽宮、景仁宮等處的滿漢文御批奏摺，這些奏摺從康熙朝至宣統朝，除附片不計外，其總數共有十五萬六千餘件。就清代奏摺制度的發展而言，奏摺有其重要性。滿洲入關後，沿襲前明舊制，臣工題奏本章，仍是公題私奏。清聖祖在位期間，鑒於傳統本章制度積習相沿，弊端叢生，臣工進言，非壅則洩，下情不能上達，聖祖亟於求治，爲欲周知直省施政得失，民情風俗等，於是令文武大員使用奏摺，倣照禮部所頒奏本款式書寫，不經通政司轉呈，直達御前，機密簡便，中外之事，不能欺隱。世宗即位後，放寬使用奏摺的權利，除督撫提鎭外，司道以下微員，亦准其專摺具奏。奏摺簡便易行，乾隆十三年，下令廢止奏本，奏摺遂正式取代了奏本。臣工進呈題本時，既有副本，又有貼黃，輾轉呈遞，繁複遲緩。清末光緒二十七年，頒佈諭旨改題爲奏，廢止行之已久的題本，奏摺再度取代了題本。其次就清初奏摺的性質而言，奏摺的重要性，遠在例行的題本之上。奏摺是君主廣諮博採的主要工具，原非正式的公文，是臣工於公務之餘替皇室內廷效力的私事，臣工凡有聞見，無論公私事件，俱須據實奏聞，以便君主集思廣益，督撫提鎮司道彼此不能相商，各報各的。奏摺既與題本不同，不必循例具題，奏摺不是例行公文，有事具奏，無事不得頻奏，煩瀆主聽。因此，奏摺報導的內容相當可信，所有不便形諸本章的機密事項，危言聳聽的特殊事故，或與朝廷體統攸關的事情，亦可奏聞，不可迎合取悅君主，而且奏摺因有君主親手御批，更增加奏摺的價值。再就宮中檔奏摺的來源而言，雖有不少廷臣的奏摺，但其主要來源是來自直省地方官員，因此宮中檔藏有非常豐富以及價值極高的地方史料。同時宮中檔奏摺字跡相當工整，自清初至今日保存相當完美，近年來故宮博物院已完成宮中檔的整理工作，包括登錄號碼、內容摘要，並編有分類索引及具奏人姓名索引，便於查閱與利用。

宮中檔康熙朝漢文奏摺計三千一百餘件，滿文奏摺約八百件，雍正朝漢文奏摺計二萬二千三百餘件，滿文奏摺約八百九十件，乾隆朝漢文奏摺計五萬九千四百餘件，滿文奏摺約七十件，嘉慶朝漢文奏摺計一萬九千九百餘件，道光朝漢文奏摺計一萬二千四百餘件，滿文奏摺約一百五十件，咸豐朝漢文奏摺計一萬七千餘件，滿文奏摺約四百三十件，同治光緒宣統三朝漢文奏摺計一萬八千七百餘件，滿文奏摺約四百三十件。這些滿漢文奏摺中有關臺灣方面的史料非常豐富。康熙二十二年，臺灣歸入清代版圖後，聖祖即分土設官，加強治理。次年四月，議准設一府三縣，即臺灣府，其附郭亦稱臺灣縣，以外二縣，南為鳳山縣，北為諸羅縣，設總兵官及分巡臺廈兵備道各一員，隸屬福建省。康熙六十年，置巡視臺灣監察御史，並改分巡臺廈兵備道為分巡臺廈道。世宗雍正元年八月，將諸羅縣以北至大甲地方增設彰化縣，自大甲溪以北設淡水廳。雍正五年，改分巡臺廈道爲臺灣道。在宮中檔具奏人當中如閩浙總督、福建巡撫、福州將軍、福建水陸師提督、臺灣總兵、巡臺御史、兩廣總督、廣東巡撫及杭州織造等人的奏摺，報導臺灣事務的摺件甚夥，包括政治、經濟、社會、文化各方面，例如清廷對臺灣的經營、地方吏治、閩粵百姓的偷渡臺灣、地方官的撫番工作、農業生產、雨水收成糧價、秘密社會的活動、地方械鬭、民變案件以及中外交涉事件等都可從宮中檔裏找到資料。

清代君主關心民瘼，重視雨水糧價，因其直接關係民生，故地方官奏報雨水糧價不得遲誤，否則必遭嚴旨切責。例如康熙四十六年十一月二十一日，閩浙總督梁鼐具摺奏報臺灣郡因夏秋天旱，八、九月間，米價昂貴，每石需一兩八九錢至二兩不等，因民間所種蕃薯收成很好，至十一月間，米價漸減，每石只賣一兩一錢。康熙五十八年六月初四日，福建巡撫呂猶龍奏報臺灣雨水調勻，米價每石不過八、九錢。從清初至清末歷任閩浙督撫奏報臺灣雨水糧價的摺子，可以比較臺灣米價的變動情形。臺灣產米雖甚豐富，但米價漲跌幅度極大，其主要原因除天災外，實受地方變亂的影響，民變頻繁，米價騰貴。例如乾隆五十一年林爽文起事以後，臺灣府米價每石都在銀三兩以上。宮中檔除稻米外，對砂糖的生產及西瓜的試種亦有報導。康熙年間開始在臺灣縣及南路觀音山下等處培植西瓜的滿文奏摺亦多。

清初開始對山胞已相當留意，尤致力於撫番工作，有番漢關係的奏摺亦不少。有時地方官奉旨將山胞送往京師，例如康熙五十六年七月十八日，閩浙總督覺羅滿保奏報曾於是年四月遣千總至臺灣尋覓善跑的「番子」，七月，千總從諸羅縣挑選熟番十人，據稱當時山胞自幼開始學跑，要求跑得快，且能忍耐。山胞在砂土上一日可跑二百里，送到內地後，因地上都是石子，就無法跑上二百里。山胞所用弓箭、鏢鎗，是用竹子拴緊，粗糙無力，山胞所養的狗，雖然跑得不快，但咬物有力，所以覺羅滿保也挑選四隻狗，同所選出的「番子」七名一齊送往京師。

宮中檔奏摺報導臺灣秘密社會的資料，數量相當可觀，尤其關於天地會的源流及活動的史料亦極豐富。最遲在康熙末年天地會已開始活動，雍正、乾隆以降，益加活躍，支派更多。宮中檔奏摺抄錄不少會黨的供詞，甚至對入會結盟儀式亦有報導，例如供詞所稱凡入天地會者即授以「大指爲天，小指爲地」，告以「三指拿烟喫茶」，遇人搶奪，即用三指按住心坎等暗號，以及「木立斗世」、「五點二十一」、「洪水漂流」、「水裏來」、「左右俱有兄弟」等歌句或隱語，俱見於地方官的奏摺。天地會因領導人不同，常使用不同的會名，同時天地會屢遭查禁，爲避免引起地方官的注意，常另改新名，所以天地會非常複雜，支派很多。例如雍正六年八月初十日，福建總督高其倬具摺奏稱諸羅縣有奸民結拜父母會，歃血拜把。高其倬在原摺內抄錄了起事諸人的供詞，指出入會者每人出銀一兩拜盟，如有父母年老，即彼此幫助，因此稱爲父母會。高其倬又指出福建地方向有鐵鞭等會，拜把結盟，後經嚴禁，且鐵鞭等名稱駭人耳目，所以改爲父母會。到乾隆年間，臺灣父母會仍然存在，且與小刀會有密切的關係。福建水師提督黃仕簡在乾隆四十七年曾指出臺灣小刀會是奸民藉名父母會三五成羣，遇有會內人父母身故，各助銀米，作爲喪葬費，會員每人各置小刀一把，隨帶防身。天地會既指天地爲父母，則父母會即天地會的別名，而小刀會又藉名父母會，且其結盟儀式又與天地會相同，足證小刀會就是天地會的支派。關於小刀會的起源，最早見於清高宗實錄乾隆四十七年的上諭，但清代奏摺在乾隆三十七年已報導小刀會的活動。會黨起事案件，層出不窮，會員一方面要復興天地會，一方面恐引起官方注意，所以又將天地會改名爲添弟會，意即弟兄日添則爭鬪必勝。到嘉慶年間添弟會又改名爲三合會，成爲清季國民革命的基本力量，終於達成推翻滿清的宗旨，研究清代秘密社會，宮中檔可以解決不少的困難。

由於會黨勢力日益猖獗，地方樹旗起事或民變案件，遂層出不窮，宮中檔奏摺報導甚詳，官書如實錄或平臺記略等是摘錄奏摺而修成，語焉不詳。例如康熙六十年五月初八日，閩浙總督覺羅滿保繕寫滿文奏摺奏聞臺灣朱一貴起事經過，原摺報導官兵失利情形甚詳，文字亦長。清實錄據覺羅滿保滿文原摺摘譯潤飾。「清聖祖仁皇帝實錄」卷二九三，頁一，康熙六十年六月癸巳載「福建浙江總督覺羅滿保等摺奏，五月初六日，臺灣姦民朱一貴等，聚衆倡亂，總兵官歐陽凱率兵往捕，爲賊殺害，地方有司官俱奔赴澎湖，惟淡水營守備陳策率領兵民，堅守淡水營地方，以待救援。臣聞報，卽自福州前赴廈門，辦理軍務。提督施世驃前赴澎湖。臣隨令南澳總兵官藍廷珍、參將林政等率領官兵赴澎，聽候提臣調遣，下部知之。」覺羅滿保所奏滿文摺，其具奏日期爲「康熙六十年五月初八日」，由驛馳遞，行走將近一個月，於六月初三日癸巳到京。爲便於比較，特將這件滿文原摺譯出漢文如下：「閩浙總督奴才覺羅滿保謹奏，爲恭謹奏聞事。臺灣地方，蒙聖主洪恩，此數十年，米穀充裕，百姓安樂，地方絲毫無事。出賊之事，奴才等卽嚴緝重懲，毫不留餘地，私渡之人，亦嚴加禁止。今年四月間二十來日，因海上風浪甚大，行船稀少，各官報文亦較他月爲少。五月初六日，忽接廈門詳報稱，向來自臺灣之商船探取信息。

據云，今年四月二十日，南路鳳山縣地方，出現賊徒，樹起旗纛，在各處行搶。二十三日，爲官兵所敗，進入山內。二十五日，復出交戰時，官兵負傷。今賊衆攻打總兵、副將等語，密報前來。旋提督穆廷栻、施世驃皆接踵遣人來報此情由。臺灣官員雖未稟報，因事屬實，奴才同將軍、巡撫會商，當即派出參將王萬化、遊擊邊士偉領兵一千名，船十五隻，救援臺灣。初六日夜，即自福州起程。復星夜差遣官員，在澎湖等地，將現正巡行海面兵船亦調往救援臺灣。次日即初七日，總兵歐陽凱於四月二十八日自臺灣移咨到來。閱咨文內稱南路岡山地方，奸徒結集樹旗，四月二十日，至各處放火行搶，總兵我給與遊擊周應龍兵丁。二十三日，在二擺地方殺敗賊徒。二十五日，周應龍領兵四百餘名，會同南路官兵，在旗山地方遇賊交戰時，因南路營爲賊所焚燒，官兵被傷甚衆。守備馬定國自刎身故，參將苗景龍不知去向。今總兵我率領官兵，在臺灣府外五里處紮營圍守，副將許雲領兵四百名，在南路口紮營。臺灣府地方因無城郭，甚爲可慮，請速發援兵等語。正行文移咨各處催調援兵。初八日，提督施世驃文至，文云，臺灣總兵家人蘇九哥曾在戰地，今來至廈門，晤面詢問時，據稱四月三十日，賊犯臺灣府，總兵歐陽凱、副將許雲會師，兩次敗賊。五月初一日，賊復來犯，雙方鏖戰，總兵歐陽凱負傷，爲賊所害，當時副將許雲尚在殺賊，其後究竟如何？不得而知等語。查臺灣地方不小，官兵亦不少，今賊自四月二十日起至五月初一日，甫及十日，在此期間，於賊之姓名及滋事鳩聚之緣由，毫未確知，援兵亦未及時抵達，遂致地方爲賊所據，實出意料之外，此皆鎭道文武各員之罪，即皆奴才之罪也。今不可不奮死以圖恢復，故同將軍、巡撫等商議，自南澳、銅山等營調兵一千二百名，令備船二十隻，交付南澳總兵藍廷珍，乘風東驅臺灣，取打狗江，由此登陸，恢復南路營，調將軍屬下綠旗兵三百名，興化等營兵九百名，備船二十隻，交付興化副將朱玠（ ju giyei ），直驅臺灣，取汶江、三林江，由此登陸，以救援北路營。提督施世驃所屬兵二千五百名，各水師營兵三千名，奴才等所屬兵一千名。提督施世驃率此六千五百名兵由鹿耳門恢復臺灣本府，俱約期齊進，各自辦訖。奴才等復商議，巡撫呂猶龍留駐省城辦事，奴才揀選臣標兵一千五百名，乘船三十隻，由奴才親身率領，於本五月初十日馳往廈門察看形勢而行。今所指示三路兵，若不克進入臺灣，奴才即親率福建兵船，亦請隣省兵船支援，以全力奮渡臺灣，務圖收復。惟奴才庸懦愚魯，缺乏用兵經驗，叩請聖主明鑒，將奴才之罪暫記，施恩，為先行收復地方，請詳示謀略，將臺灣地方復行收回，恢復原狀。至於臺灣地方被據，皆奴才之罪，何敢不即具題，惟題達本章，天下皆得聽聞。今適西域用兵之時，叩請聖主明鑒，將定限具本題報恩准展限一月，奴才至臺灣，若不克收復臺灣之時，再將所有緣由查覈確實，悉行具題，為此不勝惶恐羞愧，叩請呈奏。〔硃批〕此事甚大，所寫招降勅書，由驛馳發，與其大肆勦滅，不如稍看形勢，招降為要。康熙六十年五月初八日。」

原摺譯漢後，仍長達一千六百餘字，清實錄摘譯後僅一百三十餘字。朱一貴等起事是在康熙六十年四月二十日，到五月初六日覺羅滿保才接到廈門官吏的稟報，實錄竟將朱一貴聚衆倡亂的時間誤繫於五月初六日，而且對照原摺後知道文意經刪改潤飾後與原摺出入甚大。同一年七月初一日，杭州織造孫文成亦進呈滿文奏摺。據孫文成指出這年二月起地方百姓已向臺灣道梁文煊首告朱一貴聚衆倡亂，梁文煊亦詳報臺灣總兵歐陽凱，但歐陽凱派兵巡查，未能據實查明，總兵與道員竟然以百姓誣告，而用刑拷打，清聖祖實錄不見此段記載。乾隆以降，無論地方樹旗或分類械鬭案件，都有重要資料可供參考，例如臺灣嘉義人王得祿由募集鄉勇助官兵平定林爽文之亂，授把總，累擢千總、遊擊，在嘉慶年間因勦除臺灣沿海蔡牽艇匪黨徒朱濆等，騷擾十四年的海盜始暫告平息，宮中檔亦藏有部分王得祿的奏摺。清代海盜猖獗，自康熙以來督撫提鎭嚴緝海盜，俱不見功效。覺羅滿保曾指出每當刮南風時，福建、廣東沿海居民即糾聚爲海盜，乘坐小船出海搶掠，順風到浙江、江南，搶奪商船，當刮北風時，即順風返回福建、廣東，散往各村爲良民，其所搶奪貨物，在返家途中就已賣給別人，海賊難治，地方官嚴加查拏，盜風仍然不息，宮中檔滿漢文奏摺資料頗多，値得參考。

總之，故宮博物院現藏宮中檔，仍不失爲研究清代臺灣歷史的珍貴原始資料，爲鼓勵及加強臺灣史的研究，今後似應展開史料的搜集與編纂工作，根據宮中檔奏摺、軍機處檔、明清史料等將有關臺灣史的資料，加以有系統的搜集，雖斷簡殘篇，亦不可遺棄，年經月緯，加以排比，作成清代臺灣史料彙編或臺灣史通鑑長編，或分類整理，作成專檔，則於臺灣史的研究，必有極大的貢獻。臺灣無史，固爲國人之痛，而舊志謬誤，亟待重修，則是治臺灣史學人的責任。臺灣府志重修於乾隆二十九年，各縣志亦有續修，但記載失實之處尚多，仍應根據宮中檔加以考訂或補正，例如乾隆五十一年林爽文起事前，天地會黨楊狗是楊光勳的兒子，彰化縣志則以楊狗爲楊文麟的兒子，當時署諸羅縣知縣爲董啓埏，臺灣縣志誤作董啓埏。林爽文與林泮、林領、林水返等在彰化飲酒結盟加入天地會的時間，彰化縣志繫於乾隆四十八年，但據林爽文本人的供詞，則在乾隆五十一年。在南路方面，官兵於乾隆五十二年二月二十一日，收復鳳山縣城，彰化縣志、鳳山縣志俱繫於是年二月二十三日，其他例子甚多，不勝枚舉。至於利用宮中檔爲主，再參考其他史料，對臺灣史的專題研究，亦有極大的幫助，至少可解決不少問題。

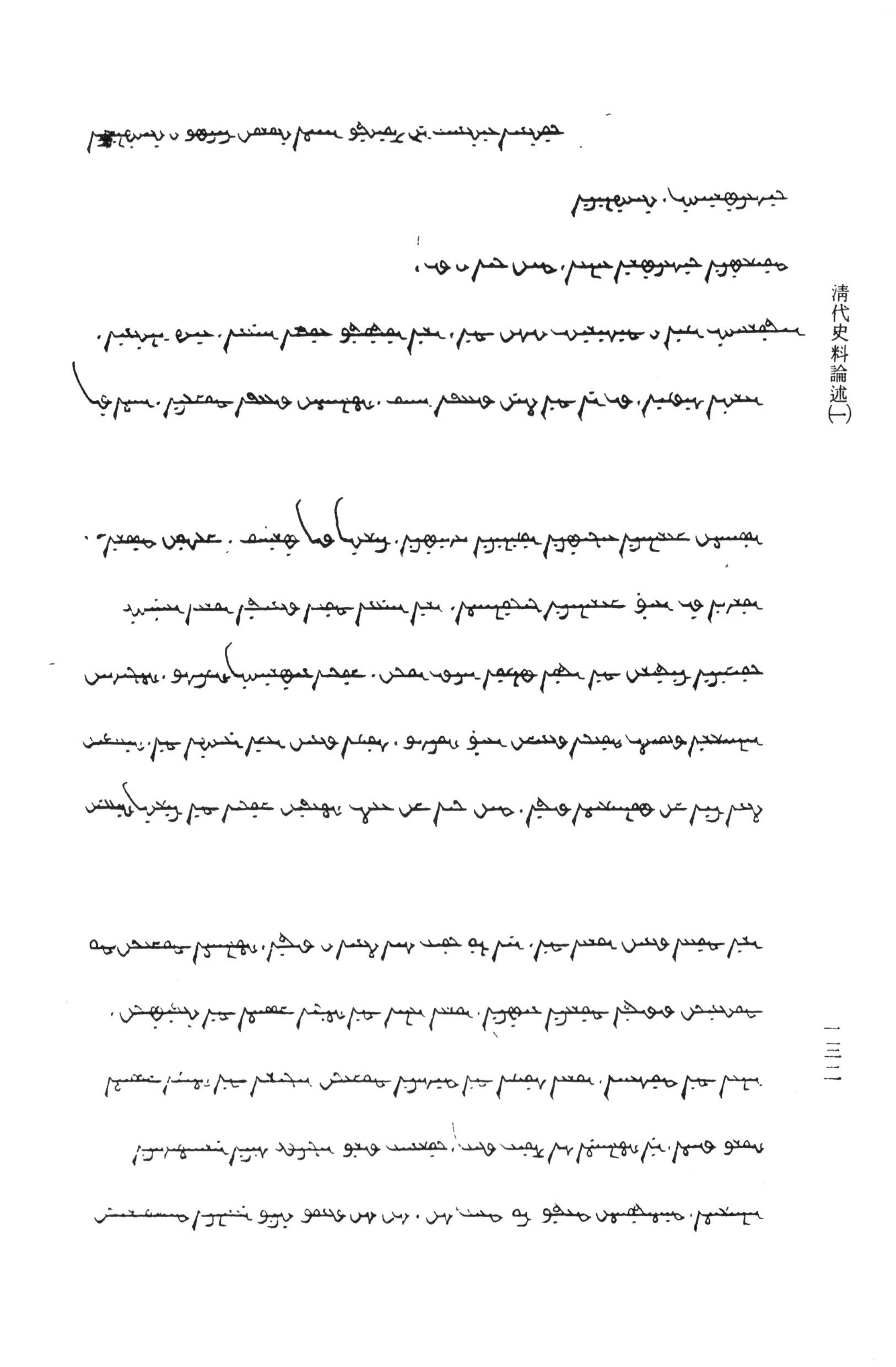

[illegible]

[illegible]

[illegible]

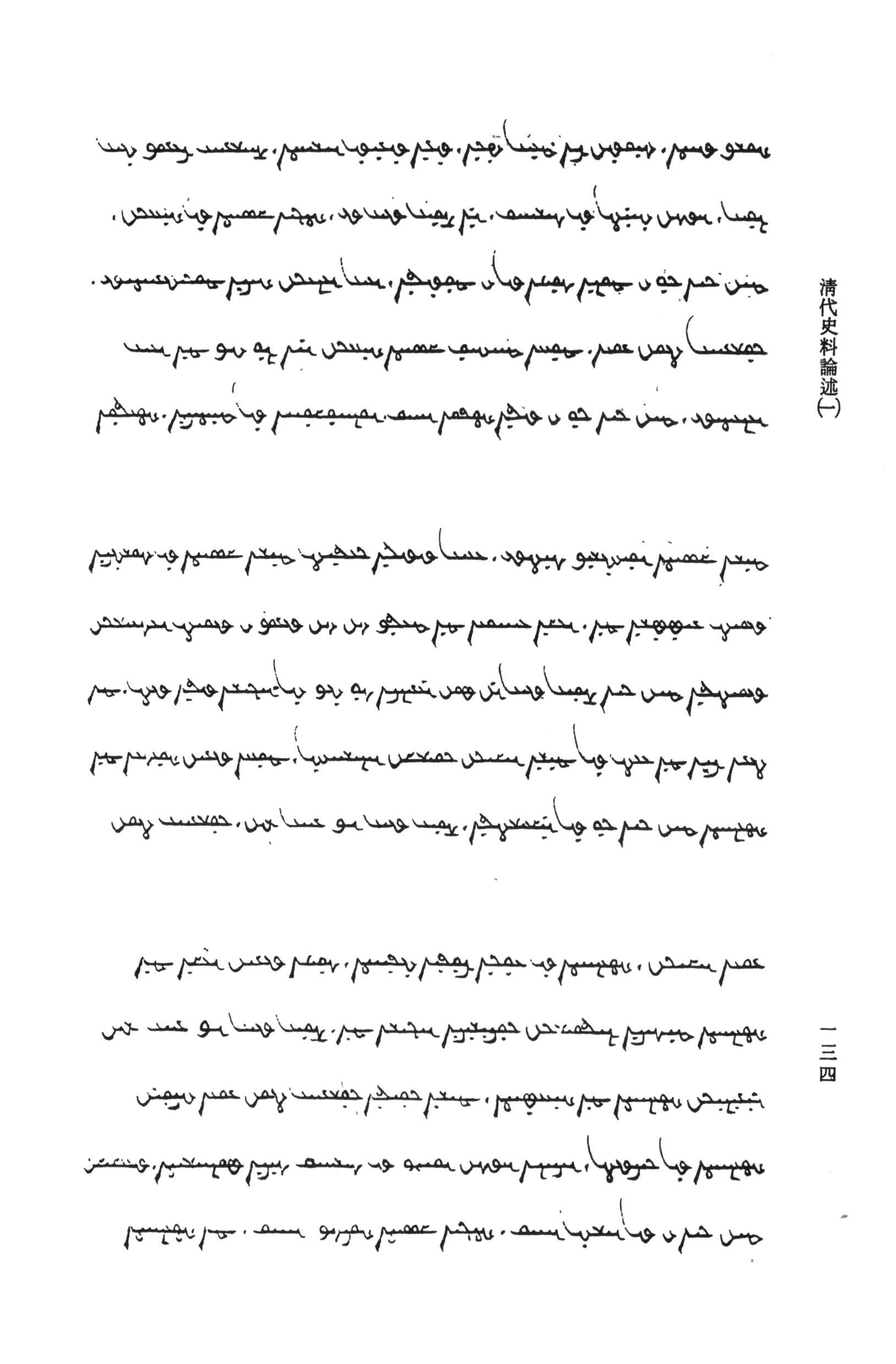

[illegible]

[illegible]

[illegible]

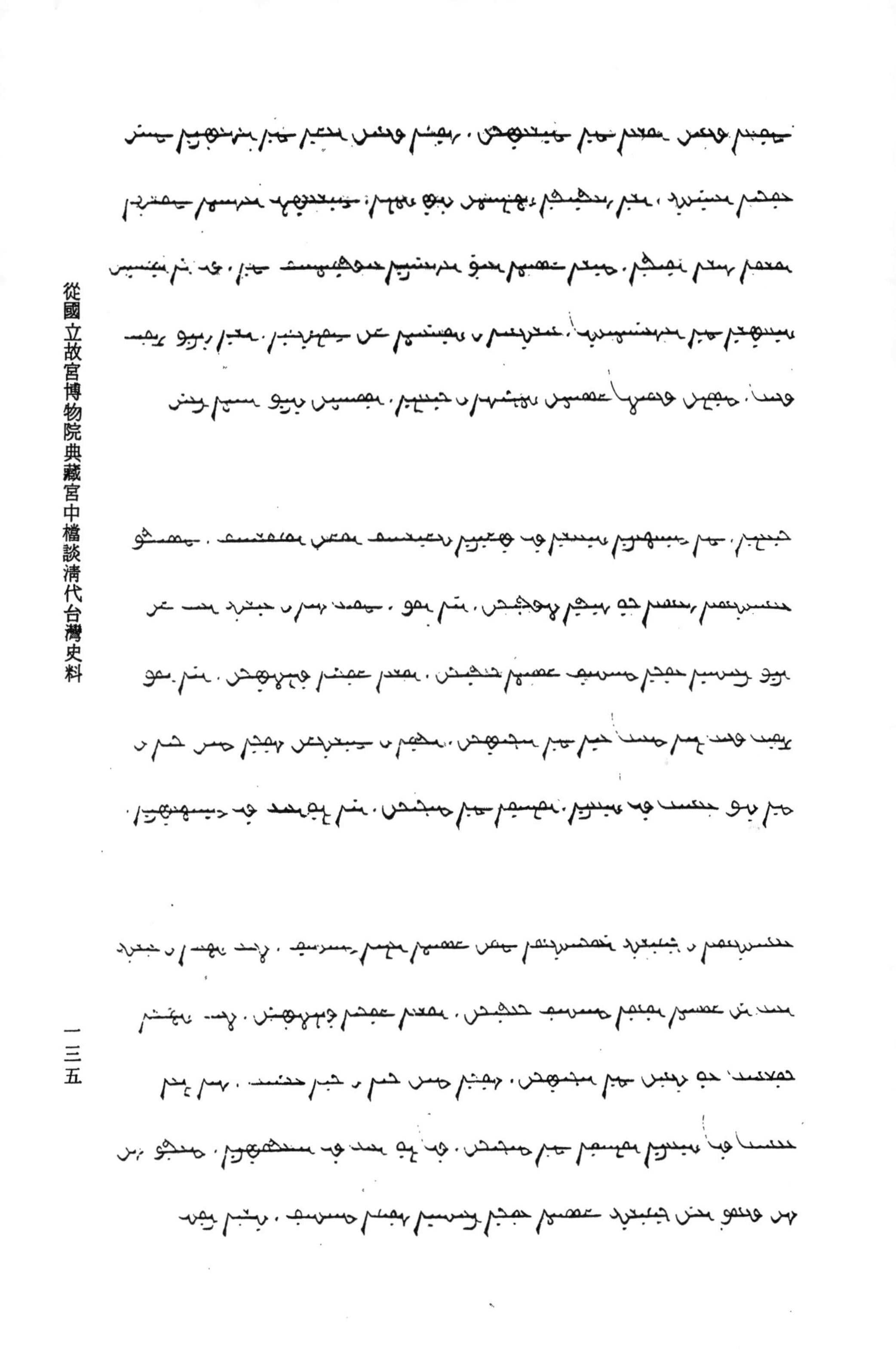

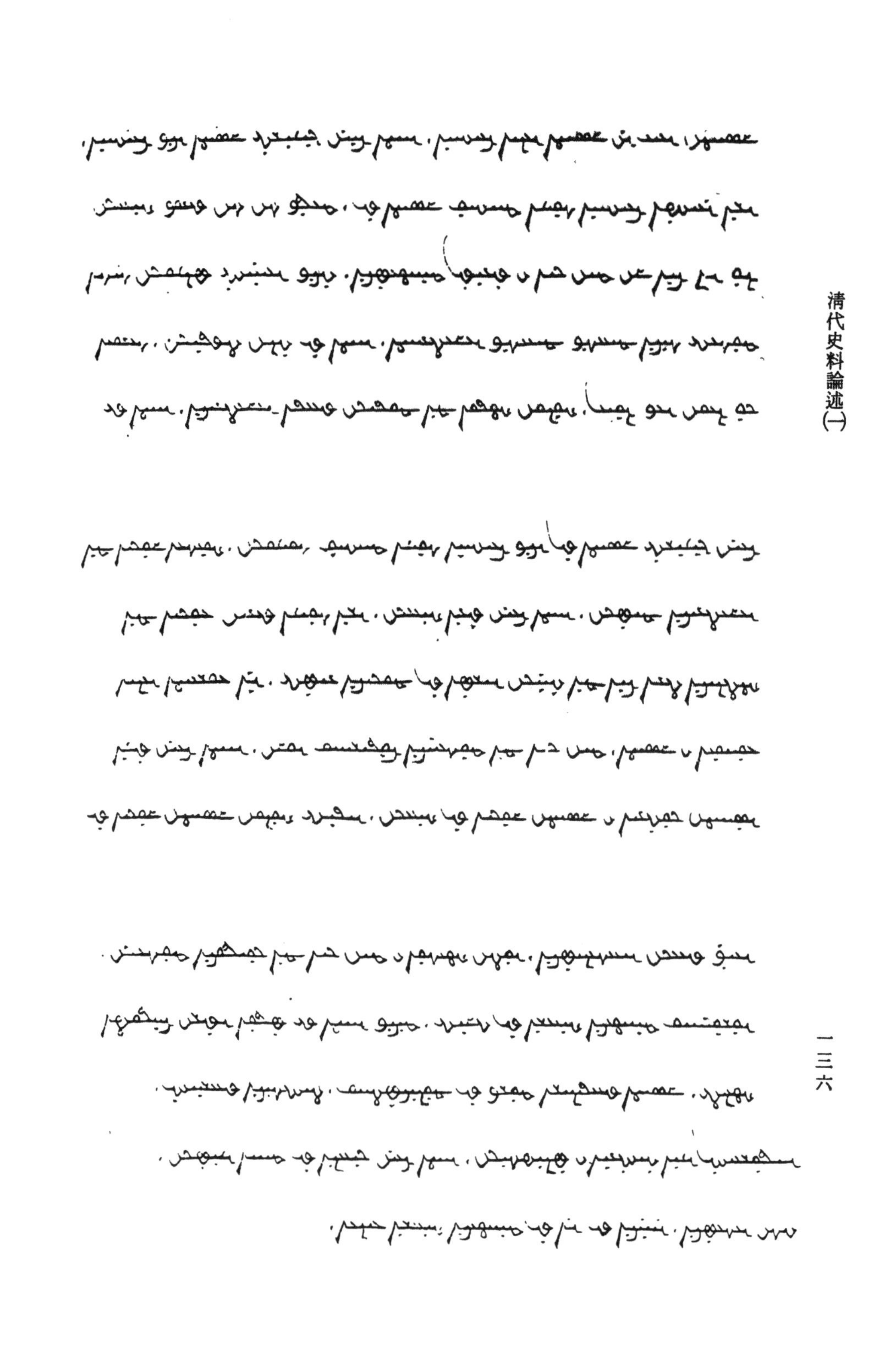

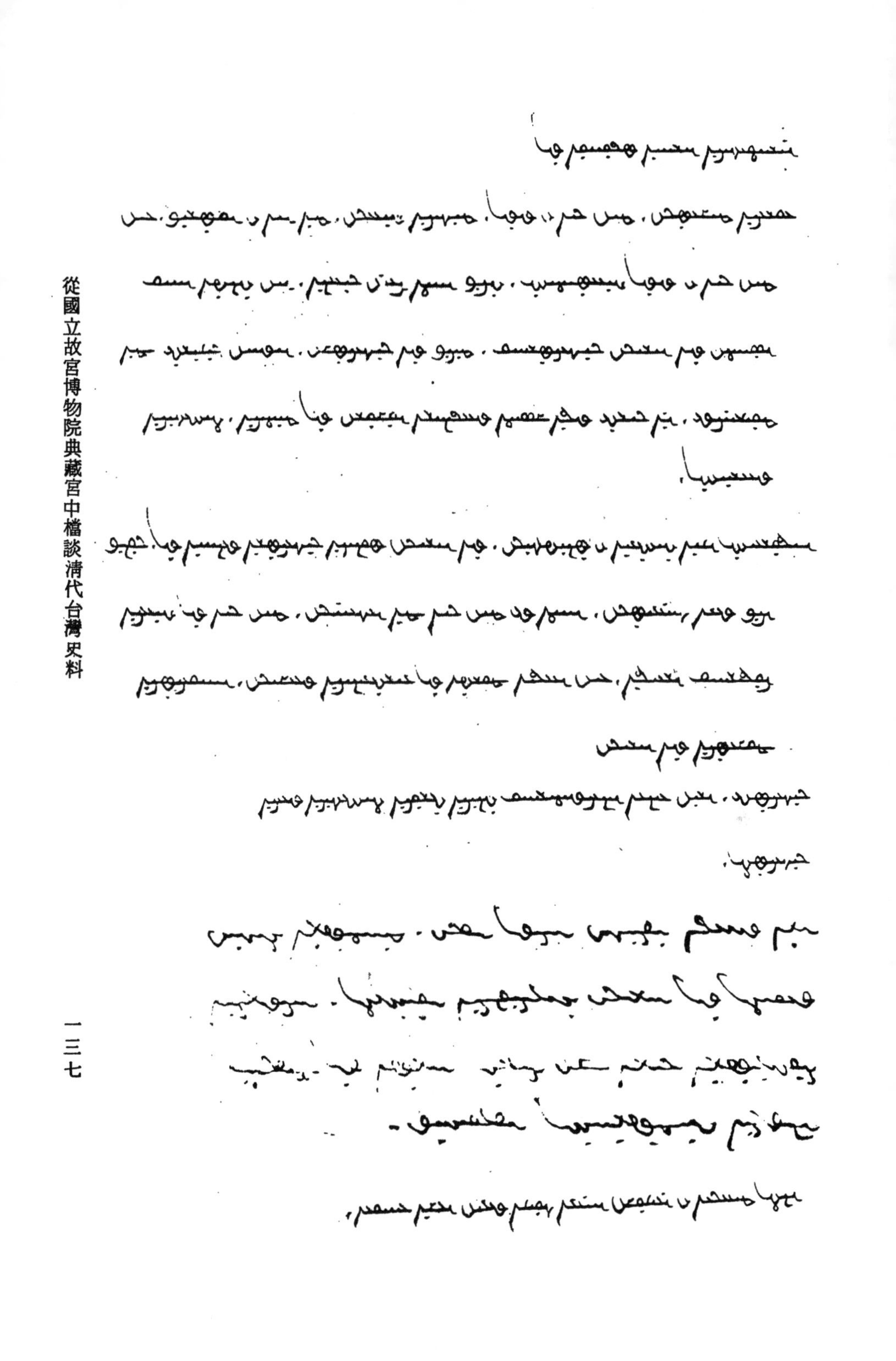

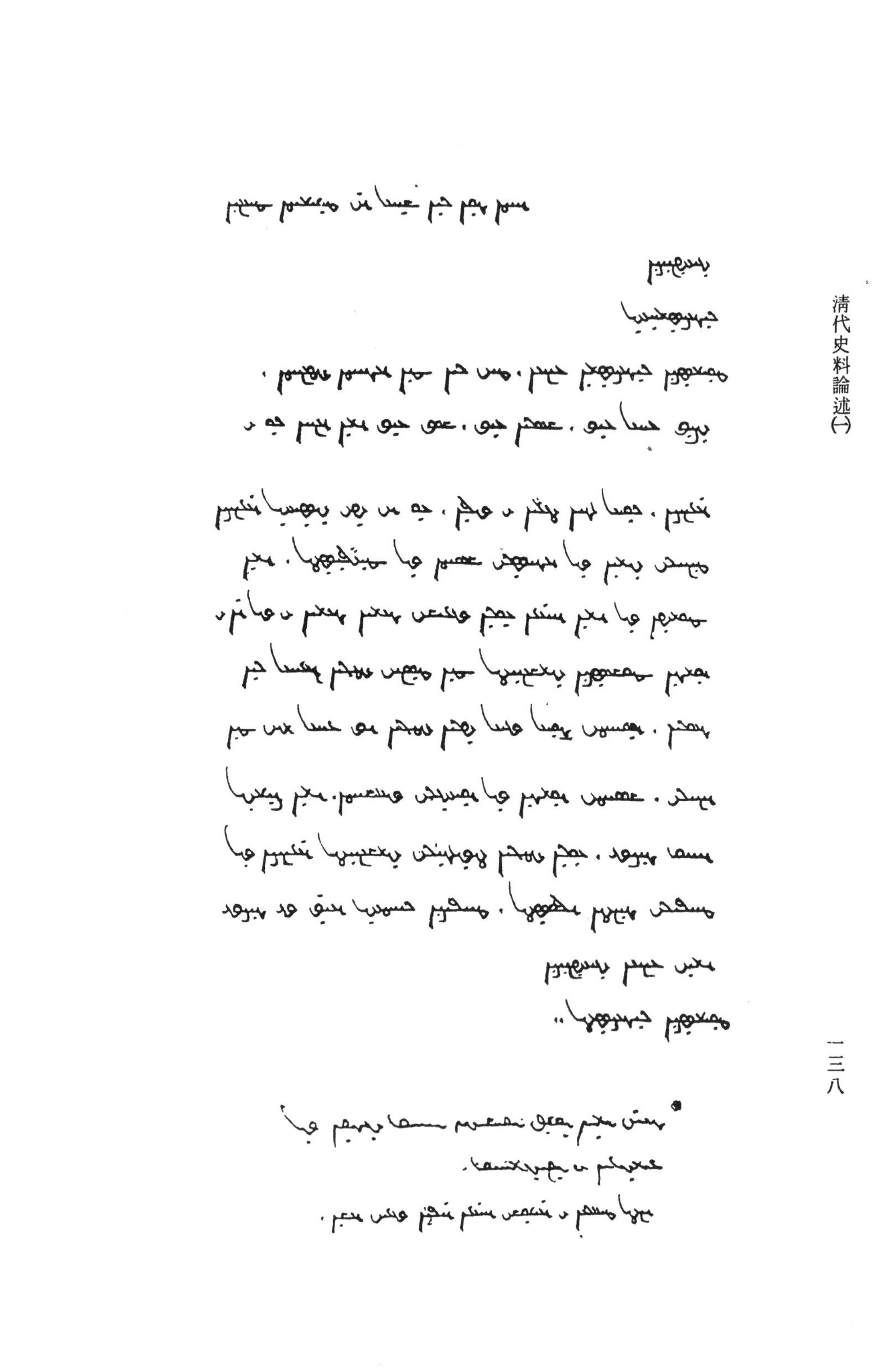

清代教案史料的搜集與編纂

明清之際，中西海道大通，耶穌會士絡繹東來，或任職於欽天監，或供奉內廷，以學術爲傳教媒介，西學遂源源輸入，舉凡天文、地理、曆法、算學、物理、化學、醫學、美術、建築等均經傳教士傳入中國，對中國學術影響極鉅。滿清定鼎中原後，耶穌會士轉而爲清廷効力，天主教各教派傳教士亦接踵來華。據統計自清世祖順治七年（一六五〇）至清聖祖康熙三年（一六六四），全國教友增至二十五萬四千八百人。康熙三十四年（一六九五），共有耶穌會士三十八人，西班牙籍道明會士九人，奧斯定會士五人，巴黎外方傳教士六人，方濟各會士十六人。康熙四十年（一七〇一），共有耶穌會士五十九人，方濟各會士二十九人，道明會士八人，外方傳教士十五人，奧斯定會士六人，聖堂會口計二百五十處（註一）。清聖祖酷嗜西學，曾屢諭臣工查訪西洋人，凡有技藝的傳教士，俱令進京効力，康熙朝奏摺，報導極詳。例如康熙四十六年五月，清聖祖差遣戶部員外郎巴哈喇、養心殿監造筆帖式佛保辦理西洋人事務，前往廣東傳諭督撫，「見有新到西洋人，若無學問，只傳教者，暫留廣東，不必往別省去，許他去的時節，另有旨意。若西洋人內有技藝巧思，或內外科大夫者，急速著督撫差家人送來。」（註二）

是年八月十三日，兩廣總督趙弘燦等具摺奏稱廣東新到西洋人共十一名，其中龐嘉賓精於天文，石可聖巧於絲律，林濟各善於做時辰鐘表，俱遵旨差家人護送進京。其餘㣲方濟、曾類思、德瑪諾、孔路師、白若翰、麥思理、利奧定、魏格爾八人，據趙弘燦稱俱係傳教士，故暫留廣東。德瑪諾又譯作得馬諾，孔路師又作孔祿世，魏格爾又作魏哥兒。清聖祖後來訪知魏哥兒會刨製藥物，德瑪諾、孔祿世曉天文，又命趙弘燦差人伴送進京。其餘進京効力的西洋人甚爲踴躍，臣工具摺奏聞，頗有助於瞭解傳教士在華活動的情形。

耶穌會士等不乏聰明特達之士，富於宗教熱忱與殉道精神。由於清廷屢頒禁令，教難疊起。柯保安（Paul A. Cohen）著「中國與基督教」一書指出十九世紀清朝仇教排外的主要原因爲：傳統儒家的正邪觀念與闢異端的精神，是中國士大夫仇教的思想背景；傳教士進入內地後，威脅縉紳以維護傳統文化爲己任的尊嚴及其在社會上的特殊地位與權益；地方督撫在紳民反教情緒及朝廷飭令執行條約義務雙重壓力下深感行政的困難與處理教案的棘手；傳教士倚恃不平等條約深入內地傳教，干涉地方行政，其傳教事業遂摻入侵略性質：清季中央政權日趨式微，不克有效地履行條約承諾，傳教士乃自尋途徑，以堅船利礮爲後盾，以達到其傳教目的，中外教案遂層出疊見（註三）。但清初禁教的背景與清末不同，清末紳民仇教排外情緒高昂，清初則不然。清廷雖屢頒諭旨查辦教案，然而紳民與教徒衝突案件，實屬罕見；清初國勢鼎盛，中央政權相當鞏固，中外之間，並未簽訂不平等條約，西洋傳教士富於宗教熱忱，冒險犯難，以傳播福音，並未恃條約爲護符，其傳教事業固未摻入侵略性質，尤不至於威脅地方縉紳的尊嚴與權益。在各省查出的教徒中，出身生監者不乏其人。呂實強教授著「中國官紳反教的原因」一書分析儒家思想與基督教的教義，並無太多衝突的地方。由清季傳教事業的侵略特質所衍生的各種具體問題給予國人的困擾與反感的深重，以及中國社會禮俗與西方不同等，都是構成國人反教的重要原因（註四）。

清聖祖善遇西人，曲賜優容。「康熙與羅馬使節關係文書」內載耶穌會士德里格等上書教宗格來孟第十一原文，德里格在書中曾指出「西洋人在中國，皇上聖德俱一體同仁，並不分何國何會，咸恩養榮耀。」清聖祖在乾清宮西暖閣召見耶穌會士時，曾面諭白晉（Bouvet, Joechim）、雷孝思（Regis, Jean Baptiste）等稱「西洋人自利瑪竇到中國二百餘年，並無貪淫邪亂，無非修道，平安無事，未犯中國法度，自西洋航海九萬里之遙者，爲情願効力。朕因軫念遠人，俯垂矜恤，以示中華帝王不分內外，使爾等各獻其長，出入禁庭，曲賜優容致意，爾等所行之教與中國毫無損益。」（註五）康熙四十八年（一七〇九），直隸眞定縣武舉鄭逢時將園地典於西洋人高德，因租銀不清，發生爭執。清聖祖據京中西洋人奏報後，即諭直隸巡撫趙弘燮云「近日聞得京中西洋人說眞定府堂內有票西洋人偶有比（彼）此爭地以致生禍授打等語，未知虛實。但西洋人到中國將三百年，未見不好處。若事無大關，從寬亦可，爾細察緣由情形，寫摺奏聞。」（註六）禮儀的爭執並非始於康熙年間，明思宗崇禎十五年（一六四二），道明會士黎玉範對中國禮儀發生異議，至羅馬進呈意見書。康熙四十三年（一七〇四）十一月二十日，教宗格來孟下令禁止敬孔祭祖禮儀。康熙四十四年四月初六日，教宗欽使多羅爲中國禮儀問題抵達廣州。

清聖祖飭廣東督撫優禮接待，派員伴送進京。由於多羅聽信主教嚴璫「忘誕議論」，「輕論中國理義之是非」，清聖祖即令其出京，逐往澳門。終因教會內部的紛爭，而導致清聖祖的禁教。「康熙與羅馬使節關係文書」對於敬天、祭禮、祀祖等禮儀習俗辯駁極詳，內含諭旨與書信等，「文獻叢編」曾選刊十四件，俱爲清聖祖處理教案的原始資料。

清世宗在位期間，直省督撫查辦教案的奏摺，其史料價値極高。雍正元年（一七二三），閩浙總督覺羅滿保（gioroi mamboo）題請將各省居住的西洋人，其通曉技藝願意赴京効力者，即送往京城，此外一概送赴澳門安插。是年十二月，經禮部議准，並將天主堂改爲公所。清世宗鑒於西洋人在各省居住年久，突令搬移，恐地方上的人混行擾累，故降旨給予半年或數月限期，沿途委官照看〔註七〕。其後經傳教士戴進賢（Kogler, Ignace）等呈請寬免逐回澳門。清世宗以安插西洋人料理未妥，飭兩廣總督孔毓珣盡心料理。孔毓珣具摺奏稱「西洋人在中國未聞犯法生事，於吏治民生，原無甚大害。」西洋傳教士國籍不同，澳門濱海，地方偏僻，欲回則無船可搭，欲住則地窄難容。因此，孔毓珣議定將各省送到的西洋人暫令在廣州省城天主堂內居住，不許出外傳教，亦不許百姓入教，除年老有殘疾的教士准其久住外，其餘俱不限年月，遇有各人本國洋船抵達廣州，即令陸續搭船回國。至於各府州縣的天主堂，盡行改作公所，不許西洋人潛往居住。清世宗閱摺後批諭云「朕不甚惡西洋之教，但與中國無甚益處，不過從衆議耳，你酌量如果無害，外國人一切從寬好，恐你不達朕意，過嚴，則又不是矣，特諭。」〔註八〕

史學家多以傳教士捲入清朝宮廷政爭爲清世宗禁教的主要原因。康熙末年，諸皇子爲爭奪大位的繼承，各樹黨羽，耶穌會士站在皇八子及皇十四子方面，與皇四子即清世宗對抗。加以教士散佈各省，「邀結天下人心，逆形已成」，所以清世宗即位後，正式頒佈禁教明詔〔註九〕。但清世宗對西洋人並非深惡痛絕，朝廷禁教由來已久，地方督撫亦遵旨查禁傳教活動。康熙五十九年，傳教士畢天祥（Appiano, Luigi）、計有綱（Guignes, Antoine）二人因傳信不實，清聖祖降旨將其禁錮。世宗即位後，曾頒降恩詔，赦免西洋人德里格等。因廣東督撫未將畢天祥等列入大赦册內具題上聞，故仍監禁。雍正四年六月，教宗呈請援照釋放德里格之例，將監禁在廣州的畢天祥、計有綱一體釋放。清世宗即飭廣東督撫將其釋放〔註一〇〕。促成清世宗禁教的原因很多，其中經濟因素亦不容忽視。康熙年間曾經降旨禁止輸米出海，惟沿海地方偷運米石出海的流弊，仍未盡除。雍正七年，監察御史伊拉齊經訪查後具摺奏稱「向年原有無賴小民將內地米石私載小船偷出界發賣，希圖重價。因有沿海地方居住之西洋人收買，載入大船出洋。蓋小民偷運，人數無多，夜行晝伏，弁兵不及覺查，此往日所有之弊。」伊拉齊又訪得松江府城天主堂內有西洋人名叫畢登榮、莫滿二人居住，託言養病，常出門拜客，地方士民多有歸其教者，西洋貿易船隻往返走洋，難免無偷賣米石之弊〔註一一〕。雍正七年閏七月二十五日，大學士公馬爾賽等遵旨寄信密諭各省督撫徹底查辦。直省督撫接奉寄信上諭後即札飭各府州縣密查，將天主堂改爲育嬰、義學、公所，或改建天后宮。但傳教士冒險深入內地傳播福音者仍絡繹不絕，內地民人入教者亦極衆多。據統計，雍正十二年（一七三四），在北京領洗者有一千一百五十七人，領聖體者有七千二百人。雍正十三年（一七三五），江南省領洗者有一千零七十二人。乾隆六年（一七四一），德瑪諾（Hinderer, Romain）在江南省聽告解一萬一千五百零五人，送聖體九千八百十二人，付成人洗一千二百二十二人，終傅一百十一人〔註一二〕。

乾隆十一年（一七四六），清高宗首次正式降諭查禁天主教。是年四月，福建巡撫周學健據福寧府知府董啓祚稟報其境內崇奉天主教者甚衆，且有西洋人傳教。周學健即密遣撫標弁兵前往查拏。計拏獲道明會桑主教白多祿（Sans, Pedro）及四同會神父華若亞敬（Salvehi, Joachim）、費若用（Johannes Alcobel）、施方濟各（Francisco Diaz）、德方濟各（Franchisco Serrano）五人，另又拏獲白多祿的書記郭惠人，堂主陳廷桂等人，並搜出畫像經卷等物〔註一三〕，周學健等奏請從嚴治罪。是年七月，辦理軍機處議覆，略謂「天主教係西洋本國之教，與燃燈大乘等教有間，遽繩以法，似於綏遠之義未協，應令該撫將現獲夷人槩送澳門，勒限搭船回國。」但周學健堅稱「該國夷人實非守分之徒，有難加以寬典者。查西洋人精心計利，獨於行教中國一事，不惜鉅費。現訊據白多祿等並每年雇往澳門取銀之民人繆上禹等，俱稱澳門共有八堂，一堂經管一省，每年該國錢糧運交呂宋會長，呂宋轉運澳門各堂散給。又西洋風土，原與中國相似，獨行教中國之夷人，去其父子，絕其嗜欲，終身爲國王行教，甚至忘身觸法，略無悔心。至中國民人一入其教，信奉終身不改，且有身爲生監，而堅心背道者。又如男女情欲，人不能禁，而歸嫁之處女，終身不嫁，細加察究，亦有幻術詭行。臣前於福安各堂內搜出番冊一本，訊係冊報番王之姓名。凡從教之人，已能誦經堅心歸教者，即給以番名。每年赴澳門領銀時，用番字册報國王，國王按册報人數多寡加賞。現在福安從教男婦計二千六百餘人，夫以白多祿等數人行教，而福安一邑已如此之多，合各省計之，何能悉數。是其行教中國之心，固不可問，至以天朝士民而册報番王，以邪教招服人心之計，尤不可測。」（註一四）周學健所稱番王，即指教皇，清代官書多作教化王，番名即教名，至其誣衊傳教士使用幻術的原因，是由於從傳教士衣服內搜出藥物及費若用寄存內地的骨箱。周學健奏請將白多祿等按律定擬，明正國典，「以絕狡謀」。清高宗雖以周學健所奏「未免言之過當」，惟「照律定擬，自所應當。」乾隆十一年十一月，經三法司核擬題覆，奉旨白多祿著即處斬，華若亞敬、費若用、施方濟各、德方濟依擬應斬，郭惠人依擬應絞，俱著監候秋後處決。清廷行文到閩後，周學健即遵旨將白多祿處斬，其餘五人分禁省城司府縣各監（註一五）。清高宗對西洋天主教並非決不寬容，因西洋人崇奉天主教爲其習俗，原所不禁。西洋人來華後於京師或澳門天主堂瞻禮吃齋，向不過問，但不得擅自私往各省潛匿內地，誘使民人入教。滿洲入關後，邪教勢力猖獗，天地會活動日趨積極，地方滋事案件屢見不鮮，秘密社會份子竟有崇奉天主教者，爲杜亂源，乃屢申邪教禁令。後藤末雄著「乾隆帝傳」曾指出「乾隆時代，朝廷因對白蓮教之政治陰謀懷有極大之恐怖觀念，遂將此種觀念擴大至天主教身上。」（註一六）福建巡撫周學健等查禁天主教的主要原因，實由於當時高宗降旨嚴禁內地邪教的活動，道明會傳教士等深入鄉村傳教，國人對天主教誤解極深，將其列入左道邪教，遂因查禁邪教而波及天主教。地方官吏認爲天主教案，雖無悖逆情詞，但既有教名，即屬邪說，自應嚴加究治，其邪教根源，附和黨羽，務絕根株（註一七）。是時邪教名目繁多，如大乘教、燃燈教、宏陽教、子孫教、緣明教、斗母教、長生教、龍華會等不勝枚舉，或爲白蓮教餘支，或屬愚民迷信團體，地方官吏以其倡立會名，誆騙財物，佯修善事，陰謀不軌，甚至誘拐幼女，採生折割。高宗亦屢稱從來左道惑衆最爲人心風俗之害，尤其江南閩浙民人多崇尙鬼神，好談禍福，聚衆拜會，男女混雜，最易滋事。地方督撫具摺時每稱閩浙地方風氣悍而不馴，民俗愚而好動，師巫邪術，既易惑其聽聞，結黨拜盟，尤樂附和，招集多人，作奸犯科，聚衆生事，種種不法，由茲而起。福建福寧府屬既有西洋人懷挾重貲，潛匿傳教，招致男女，禮拜誦經，創建教堂，設立會長，地方官吏視其教與邪教無異，遂一體查禁〔註一八〕。

乾隆年間，由於福建巡撫周學健嚴厲查禁天主教，導致教難，西洋傳教士及呂宋商船船長郎夫西拔邪斂等來華探詢白多祿骨殖等事，引起地方督撫的疑懼，被監禁的神父華若亞敬等俱奉旨監斃，同時更擴大教難，教案疊起，福建龍溪縣、江南吳江縣、四川成都縣、江西廬陵縣、南康縣、直隸寶坻縣及河南、廣東、山西、陝西、山東等省俱查獲教案。嘉慶年間，白蓮教勢力更猖獗，禁教益嚴厲，教難屢興。道光年間，鴉片戰爭後，中外簽訂通商條約，法人請弛傳教禁令，教士來華者益衆，傳教士與鴉片同樣不受國人的歡迎，仇教排外的情緒與日俱增，民教衝突事件此仆彼起，幾乎年年有教案，處處有教案，終於導致天津教案的「大屠殺」（The Tientsin Massacre）。

有清一代，自清初迄清末，直省教案層出不窮，現存教案史料亦極浩瀚。國立故宮博物院典藏宮中檔奏摺，除部分廷臣的摺件外，主要爲外任官員奏報地方事宜的原始資料，含有極豐富的地方史料。奏摺不是例行公文，不必循例具題，有事具奏，無事不得頻奏，督撫提鎮等各報各的，彼此不能相商。奏摺與奏本不同，無論公私事件，臣工凡有聞件，必須據實具奏。因此，奏摺是一種價值極高的直接史料。清代奏摺，自康熙年間普遍採行以來至宣統末年，臣工繳回宮中的摺件，爲數甚夥。其中對於西洋傳敎士的活動及內地民人習敎的情形，報導頗爲詳盡，尤以閩浙兩廣及直隸督撫的奏摺最值得重視。奏摺內除君主御批外，所有傳諭及寄信上諭原文俱抄錄呈覽，有助於瞭解君主的態度或朝廷的決策。乾隆朝以來，直省內外臣工的奏摺，除請安、謝恩、陛見等摺件爲例行事件不錄外，其餘奏摺凡奉有御批者，辦理軍機處都錄副存查，按月分包儲存，故稱月摺包，簡稱包摺。御批摺件的抄錄，「樞垣紀略」記述甚詳：「凡抄摺，皆以方略館供事，若係密行陳奏及用寄信傳諭之原摺，或有硃批應愼密者，皆章京自抄。各摺抄畢，各章京執正副二本互相讀校，即於副摺面註明某人所奏某事，及月日，交不交字樣，謂之開面。」（註一九）所謂副摺，即指月摺包內御批奏摺的抄件，亦即奏摺副本。錄副摺件是據原摺逐字抄寫，其價值與宮中檔奏摺原件相等。案清代制度，臣工奉到寄信上諭後，例應將上諭全文抄錄覆奏，但因辦理軍機處已經有案可查，故奏摺錄副，多將寄信上諭刪略不抄。至於未奉硃批的奏摺，則以原摺存入月摺包內。副摺與原摺封面俱書明奉批日期、具奏人姓名、事件摘由、圖冊單片等附件數目，並編有字號。錄副奏摺的附件多爲原件，如各類清單、供詞單等，所謂供單，即訊問當事人的口供清單，原爲宮中檔奏摺的附件，臣工具奏呈覽後留中不發，而歸入月摺包存查。傳敎士及內地習敎民人被查獲後，地方官加以審訊後都錄有供詞，這些供詞是研究敎案始末的第一手史料。宮中檔奏摺間有不全者，月摺包的錄副奏摺，常可補宮中檔的闕漏。例如宮中檔乾隆奏摺原件，除乾隆元年、四年、五年、八年、十四年、五十七年、五十八年、六十年分現存各數件外，主要是從乾隆十六年七月至五十四年十二月的原摺及少數的附件。辦理軍機處月摺包現存錄副奏摺則起自乾隆十一年至五十六年，從上列年分的比較可知月摺包所含時間，較宮中檔爲長。福建福安縣及龍溪縣教案發生於乾隆十一年四月間，延長至乾隆十七年十二月內，西洋教士及內地信徒多人慘遭迫害，清高宗與閩浙督撫禁教的嚴厲，遠過於清世宗，因宮中檔原摺散佚不全，軍機處月摺包錄副奏摺不易見到，史學家遂不明清初諸帝禁教的眞相。乾隆十二年，白多祿被處斬後，閩浙總督喀爾吉善以閩省瀕臨外洋，時有呂宋等商船往來貿易，恐有窺探消息之虞，故奏請將各處監禁神父華若亞敬等明正典刑。乾隆十三年八月，喀爾吉善具摺奏稱「臣等留心體察福寧府屬福安縣民人陷溺蠱惑於天主教既深既久，自查拏之後，將教長白多祿明正典刑，稍知儆懼。然革面未能革心，飭次密訪各村從教之家，凡開堂誦經及懸掛十字架念珠等類，彰明較著之惡習，雖已屏除，而守產不嫁，不祀祖先，不拜神佛，仍復如故。本年閏七月內，司府各官訪有省城居民李君宏、李五兄弟二人，向係崇奉天主教。今西洋夷人華敬等監禁省城，伊等復爲資送物件進監，並代爲傳遞消息，稟知臣等。臣等隨飭提拏嚴究，雖訊之李五等資助夷人衣糧及潛通信息，狡不承認，其送食物進監，並有福安縣民繆上禹等浼其轉送物件，給與華敬等，已直供不諱，現在提拏繆上禹等根究確情。由此以觀，是民間堅心信奉天主教之錮習，始終不能盡除。華敬等夷人自係伊等奉爲神明之教長，在閩一日，伊繫念邪教之心，一日不熄。更且閩省接連外番，貿易商船絡繹不絕，又與廣東夷人屯聚之澳門，水陸皆可通達，雖口岸查禁未嘗不嚴，而西洋夷人形跡詭秘，從教之人處處皆有，隱匿護送，莫可究詰。」「註二〇」喀爾吉善奏摺錄副，現存於月摺包內，宮中檔查無原摺。因此，抄件仍可補原摺的不足。乾隆十三年九月初六日，將軍新柱陛辭回閩，將面奉密諭知會喀爾吉善，令其將「擬斬監候之西洋人華敬四犯，但行監斃，以絕窺探。」〔註二二〕次日，華若亞敬等遇害。羅光主編「天主教在華傳教史集」謂華若亞敬等「窒息獄中，屍首被焚化。」聖教會尊白多祿、華若亞敬、費若用、施方濟各、德方濟各五人為殉道眞福。在江蘇浙江曾查獲王安多尼與談方濟各傳教案件，乾隆十三年閏七月，清高宗降諭江蘇巡撫安寧等將王安多尼等瘐斃獄中，王安多尼與談方濟各二人遂被掠笞飢寒而死。但恐傳播信息，高宗命安寧於接奉密諭後，即傳司府遵照辦理，且不可將各犯供語敘入題本內。「清高宗純皇帝實錄」記載王安多尼等俱在監病故，而隱飾「瘐斃」傳教士的眞相。由前舉教案可知軍機處月摺包錄副奏摺的重要性。「文獻叢編」選刊的「天主教流傳中國史料」就是乾隆末年辦理教案軍機處錄副存查的部分摺件。月摺包內除摺件外，其他文書種類繁多，例如知會、咨呈、節略、揭帖、稟文、啓札、照會等，不勝枚舉。所謂照會，即一種外交文書，清季總理衙門與各國公使往來的文書，或直省督撫與各國領事互相行文，稱為照會。晚清中外交涉頻繁，臣工所遞奏摺既夥，清廷亦頻頻頒降諭旨，道咸同三朝「籌辦夷務始末」即據當時諭摺按時間先後彙編而成，內容刪改甚少。光緒朝「諭摺彙存」是彙集每日京報而成，內含宮門抄、上諭、章奏、摺片及咨劄等，為數極夥，但內容刪略較多，其史料價值不及「籌辦夷務始末」。清季中外教案交涉的重要諭摺多見於「籌辦夷務始末」，但中外往來的照會多未刊印，故宮博物院文獻館曾將各國交涉教案的照會，陸續發表於「文獻叢編」。中央研究院近代史研究所編印的「教務教案檔」

則是根據清季總理各國事務衙門清檔中的教務教案資料編纂而成，內含詔諭、奏疏、函札、照會、咨文、條規、告示、稟文、供單、清册、詳文、檄文、拐帖、甘結、合同、廷寄等，俱爲研究清季教務交涉的珍貴史料。

宮中檔奏摺，除軍機處錄副存查的抄件外，另有月摺檔，又稱爲月摺簿，月摺包內的摺件，是逐件抄錄，其格式與原摺相近，然後按月歸包。月摺檔將選抄的奏摺於逐日抄繕後，按月分裝成册。國立故宮博物院現藏月摺檔起自道光朝，每季一册，或每月一册。咸豐朝的月摺檔，每月一册，或二、三册不等，同治、光緒朝，每月有多至五、六册者。月摺檔所選鈔的多爲重要的摺件，間亦可補宮中檔的不足。除月摺檔外，另有性質相近的外紀檔，又稱爲外紀簿。「大清會典事例」云「凡記載綸音，分爲三册：每日發科本章，滿漢票簽處當直中書摘記事由，詳錄聖旨爲一册，曰綠綸簿：特降諭旨別爲一册，曰上諭簿；中外臣工奏摺奉旨允行及交部議覆者別爲一册，曰外紀簿，以備查考。」〔註三二〕所謂外紀簿，即票簽處所抄外省的摺件。月摺檔照原摺抄錄，外紀檔則删略較多。案清代制度，上諭類別甚多，從其性質而言，有寄信上諭與明發上諭的分別。寄信上諭簡稱廷寄，由軍機大臣面承口諭後撰擬進呈，經述旨後發交兵部加封以寄信方式由驛馳遞；明發上諭，初由內閣撰擬，辦理軍機處設立後，始由兼領軍機大臣的大學士撰擬進呈，經述旨後發交內閣傳抄，以次達於部科，用內閣名義宣示中外，而冠以「內閣奉上諭」字樣。從檔案形式而言，則有大長本上諭、長本上諭、方本上諭的分別。票簽處所抄的上諭簿，即屬於內閣奉上諭的大長本上諭簿，至於方本上諭則爲軍機處兼載各類上諭的檔册，軍機處專抄字寄與傳諭的檔册，稱爲寄信檔或廷寄檔。君主處理敎案時，令軍機大臣寄信地方督撫，遵照密諭辦理。辦理敎案後，爲宣示中外，卽頒降明發上諭。寄信上諭是以軍機大臣名義寄出，清代歷朝修實錄時將寄信上諭改書「諭軍機大臣」字樣。君主頒發諭旨時每先摘敍臣工奏疏，然後指示方略。因此，清代實錄雖多潤飾，但仍不失爲重要的官書。以上所舉爲犖犖大者，若能以檔案爲主，輔以方志、文集、傳記及西文資料，互相補充或比較，史料既較齊全可信，則於清代敎案的研究，必有極大的貢獻。由於清代敎案史料數量極夥，首先應參考顧保鵠編著「中國天主敎史大事年表」，將涉及傳敎習敎活動的各種史料，有系統的加以搜集。依據新出史料，將大事年表增補訂正，仿郭廷以敎授編著「近代中國史事日誌」體例，按月日繫事，編成清代天主敎史事日誌，這種初步工作，極便於研究者的參考與檢查。有清一代，直省各州縣，敎案層出疊見，爲便於敎案史料的整理，應將清代劃分爲幾個階段，或仿清代歷朝實錄體例，以每一君主在位期間爲一朝，再按省分州縣分別輯錄，年經月緯，加以排比，注明出處，先作成各地區敎案史料彙編。如此，對於天主敎流傳中國史的纂修既有幫助，且於專題研究亦有裨益。西洋傳敎士遠涉重洋，東來傳播福音，對於西學的輸入，貢獻極大，爲了增補天主敎史人物傳，或編纂傳敎士列傳，則可仿清代國史館長編總檔體例，據各種資料，摘錄提要，作成敎案長編總檔，而將總檔內各人名按日另彙一册，作爲長編總册。以總檔爲經，總册爲緯，按日可稽，不致遺漏，實於編纂敎士列傳有極大的幫助。

註釋

（註　一）顧保鵠編著「中國天主教史大事年表」，頁三八。民國五十九年十二月，光啓社出版。

（註　二）「宮中檔康熙奏摺」第一輯，頁四九一。民國六十五年六月，國立故宮博物院出版。

（註　三）**Paul A. Cohen, "China And Christianity, The Missionary Movement And Growth of Antiforeignism," 1860-1870. Harvard University Press, Cambridge, Massachusetts, 1963.**

（註　四）呂實強著「中國官紳反教的原因」（一八六〇——一八七四），中央研究院近代史研究所專刊第十六本，頁六——七。民國五十五年八月。

（註　五）「康熙與羅馬使節關係文書」，「文獻叢編」，頁一七〇。民國五十三年三月，臺聯國風出版社印行。

（註　六）「宮中檔康熙奏摺」第五輯，頁四〇三，民國六十五年七月。

（註　七）「大清世宗憲皇帝實錄」卷一四，頁一四。雍正元年十二月壬戌，據禮部議覆。

（註　八）「宮中檔」，第一九二五三號，雍正二年十月二十九日，孔毓珣奏摺。

（註　九）郭廷以撰「中國近代化的延悞」，「大陸雜誌」第一卷第二期，頁八。

（註一〇）「大清世宗憲皇帝實錄」卷四五，頁三二。雍正四年六月丙寅，諭旨。

（註一一）「宮中檔」，第一七七〇七號，雍正七年閏七月初四日，伊拉齊奏摺。

（註一二）顧保鵠編著「中國天主教史大事年表」，頁四六——四七。

（註一三）「大清高宗純皇帝實錄」卷二六七，頁二五。乾隆十一年五月癸亥，據周學健奏；「軍機處檔」第二七七二箱，二二包，三一四二二號，喀爾吉善奏摺錄副。

（註一四）「大清高宗純皇帝實錄」卷二七五，頁一九。乾隆十一年九月壬戌，據周學健奏。

〔註一五〕「軍機處檔」第二七七二箱，二二包，三一四二號。乾隆十三年八月初七日，喀爾吉善奏摺。

〔註一六〕後藤末雄著「乾隆帝傳」，結論，頁二八三。昭和十七年十月，生活社出版。

〔註一七〕「軍機處檔」第二七七二箱，二二包，三三〇九號。乾隆十三年九月二十四日，阿里袞奏摺錄副。

〔註一八〕拙撰「清高宗禁教考」，「國立中央圖書館館刊」，第七卷第一期，頁一〇六。民國六十三年三月出版。

〔註一九〕梁章鉅纂「樞垣紀略」卷二二，頁六。「近代中國史料叢刊」，第十三輯，文海出版社。

〔註二〇〕「軍機處檔」第二七七二箱，二二包，三一四二號。乾隆十三年八月初七日，喀爾吉善奏摺錄副。

〔註二一〕「軍機處檔」第二七七二箱，二三包，三三三七號。乾隆十三年十月初二日，喀爾吉善奏摺錄副。

〔註二二〕「欽定大清會典事例」卷一五，頁六。臺灣中文書局據光緒二十五年刻本景印。

清代上諭檔的史料價值

一　前　言

國立故宮博物院現存清代檔案，除宮中檔奏摺與辦理軍機處摺包的數量較多外，其次則爲各種檔册。在各類檔册中，又以上諭檔爲數較多。宮中檔除部分廷臣的摺件外，主要爲外任官員定期繳回宮中的奏摺原件。辦理軍機處的摺包，除部分咨文、知會、禀文、略節、揭帖等外，主要爲宮中檔奏摺的錄副及其附件（註一）。奏摺原件與錄副，都含有非常豐富價值極高的地方史料，但奏摺與題本不同，並非正式的公文。自秦漢至清朝的中國傳統政治，始終保持皇室與政府即內朝與外朝的劃分。清初諸帝以內外臣工爲其股肱耳目，臣工於循常例行公務以外，尚須私下替皇室內朝効力，摺奏事件就是臣工於公務之餘替內朝服務的私事，奏摺祗是君臣私下秘密通訊的信函（註二），所以臣工具摺時應親手書寫，在密室繕摺。奏摺封固拜發後，令親信家丁或千把齎遞，自備脚力，不能擾累驛站，擅動驛馬，致防公務。奏摺到京時，須交內廷奏事人員接收，不得逕至公門或通政司轉呈。君主亦親手批諭，不能假手於人。摺奏固然不可據爲定案，君主批諭，亦無法理上的地位。臣工奏到批諭後，若欲付諸施行，仍應另行具本題達，經部院大臣議覆請旨後，君主始能正式頒旨飭行。就康熙雍正年間而言，本章是外朝政府處理全國政務時公開合法的制度，而奏摺祇是內朝君主預聞事務時秘密權宜的工具。因此，姑且不論清世宗是否爲獨裁專制君主，但據硃批諭旨而推斷清世宗爲獨裁專制君主的說法，在方法上仍待商榷，乾隆年間以降，奏摺日益公開化與制度化，逐漸取得法理上的地位，而成爲臣工辦理公務的正式文書。至於辦理軍機處的組織也逐漸擴大，章程更加周密，職責範圍益趨廣泛，不限於密辦軍需，事實上已成爲國家的重要統治機構。嘉慶十四年（一八〇九）十二月，戶部議奏摺內將辦理軍機處抬寫，固屬不合體制（註三），惟辦理軍機處的地位與部院衙門無異，甚至凌駕其上，則是事實。清代辦理軍機處及內閣等衙門所鈔錄的各類上諭檔。就是瞭解廷議及君主決策的重要資料。清代上諭檔，依其性質而言，可分爲明發上諭檔、譯漢上諭檔、兼載各類諭旨的上諭檔及記載特降諭旨的上諭簿等；依上諭簿册的形式而言，有長本上諭檔，內含大長本與小長本上諭檔，有方本上諭檔，內含大方本與小方本上諭檔等。本文係就上諭檔册的種類，略述各類上諭檔的內容、性質及其史料價值，俾有助於清史的探討。

二　方本上諭檔

方本上諭檔的種類因形式與性質而異，其中兼載各類上諭的方本上諭檔是辦理軍機處的重要檔册之一，其簿冊寬約二八公分，長約三〇公分，在外形看起來，接近方形，爲使用檔冊的方便，習稱之爲方本上諭檔。國立故宮博物院現存方本上諭檔，自乾隆四十一年（一七七六）至光緒二十七年（一九〇一）間，其數量各朝不相等。乾隆年間，每季一冊或二冊。嘉慶六年（一八〇一）起，增爲每月一冊，全年十二冊，或十三冊。道光二年（一八二二）起，每月一冊或二冊，全年十二冊至二十六冊不等。據「欽定大清會典」所載，諭旨「凡特降者爲諭，因所奏請而降者爲旨，其或因所奏請而即以宣示中外者亦爲諭。其式，諭曰內閣奉上諭，旨曰奉旨，各載其所奉之年月日。」（註四）「樞垣紀略」亦云「特降者曰內閣奉上諭，因所奏請而降者曰奉旨，其或因所奏請而即以宣示中外者，亦曰內閣奉上諭，各載其所奉之年月於前，述旨發下後即交內閣傳鈔，謂之明發，其諭令軍機大臣行，不由內閣傳鈔者謂之寄信。」（註五）所謂寄信，即寄信上諭。方本上諭檔抄錄了寄信上諭、內閣奉上諭、奉旨等事件。君主特降的上諭多冠以「內閣奉上諭」字樣，（圖版壹）例如光緒元年正月初一日：「內閣奉上諭，英桂著以吏部尚書協辦大學士，欽此。」是年七月二十一日，因崇實具奏搜捕盜賊大東溝地方肅清，請將出力員弁奬勵一摺，因事奏請，惟應宣示中外，因此冠以「內閣奉上諭」字樣。此道上諭內所賞名號，漢滿文並書，例如副都統色楞額賞給納恩登額（nendengge）巴圖魯名號。納恩登額意即首先，巴圖魯即勇。同吉賞給業普肯（yebken）巴圖魯名號，業普肯意即聰明果斷的人。君主特降的上諭，間亦不冠「內閣奉上諭」，而僅書「奉上諭」字樣。例如光緒元年七月二十八日：「奉上諭，著派李鴻章、丁日昌將馬嘉理一案，與英國駐京大臣威妥瑪就近在津妥爲會商，欽此。」附書「發交李鴻章等，不發鈔。」因不發鈔，故未冠以「內閣奉上諭」字樣。至於「奉旨」事件，則是內閣或各部院因事具奏請旨而頒降的旨意。例如光緒元年正月初六日記載「奉旨知道了，欽此。」附書「內閣摺」。光緒六年正月初九日記載「奉旨知道了，欽此。」附書「禮部片」，所謂「片」，即奏片，其格式較正式奏摺為簡略。奉旨事件，雖交內閣，但不一定發鈔。例如光緒六年正月二十九日，因總理各國事務衙門奏籌海防事宜等，奉旨飭廷臣會議覆奏，末書「交內閣，不發鈔，另鈔封交總理各國事務衙門」。乾隆年間以後，擬寫諭旨成為辦理軍機處的重要職責，不僅寄信上諭由軍機大臣撰擬，即「內閣奉上諭」、「奉旨」或明發上諭事件，亦由軍機大臣擬寫。乾隆五十年正月初六日，軍機大臣等奏稱「臣等遵旨擬寫周煌致仕及紀昀等補授左都御史等缺諭旨進呈，俟明日周煌奏請開缺回籍摺遞到再行頒發，謹奏。」是日軍機大臣擬寫上諭進呈。次日，周煌奏請開缺，即頒發上諭，其全文如下：「乾隆五十年正月初七日，內閣奉上諭，左都御史周煌奉職有年，小心勤愼。茲周煌年力就衰，病體未能痊癒，奏請開缺回籍，周煌著加恩以兵部尚書致仕，並加太子少傅銜，用昭優眷。左都御史員缺著紀昀補授，李綬著補兵部侍郎，所遺湖北巡撫員缺，著吳垣調補，其廣西巡撫員缺，著孫永清補授，欽此。」〔註六〕

在辦理軍機處方本上諭檔內抄錄了頗多的試題。例如乾隆五十一年四月二十一日，辦理軍機處以是年鄉試屆期，所有試差人員考試日期，奏請欽定，並將前三屆考試題目，抄錄呈覽。其中乾隆四十四年三月內考差欽命題目為：棖也慾，焉得剛；晉平公之於亥唐也；賦得山夜聞鐘，得張字。其他歷屆考差欽命試題，皆以書詩命題，由君主欽命。其應行開列的試差人員，是進士出身人員。乾隆五十一年四月二十六日，在正大光明殿舉行試差人員考試，是月二十八日，由吏部帶領引見。君主巡幸時，間亦召試，例如乾隆二十八年高宗巡幸天津召試題目爲：大德不德下德不失德；賦得春水船如天上坐，七言八韻，得時字。乾隆五十三年二月十八日，高宗自圓明園啓鑾，巡幸天津（註七）。是月下旬，直隸及各省士子進獻詩册，並應召試，其士子共五十三名，取入一等試卷，在拆閱彌封後，交軍機大臣會同監看本生親對文理筆跡。滿洲定鼎中原以後，卽沿襲前明舊制，開科取士，三年大比，試諸生於直省，稱爲鄉試，中式者爲舉人，定於子午卯酉年舉行。舉人試於京師，稱爲會試，中式者稱爲貢士。君主親試貢士於廷，稱爲殿試，中式者分一二三甲，一甲三人，卽狀元、榜眼、探花，賜進士及第。二甲若干人，賜進士出身，三甲賜同進士出身，俱定於辰戌丑未年舉行。辦理軍機處月摺包內存有不少的鄉試題目，而方本上諭檔內所抄錄的試題，主要爲宗室鄉會試及順天鄉試的欽命試題，其命題範圍，包括四書題及詩題。例如嘉慶十八年癸酉科宗室鄉試欽命題目爲：孝弟也者其爲仁之本與；賦得成名由積善，得成字五言八韻。是年順天鄉試題目爲：才難不其然乎，唐虞之際於斯爲盛；修道以仁；有大人者正己而物正者也；賦得大田多稼，得多字五言八韻。中式舉人仍須覆試，例如道光二十四年甲辰恩科順天鄉試覆試欽命題目爲：無處而餽之是貨之也，焉有君子而可以貨取乎；賦得滿山寒葉雨聲來，得秋字五言八韻。直省鄉試與宗室鄉試及覆試不同，在順治年間，直省鄉試三場，初場考四書三題，五經各四題，士子各占一經。二場考論一道，判五道，詔誥表內科一道，三場考經史時務策五道（註八）。乾隆二十一年十一月，清高宗降旨，鄉試第一場僅試以書題三道，將五經改入第二場，試以經文四道，第三場試以策五道，其論表判概行刪省。乾隆二十二年四月，從御史袁芳松疏請直省鄉試自己卯科爲始，第二場除經文外，加試五言八韻唐律一道。方本上諭檔亦載各省舉人到京覆試情形，例如光緒二十四年三月，禮部知照辦理軍機處各省續到中式舉人應於三月二十一日在保和殿補行覆試，軍機大臣即奏請欽命四書題一道，詩題一道，於是日清晨發下交監試王大臣傳示。會試題目則由禮部堂官於三月初八日詣宮門前一同祇領，交知貢舉轉送內簾。欽命會試題目爲四書題三道，詩題一道。宗室會試欽命試題爲四書題及詩題各一道（圖版貳）。方本上諭檔抄錄歷屆會試題目，例如光緒十八年壬辰科欽命題目爲：子曰君子矜而不爭，群而不黨；子曰君子不以言舉人，不以人廢言，斯禮也，達乎諸侯大夫及士庶人；井九百畝，其中爲公田，八家皆私百畝，同養公田。賦得柳拂旌旗露未乾，得春字，五言八韻。宗室會試欽命四書題爲：以能問於不能，以多問於寡，有若無，實若虛。詩題爲：賦得名山爲輔佐，得名字，五言八韻。此外考試散館庶吉士，大考翰詹，考試廕生，考試二品以下京堂等試題，多見於方本上諭檔，俱爲探討清代科舉考試制度的重要史料。

供詞是當事人親口所述的口供。在辦理軍機處方本上諭檔中抄錄了很多重要供詞。地方督撫將軍查辦案件，或在戰役中俘獲敵方人員等，訊問口供時，多將供詞繕單附入奏摺內進呈御覽。因此，在奏摺原件及抄件內附有頗多供單。要犯解京後，由軍機大臣或軍機大臣會同刑部堂官審訊時，其所錄供詞則多見於方本上諭檔。例如康熙六十年四月，朱一貴、吳外等自稱明裔，以反清復明爲號召，豎旗起事。五月初一日，焚燬台灣府城，鎮將歐陽凱等倉皇戰歿，刑部等衙門具題。乾隆五十一年十二月分，方本上諭檔抄錄了刑部題本內容，並將隆科多等審訊朱一貴的供詞抄錄呈覽。據朱一貴供稱「我係漳州府長泰縣人，康熙五十三年，我到台灣道衙門當夜不收。後我告退，在大目丁地方種地度日。去年知府王珍攝理鳳山縣事，他不曾去，令伊次子收糧，每石要折銀七錢二分，百姓含怨。續因海水泛漲，百姓合夥謝神唱戲。伊子說衆百姓無故拜把，拏了四十餘人監禁，將給錢的放了，不給錢的責四十板，又勒派騷擾不已。因此，今年三月內，有李勇等尋我去說，如今地方官種種騷擾，衆心離異，我既姓朱，聲揚我是明朝後代，順我者必衆，以後就得了千數餘人，要打搶台灣倉庫，台灣府發官兵四五百與我們打仗，被我們殺敗。傍晚時，游擊周應龍帶領兵丁番子前來，周應龍懸賞殺賊，番子就殺了良民四人。因此，百姓們懼怕，投順我的有二萬餘人，殺散周應龍的兵丁。後總兵歐陽凱、副將李雲、游擊游崇功等帶兵來戰，我們數萬人將總兵殺死，兵丁俱各潰散，進了台灣府，佔了道衙門并倉庫。我手下李勇出來向衆人說，我姓朱，係明朝後代，稱爲義王，與我黃袍穿了，國爲大明，年號永和，將手下洪鎭封爲軍師，王進才爲太師，王玉全爲國師，李勇、吳外、陳印、翁飛虎等封爲將軍，張阿三等爲都留，即派兵三千看守鹿耳門。六月十六日，大兵來攻鹿耳門，礮台礮炸，大兵殺進，取了安平寨。我差翁飛虎等與大兵對敵，互相放炮。二十二日早，大兵駕坐三板船，分三路從沼亭等處上岸來攻，我們就敗了，各自奔散。我逃到下加多地方，同李勇、吳外等到楊旭家去，楊旭等將我們誘拏出首等語。」〔註九〕「明清史料」亦刋印朱一貴供詞，但脫漏殘闕之處甚多，例如朱一貴稱「義王」，「國爲大明」，「年號永和」，知府王珍「攝理鳳山縣事」及朱一貴所封將帥姓名等，「明清史料」俱脫漏不載〔註一〇〕。林爽文起事後，福康安、李侍堯等奏參柴大紀劣跡，查明地方官兵聲名狼藉，查辦天地會各案，軍機大臣遵旨訊問閩浙督撫等。方本上諭檔中不僅抄錄供詞的內容，同時也將訊問的事由逐款開列。乾隆五十三年四月二十七日，軍機大臣訊問各款中，如：「問富勒渾、雅德，你兩人身爲督撫，在福建多年，屬員孫景燧、董啓埏、唐鎰等在台灣任所貪黷營私，豈竟毫無聞見，乃一味容隱，並不及時參辦，以致激成事端。又外洋地方盜刦時聞，並不嚴飭弁員，隨時拏辦，以致刦盜縱橫，毫無忌憚，所司何事呢？」「又問富勒渾、雅德，你兩人於柴大紀在台灣時將派往戍兵賣放私回內地貿易，惟留延建等兵在營當差，而漳泉兵丁聽其在外營生，開賭窩娼，販賣私鹽，令其按月繳錢，並格外勒索餽送。又到南北兩路巡查時，需索夫價自六百圓至四百圓不等，及得受兵丁劉欽、林長春、甘興隆等番銀謝禮，拔補外委，又將番銀借給糖行黃姓，二分起息等事，如此貪婪不法，你兩人安坐省城，豈竟毫無聞見，乃通同狥隱，並不據實參奏，以致營伍廢弛，匪徒等得以乘機倡亂，你們當得何罪呢？」「又問富勒渾、雅德，四十九年有漳州人嚴烟在台灣溪底阿密里莊傳授天地會，你並不及早查拏，嚴行辦理，以致會匪日多，輾轉蔓延。及查拿楊光勳、楊媽世等一案時，將天地會改作添弟會，明有化大爲小之見，又不能嚴飭弁員約束兵丁，以致搜拿會匪時，燒燬民間房屋，激成事端，你兩人所司何事？據實供來。」（註二二）從軍機大臣訊問閩浙督撫各項事由及其供詞，有助於瞭解林爽文起事的背景、原因，進而探討清代綠營廢弛及天地會的活動情形。漳泉戍兵，與本地居民多屬同鄉，言語相通，故多在外經營生理，或在街市售賣檳榔、糕餅，或編織草鞋出售。其汀州兵丁由於擅長製造皮箱、皮毯，多在皮貨舖戶中幫做手藝。各兵丁日逐微利，閒散自由，而憚於差操拘束，每月出錢三百文至六百文不等，雇請同營兵丁替代防汛，稱爲包差。各處兵房營汛傾圮殆盡，多數兵丁藉口無可棲身，而留居娼戶，相習成風，置操防於不顧（註一二）。乾隆年間，地方吏治固然腐敗，其營伍廢弛，武員貪黷，較之文職尤甚，以致地方械鬪案件，層出不窮，無所畏憚，倡立會名，糾衆起事，終於釀成巨案（註一三）。

方本上諭檔附錄了各種的清單，例如光緒二年正月初二日軍機大臣遵旨開列的「王大臣年歲生日單」，其中惇親王，年四十六歲，六月十五日生日；恭親王，年四十五歲，十一月二十一日生日；大學士李鴻章，年五十三歲，正月初五日生日，其餘王大臣人數甚多，俱開列年歲生日。「緣事遣戍文武各員案由單」，開列名員姓名年歲，獲罪緣由。例如嘉慶二十五年二月二十九日，方本上諭檔中開列各員案由，其中原任西寧辦事大臣納爾松阿「因代陳啓文陳奏事件，擅發驛遞，發往烏魯木齊。嗣又因牽給蒙古印票，聽其搬移內地，在配所枷號一年，現年七十二歲。」「文武職廢員緣事案由單」，開列獲罪處分各項，列如道光元年正月十六日軍機大臣所繕廢員清單，其中「岳凝，原任義州城守尉，因軍政卓異到京，未經引見，率行遞摺請安，降三級調用。」京外文武各職公私罪獲咎革職降調人員，軍機大臣亦繕單呈覽。光緒二年十二月二十日，方本上諭檔附錄京外私罪情節重大降革不准捐復廢員單，例如：薛煥，前工部右侍郎，經原任通政使司通政使王拯奏參，將侍郎量加裁抑，乃該侍郎奏參王拯吸食鴉片煙，顯係意存報復，於同治三年四月十六日奉上諭著實降五級調用，私罪。「斬絞各犯清單」亦開列罪情，道光三十年三月二十八日，方本上諭檔抄錄絞犯名單，例如：方開甲，係已革三等侍衞，因患胃氣病症，聞鴉片煙可以醫治，向王大買得煙土吸食，旋被獲，案除售賣煙土罪應擬絞之王大緝獲另結外，將該犯依吸食鴉片煙例絞候緩決一次，似應准寬免。以上各類清單，俱爲珍貴的傳記資料，足供參考。乾隆年間纂修四庫全書的經過，方本上諭檔記錄甚詳，其中包括各種清單，如閱看書籍名單、記過處分名單等。乾隆五十二年五月十九日，寄信諭旨著在京阿哥們及各部院閱看文淵閣等書籍，看書人員約二百六十人，每人每日看書約三匣，預計兩個月校改竣事。方本上諭檔中也開列禁燬書籍清單。四庫全書內應行銷燬各書，均經軍機大臣交原辦提調等詳細檢查。乾隆五十三年十月二十四日，軍機大臣又具奏將文淵閣撤出各書開具清單，並於各書面粘簽送進銷燬。據其清單所載：「諸史異同錄，此書係李清撰，因書內妄稱世祖章皇帝有與明崇禎相同四事，悖誕不經。續辦三分書繕進之一分內未照底本刪去，當蒙指示前經奉旨將全書銷燬，並將李清所撰各書概行查燬。此係文淵閣繕進之本，其悖妄語句已經原辦之總校刪去，全書應燬；南北史合注，此書係李清撰，應燬；南唐書合注，此書係李清撰，應燬；列代不知姓名錄，此書係李清撰，應燬；書畫記，此書係吳其貞撰，因書內所載春宵秘戲圖，語涉猥褻，奏明應燬；閩小記，此書係周亮工撰，應燬；讀畫錄，此書係周亮工撰，因詩內有人皆漢魏，上花亦義熙餘，語涉違礙，經文淵閣詳檢簽出，奏請銷燬，並將周亮工所撰各書一概查燬，此書係文淵閣原辦之總校挖改，全書應燬；印人傳，此書係周亮工撰，應燬；國史考異，此書不著撰人姓名，內多引用錢謙益辨證，查明應燬。」〔註一四〕在禁燬書籍清單內不僅開列書名及撰人，亦敘明應行禁燬的原因，對於清代禁燬書籍的研究，足供參考。有清一代，御賜地名或廟宇名稱甚多，查閱方本上諭檔時可知其名稱是由軍機大臣大學士等所擬寫，進呈御覽，奉硃筆圈出。例如乾隆五十二年十一月初一日，方本上諭檔記載賞給台灣義民的匾額是：廣東，褒忠；泉州，旌義。廣東是指廣東莊，泉州是指泉州莊。清軍平定林爽文之亂，義民盡力頗多。但所謂義民，實係在分類械鬬中與林爽文敵對的團體。是月初三日，清高宗頒諭，將諸羅縣改爲嘉義縣〔註一五〕。方本上諭檔記載是月初二日軍機大臣遵旨更定諸羅縣名，擬寫嘉忠、懷義、靖海、安順四名呈覽，並奏請硃筆點出，以便寫入諭旨。清高宗就「嘉忠」與「懷義」二名各取一字，而定名爲「嘉義」〔註一六〕。其他清單種類繁多，例如直省各屬戶口民數清單、查辦教案人犯物件清單、河工漫口次數單、稅銀數目清單、養廉銀數清單、舉人覆試等第單〔圖版叁〕、引見人員名單、科甲出身侍郎以下三品卿以上銜名清單、正四品京堂進士出身人員名單、歷次戰役陣亡文武員弁名單等不勝枚舉，俱爲重要史料。

方本上諭檔所抄錄的文書種類甚多，除明發與寄信以外，另有特諭。此類諭旨亦爲君主因事特降，其原件多爲硃筆書寫，末書「特諭」字樣，亦有冠以「奉特諭」者，習稱「硃筆特諭」，部分硃筆特諭爲清實錄所不載。清季恭親王奕訢受封的經過，史家說法不一。「清代通史」謂「道光朝實錄亦明載立奕詝爲皇太子，與封奕訢爲恭親王硃諭，同藏於儲位緘名金匣中，時道光二十六年六月十六日。」〔註一七〕「晚清宮廷實紀」亦稱「親王封爵，出自道光硃筆，命之曰恭，一字欽承，涵意實極深遠。」〔註一八〕金承藝先生據「東華續錄」、「清史稿」宣宗本紀內道光三十年正月十四日「皇四子立爲皇太子」、「奉硃諭皇六子奕訢封爲親王」等條諭旨，而指出「道光帝在密建儲位的遺詔上，立奕詝爲皇太子同時封奕訢爲親王；可是，只是『親王』而已，並沒有封奕訢爲『恭親王』的話。奕訢得到親王中的『恭親王』封號是在道光三十年一月十七日，已經在奕詝登基以後。」（註一九）對照方本上諭檔後證明金承藝先生的說法是可以採信的。道光三十年正月十四日，方本上諭檔抄錄硃筆特諭云：「奉上硃諭，皇四子（御名）著立爲皇太子，爾王大臣等何待朕言，其同心贊輔，總以國計民生爲重，無恤其他，特諭。」「硃，皇六子奕訢封爲親王。硃，皇四子（御名）立爲皇太子。」是年正月十七日內閣奉上諭云「朕弟奕訢著封爲恭親王，奕譞著封爲醇郡王，奕詥著封爲鍾郡王，奕譓著封爲孚郡王。百日釋服後，俱加恩准其戴用紅絨結頂冠朝服蟒袍，俱准用金黃色，欽此。」（註二〇）由上各諭可知恭親王的「恭」字並非欽承於宣宗。頒發外藩的諭旨稱爲敕諭，乾隆年間以降，敕諭多由軍機大臣擬寫呈覽。例如方本上諭檔乾隆五十三年九月初五日記載軍機大臣擬寫頒給緬甸國長敕諭一道進呈御覽發下後交繙書房繙譯滿文，並譯出緬文呈覽，然後繕寫用寶，交禮部照例頒發。敕諭繙譯呈覽後，是由內閣繕寫用印，然後再行一併發往。除敕諭外，另有檄諭。其發往屬邦的檄諭多由督撫等擬稿，經軍機大臣改定呈覽後寄交督撫頒發，間亦由軍機大臣代擬，仍以督撫名義頒發。例如乾隆五十一年暹羅國長鄭華遣使進貢請封，並稟請在廣東置辦銅甲二千，以防禦緬甸軍隊。兩廣總督孫士毅具摺奏聞，並將所擬檄稿呈覽。清高宗令軍機大臣將檄稿添改發下，由孫士毅頒發。督撫檄諭各屬邦鎮將等時，多冠以「傳諭」字樣。「照會」是一種常見的外交文書，意即外交機構對各國公使，或各省督撫對各國領事所使用的文書，在文書上冠以「爲照會事」字樣。清季中外交涉益繁，照會事件更多，方本上諭檔也抄錄了不少的照會稿。「國書」爲一國元首代表本國政府致送於他國元首的文書，用於國際交涉時，由特派專使遞送，用於公使赴任卸任時，則由駐紮使臣覲見駐在國元首時呈遞。方本上諭檔間亦抄錄國書原文，例如光緒元年正月間英國繙譯官馬嘉理在滇省邊境被戕，清廷爲表示惋惜，特簡欽差大臣郭嵩燾齎國書前往英國代達「衷曲」。光緒二年九月十一日，方本上諭檔抄錄致英國國書全文。原文開端稱「大清國大皇帝問大英國大君主五印度大后帝好」，並敘入馬嘉理持有護照，由緬甸入滇途中遇害情節（註二二）。「詔」與「制」俱爲綸音，凡遇國家大典，君主宣示百僚，或有重大政事，須布告臣民時則頒詔，例如同治元年「恭上皇太后徽號恩詔」，開列恩詔條款。至於册封外藩國長特頒朝命，以詔示臣民時，亦頒詔，並冠以「奉天承運皇帝詔曰」字樣，清實錄間亦改書「制曰」字樣（註二三）。各平行機關往來文書，稱爲咨文，有咨呈與平咨的分別，咨呈是對於可以用咨而職官較高的衙門大臣所使用的文書，軍機大臣致督撫將軍則使用平咨。例如乾隆五十年正月初八日，方本上諭檔抄錄辦理軍機處咨文，其全文如下：「爲咨覆事，據貴將軍咨稱，史堂名下應追軍需銀二千二百餘兩，據史堂寄信伊堂兄原任兵部侍郎史奕昂催繳，請轉咨江蘇巡撫飭交等因前來。查原任兵部侍郎史奕昂現在來京恭預千叟宴盛典，堂將史堂原信交給，並取有該侍郎親筆覆信一件，相應咨覆貴將軍轉飭史堂收存可也，須至咨者外侍郎史奕昂覆信一件，右咨黑龍江將軍，初八日。」（註二四）咨文中間亦有標明「辦理軍機處爲咨行事」字樣者。國與國之間除用照會外，間亦使用咨文。道光三十年十二月十七日，方本上諭檔抄錄理藩院致俄國咨文云「大清國理藩院爲咨行事，現接貴國薩納特衙門來咨，內稱遵照前次咨覆選派重任大員於明春起程前赴伊犂，會同該將軍大臣等公議於伊犂塔爾巴哈臺二處添設貿易章程等語（中略）。總之，通商一事，惟圖彼此兩便，庶商民均霑利益，而我大清國與貴國二百年和好之誼，亦可永久不渝矣，爲此咨覆。」本件咨文末附書「道光三十年十二月十七日，由滿屋遞」字樣。「滿屋」，即滿本房。原咨文，清實錄不載。「知會」爲各部院衙門彼此行知或移文會辦的文書，其封面多書明「知會」字樣（圖版肆），首行事由亦書明「某部爲知會事」（註二五）。例如乾隆五十一年十月初一日，方本上諭檔抄錄知會一件，其原文如下：「辦理軍機處爲知會事，本日湖南省奏到鄉試題名錄內將四書文承題起講限用夫蓋嘗思等字樣，一併錄入册內進呈。奉旨，嗣後各省鄉試題名錄祇應照常繕寫，無庸將此等照例限用字樣一併錄入，欽此，相應知會貴撫遵照一體辦理，不必專摺具奏，爲此知會。十月初一日。」（註二六）知會與咨文性質相近而形式略簡，例如乾隆五十二年二月初六日辦理軍機處奉旨將藏文經一本交四川總督轉遞大喇嘛廟存貯誦習，辦理軍機處隨即知會四川總督辦理，但在知會末行書寫「須至咨者」字樣。「箚」或「箚付」爲上對下行文時所使用的文書。辦理軍機處行文督撫將軍以下總兵或道員等微員時，俱使用箚文（圖版伍）。例如乾隆五十年三月初六日，方本上諭檔中抄錄箚文如下：「辦理軍機處爲箚知事，所有熱河道庫呈請撥銀一事，本處於三月初六日具奏，業經奉有諭旨，相應抄錄知照該道遵辦可也，須至箚者，右箚熱河道當保。」「啓」是一種官信，即官方往來的函札（圖版陸）。軍機大臣面奉諭旨後常以函札發下，方本上諭檔抄錄極多此類函札。例如乾隆五十年六月初六日所錄啓文云「啓者本日面奉諭旨，凡清漢合璧諸書，漢字應照清字自左而右，方合體制。今四庫全書內御製三合切音清文鑑提要，仍照漢字自右而左書寫，則開首第一頁轉係提要末篇，從來無此寫法，殊屬錯誤，著交武英殿四庫館改正，並查明文津閣內似此者一體更正。其薈要二分及文淵、文源、文溯三閣所貯四庫並現辦三分書，亦著一體更改，以歸畫一，欽此，專泐佈達，並候近祺、紀、曹、陸、和等同拜具，六月初八日。」所謂「清字」即指滿文。乾隆年間纂修四庫全書，軍機大臣與四庫全書館之間，多以函札傳旨，令其辦理。「略節」是約略敘述事件的大意或要點而以書面提出的文書。例如雍正四年六月十五日陝西固原提督路振揚條奏外官納賄營私開其自首之路，將與受過諸人分別寬免治罪等事，乾隆五十一年六月初七日，軍機大臣遵旨將路振揚原奏及議准各本摘敘略節呈覽。略節間亦作節略，例如乾隆五十年四月廣東布政使陳用敷將南海縣邵葉氏呈控陳通照欠揭銀兩一案詳報兩廣總督富勒渾，乾隆五十一年五月二十八日，軍機大臣將富勒渾咨送陳通照原案摘敘略節呈覽，但方本諭檔將略節寫作節略。在方本上諭檔中抄錄極多奏片，此類文書為軍機大臣遵旨議奏及查奏的摺片（圖版柒），其格式較奏摺略簡。例如乾隆五十一年二月辦理軍機處遵旨將逃犯燕起於何時可以拏獲之處，令吉夢熊占課。二月初五日巳時，吉夢熊占得藏匿深林，應令東北方之人向西擒拏（圖版捌）。 從方本上諭檔中所包含文書種類的繁多，可以看出乾隆年間以降辦理軍機處職責範圍的廣泛。

三　小方本上諭檔

小方本上諭檔的簿冊，寬約二四公分，長約二五公分，因其形式接近方形，習稱方本上諭檔。例如咸豐十一年正月分內所附簽條卽書明「咸豐方本上諭」字樣。因其簿册規格較辦理軍機處的方本上諭檔略小，故又稱爲小方本上諭檔。其現存數量主要見於道咸以降，每月一册，閏月增一册，全年十二册或十三册。所載上諭多爲明發上諭內閣奉上諭，奉旨及奉硃筆事件，間亦冠以「內閣抄出奉上諭」、「內閣抄出奉硃筆」字樣。例如咸豐十一年正月十七日所載上諭云「內閣抄出奉上諭，蘇州織造英綬奏報接任摺件，兩封一樣，實屬疎忽，著交內務府察議具奏，欽此。」至於寄信上諭則屬罕見，例如道光三十年二月初四日，小方本上諭檔記載云「本日無上諭」。但對照辦理軍機處方本上諭檔，是日有寄信上諭一道，其原文如下；「軍機大臣字寄總兵德，道光三十年二月初四日奉上諭，朕憶大行皇帝前於祇謁西陵時，曾將硃筆存記一匣，留貯龍泉峪正殿，交該總兵敬謹看守，歸入交代。玆朕亟思展視，著德春將此匣妥愼封固，卽日派委妥員恭齎送京，交軍機處呈覽，將此諭令知之，欽此，遵旨寄信前來。」（註二七）清文宗實錄亦載此道寄信上諭（註二八）。因此，小方本上諭檔所云「本日無上諭」，卽指無明發上諭而言。易言之，小方本上諭檔並非屬於辦理軍機處的檔册。小方本上諭檔除抄錄諭旨外，其他記事尚多。例如道光三十年二月初一日除「奉旨順天府現辦籌賑事例著卽停止，欽此。」另外記載：崔光笏謝授江西九江府知府恩；希凌阿等謝補進圓明園班恩；莊親王由東陵致祭回京請安；恭理喪儀王大臣奏唪經期內供獻應用暈（葷）素一摺，旨著素供；理藩院奏西藏唪經頒賞，旨依議；又遞月摺一件；倉場奏稅課盈餘銀兩，旨知道了；召見軍機，定郡王、莊親王、德誠、朱嶟、崔光笏、奕毓、聯順、怡親王、鄭親王、僧王；皇上明日用膳後出乾清門、景運門、東華門、地安門，跪送大行皇帝梓宮後乘輿出德勝門，由土道進綺春園宮門迎暉殿几筵前奠祭行禮畢，由內還園東書房辦事，召見大臣候梓宮到出入賢良門東儻木外跪迎梓宮引進出入賢良門正大光明安奉奠祭畢，還飛雲軒，卯初二刻預備。」（註二九）諭旨全錄，題奏事件則摘錄事由。所奏多爲臣工因病等請假續假賞假事宜，同時也記載奏事處傳旨事件。例如同治十三年六月二十二日，內奏事處口傳奉旨皇后千秋自六月二十九日起穿蟒袍三日，欽此。

小方本上諭檔每月分之末附錄選缺名單，例如道光三十年正月分的月選單內，知州，雲南，昆陽，瑞昌，正白官學生；知縣，河南，尉氏，姚榮光，浙江監；江蘇，鎮洋，劉文麟，奉天甲；甘肅，鎮原，李敦厚，四川貢等等。其餘包括按經、巡檢、典史等。正月分缺單內包括知州、知縣、巡檢等，俱開列省縣名稱，人名，並註明降革丁憂事故等。月選等官除地方府州縣各職外，也包括京中各部院員外郎、中書、小京官、主事、郎中等職。小方本上諭檔詳載各部帶領引見名數，例如道光三十年二月十六日，刑部、都察院、大理寺、正紅旗值日吏部引見八名，都察院引見八名。又如二月十八日記載內務府、國子監、鑲紅旗值日內務府引見十四名，國子監引見三名，奉宸苑引見二名，鑲紅旗引見九名等。

小方本上諭檔對君主的活動記載頗詳，例如道光三十年二月初二日記載云「皇上於巳刻到園召見軍機。」二月初七日，「皇上現換白袖頭」。二十二日，「皇上明日辦事後卯正出福園門，由石路進綺春園宮門大行皇太后梓宮前行禮畢，由內還飛雲軒用膳後辰初至大行皇帝几筵前行禮畢，東書房引見，勤政殿引見。」又如光緒二十四年八月戊戌政變後，小方本上諭檔對清德宗的活動，仍照常記載。是月初六日記載云「皇上明日寅正至社稷壇行禮畢，還海辦事，召見大臣。」初七日：「皇上明日卯初二刻升中和殿，看版畢還海，午刻至勤政殿行禮，申初二刻至夕月壇行禮畢還海。」初八日：「皇上明日卯初二刻至奉先壽皇殿行禮畢還海。」初八日，行太后臨朝訓政禮，德宗被幽禁於南海瀛台（註三〇）。自八月初九日以後，對德宗的活動，則略而不載。因此，研究君主的起居，小方本上諭檔仍不失為珍貴的資料。

在小方本上諭檔中也記載了部分的清單，例如同治十三年正月初九日，奏事處口傳奏准派出十三日宗親宴名單：東邊，惇王、孚王、勛貝勒一桌；澂貝勒、漪貝勒、載瀾一桌，拿酒；西邊，恭王、惠王、治貝勒一桌。漢公、滿公一桌。正月二十七日，奏事處口傳派出二月初一日吃肉王大臣名單，內含惇王等三十六人。至於聽戲王大臣名單，亦見於小方本上諭檔。

在小方本上諭檔中含有「覆校上諭登記檔」，例如嘉慶八年閏二月至十三年二月分上諭登記檔一冊，逐日摘記所奉諭旨事由，書明領旨及校閱人員姓氏。例如嘉慶九年二月初九日記載「兵部筆帖式佛爾洪阿送正月二十四日奉旨兵部議處吳淞內洋連竊商船將疎防之提鎮各員請革職由。」末書「本日該員領去，武恭校。」筆帖式等姓氏及上諭摘由，間亦以滿文書寫。例如嘉慶九年九月初九日記載兵部送校請上諭云：“ishun aniya dele mukden de genere turgunde, monggo wang gung sa morin jafara jalin.”意即「為來年上詣盛京蒙古王公等進馬由。」（圖版玖） 由上舉各例可知上諭登記檔實為上諭目錄，便於查檢。

四　譯漢上諭檔與明發上諭檔

譯漢上諭又稱上諭譯漢，其簿册寬約二四公分，長約二五公分，接近方本。所記爲滿文譯漢諭旨，或爲補授官職，或係議處失職人員，或賞給假期，或令休致等事件，其中多屬八旗武職、內務府及皇室事務。乾隆二十二年，軍機大臣奏准各衙門奉清漢上諭譯漢繙清，俱送辦理軍機處繙譯。現存譯漢上諭檔册，始自乾隆年間，每年一册。譯漢上諭間亦交內閣抄錄，例如咸豐四年九月二十八日奉旨華山太因病奏懇賞假一摺，著照所請，華山太著賞假十五日調理，欽此。」文末附書「將此交內閣，應抄寫之處，令其抄寫外，仍繕寫一分裝入印筒併華山太摺奏一併交內。」

譯漢上諭檔間亦註明繙譯人員姓氏，譯出漢文後仍派有校閱人員。部分譯漢上諭檔抄錄滿文上諭，然後譯出漢文，滿漢並書。例如道光二十七年正月十三日抄錄滿文上諭：jawan ilan de hese wasimbuhangge, kuren de tefi baita icihiyara amban delekdorji tušan i bade amasi marire de jugūn goro kesi isibume giyamun ula šangnafi yalubukini sehe. 其譯漢原文如下：「十三日奉上諭，庫倫辦事大臣德勒克多爾濟回任道路尚覺較遠，著加恩由江跕行（賞驛傳食），欽此。」文末附書「必須交繙書房查明 giyamun ula 漢語方妥。」案滿文 giyamun 即驛或驛站，ula 即江，譯漢上諭原稿作江跕，校閱人員改爲「賞驛傳食」。又如道光二十七年三月初四日奉滿文上諭云： ice duin de hese wasimbuhangge, buyantai onggolo ili i jiyanggiyūn i tušan de jafaha kulan morin i saiburu sain mini beye yalure de umesi hebengge, ere morin de haksan boconggo kulan colo šangnaraci tulgiyen, kesi isibume buyantai de gecuheri sijigiyan i mutun emke amba defelinggu ulai suri i sijigiyan kurume i mutun juwe yuhi šangna sehe. 其譯漢原文如下：「初四日奉上諭，布彥泰前在伊犂任內呈進黑綜黃馬小走，朕乘騎甚好，着賞給黃絢黑名號，加恩賞給布彥泰蟒袍料二套，大捲江綢袍褂料一套，欽此。」文末附書「黃絢黑馬名號必須斟酌要緊。」對照滿文上諭後可以看出譯漢原稿甚簡略，例如「布彥泰前在伊犂任內」，應作「布彥泰前在伊犂將軍任內」。「呈進黑綜黃馬小走，朕乘騎甚好」，應譯作「呈進黑鬃黃馬，小走良好，朕乘騎甚平穩。」大江綢袍褂料二套，滿文上諭內將「套」字誤書爲 yuhi ，應作 yohi 。

在譯漢上諭檔內，間亦抄錄譯漢摺件。例如道光二年四月十六日，穆蘭岱奏謝調補甘肅西寧總兵員缺一摺，爲一謝恩摺，內附簽條一紙，上書「此條清文」字樣，意卽原件爲滿文奏摺，譯出漢文後抄錄於譯漢上諭檔內。在譯漢上諭檔內抄錄頗多清單，例如咸豐四年正月初二日記載「在京未兼文職副都統名單」，開列德全等二十四人，文末附書「以上並無廂藍旗人」字樣。其他名單尚多，例如「未兼領別項差使副都統等名單」，「未兼都統之尚書名單」，「未兼都統之左都御史名單」，「在京未兼文職之前鋒統領護軍統領副都統名單」等，俱見於譯漢上諭檔，有助於瞭解武職旗員在各部院任職的情形，爲研究八旗制度與清代政治結構的重要資料。

明發上諭簡稱明發，其簿册寬長約二五公分，是方形本的檔册。其內容主要爲內閣傳抄宣示的諭旨，其所記多爲內閣奉上諭、奉旨及奉硃筆等事件。現存明發上諭檔，始自乾隆年間，全年一册，惟現存數量較少。咸豐二年三月二十四日，譯漢上諭檔記載「慕陵碑文」，附書「此係明發漢諭，查出添入，不可妄譯。」（註三二）明發上諭與譯漢上諭，名稱雖異，但性質相近，清代繕檔時，常混合裝訂。例如道光二年分譯漢上諭檔與明發上諭檔合訂一册，其中正月至六月分爲譯漢上諭，七月至十二月分爲明發上諭。又如道光二十四年分，外封面書明「譯漢上諭」，其內封面則書寫「明發」字樣。明發上諭檔內間亦書明繙譯人員姓名，例如道光二十一年分明發上諭檔封面右下角註明「德廣、克實訥譯」。道光二十二年分繙譯人員爲崇恩、崇齡。道光二十三年分繙譯人員爲奎恒、舒慧。此類上諭，實即譯漢明發上諭。

就文字種類而言，明發上諭檔內所見文字除滿漢文外，亦包括蒙文、藏文資料。例如光緒三年正月初四日奉滿文上諭一道，漢文註明「此件係松溎奏濟嚨呼圖克圖掌辦商上事務一年期滿洵堪勝任懇請賞給敕書一摺，著照所請，濟嚨呼圖克圖准其掌辦商上事務，並加恩賞給達善名號，俟前輩達賴喇嘛送布彥時再行發給敕書。」又書「此單係正月初四日大人們見帶下照硃圈填寫諭旨」。明發上諭檔原擬所賞名號爲達善（hafu sain）、信敏（akdun ulhisu）、智慧（mergen sure），硃圈達善，明發上諭即遵照硃圈賞給濟嚨呼圖克圖達善名號。在明發上諭檔內又抄錄滿文、蒙文、藏文及漢文敕書全文（圖版壹壹）。在漢文敕書末附註「此係頒給濟嚨呼圖克圖等清漢敕書底，於正月初九日大人們見面時隨奏片一併帶上帶下，由本屋將奏片併清文敕書底交蒙古堂領去。」文中「本屋」即「滿屋」或「繙書房」，敕書底即敕書稿。

在明發上諭檔內亦抄錄各類清單，例如「奏事處圓明園等處郎中名單」、「應署八旗都統、副都統、護軍統領、前鋒統領名單」、「應放八旗都統、副都統人員名單」、「應放內大臣之散秩大臣人員名單」、「補班內大臣人員名單」、「應放內大臣之貝勒名單」、「應放將軍名單」、「應管理健銳營大臣人員名單」、「應放理藩院額外侍郎之蒙古貝勒貝子公名單」、「內外扎薩克帶領引見蒙古貝勒貝子公台吉名單」等，對於探討清代八旗制度等頗有參考的價值。

五　長本上諭檔

「欽定大清會典事例」記載綸音云：「凡紀載綸音，分爲三冊：每日發科本章，滿漢票籤處當直中書摘記事由，詳錄聖旨爲一冊，曰絲綸簿；特降諭旨別爲一冊，曰上諭簿；中外臣工奏摺，奉旨允行，及交部議覆者別爲一冊，曰外紀簿，以備參考。」（註三二）長本上諭檔含小長本與大長本二種。其小長本上諭簿冊寬約一九公分，長約二八公分。現存小長本上諭檔，始自乾隆初年，全年一冊。嘉慶年間，增爲每季一冊。咸豐中葉以降，增爲每月一冊，閏月增一冊。小長本上諭檔內間註明繕校人員姓名，以光緒二十年分爲例，其正月分是由楊伴琴繕寫，趙亦煒、房紹勳、魯承緒、李紹興初校，李鍾瓚覆校；二月分是由吳叔元繕寫、郭祖蔭、魯麐光初校，劉啓瑞覆校。其餘月分亦書明繕校人員姓名，逐日抄繕，按月裝訂。所記內容多爲內閣奉上諭、奉旨、奉硃諭等事件。例如咸豐十年七月二十二日亥刻，清文宗籌謀抵禦英法聯軍方略，而手書硃諭，縷晰對策。清文宗實錄將此道硃諭改繫於七月二十三日，內容雖同，惟將硃諭內「蠢茲逆夷」改作「重洋遠國」，將「戰撫兩難」改作「戰和兩難」，改「巴酋」爲「巴氏」，改「逆酋驚吠狂嘷」爲「該員桀驁狂妄」，改「黑夷」爲「黑人」（註三三），避免使用夷狄字樣。所奉諭旨，間亦冠以「奉硃批」字樣，例如光緒二十年八月初六日：「奉硃批，六品廕生姚春魁著以通判用，欽此。」亦有冠以「奉御筆」者，例如道光三十年二月十二日：「奉御筆仁壽等著罰俸六個月，准其抵銷，陳孚恩著降三級留任，准其抵銷，欽此。」至於奉旨，則爲臣工具奏請旨事件，例如光緒二十年二月初四日，因吏部遵議山東知縣錢鏐處分具奏請旨，是日奉旨：「著不准抵銷」。在清朝末葉的小長本上諭檔內常見軍機大臣面奉諭旨事件，例如咸豐十年六月十五日記載「軍機大臣面奉諭旨，福濟未到任之前，工部左侍郎仍著清安署理，欽此。」軍機大臣面奉諭旨事件，間有冠以所交衙門名稱者，例如咸豐十年七月二十三日記載：「交兵部，本日軍機大臣面奉諭旨，署戶部侍郎內閣學士袁希祖著即日馳驛前撫（赴）天津查辦團練，所有應給勘合著兵部即日給付，毋稍遲悞，欽此，相應傳知貴部欽遵迅速辦理，即日封送戶部交署右侍郎袁希祖接收可也，此交。七月二十三日，單發馬。」此類文書，即爲辦理軍機處傳旨飭行事件。寄信上諭即字寄與傳諭亦見於長本上諭檔，間亦書明馬遞里數。因此，小長本上諭檔並非票籤處所抄的上諭簿。

在小長本上諭檔內間亦抄錄臣工的經歷事蹟，例如同治十三年六月分內開列曾國荃、蔣益澧、楊岳斌、賈洪詔、張凱嵩、閻敬銘、郭嵩燾、鮑超、趙德轍、丁日昌等人的事蹟。以曾國荃為例，其記載如下：「同治二年三月十九日，補浙江巡撫。三年九月初四日，因病奏請開缺，奉旨准其開缺，賞人蔘六兩，候病痊來京陛見。四年二月二十六日，奉旨著來京。六月十六日，補山西巡撫。八月十一日，因病奏請開缺，奉旨毋庸開缺，賞假六個月，在籍調理。五年正月二十六日，補湖北巡撫。六年十月十六日，因病奏請開缺，奉旨准其開缺。」〔註三四〕「清史稿」載曾國荃於同治四年起授山西巡撫，辭不就，調湖北巡撫，命幫辦軍務〔註三五〕。曾國荃於同治四年六月十六日補授山西巡撫，次年正月二十六日調補湖北巡撫，「辭不就」的記載，似不足採信，至於補放月日，列傳俱刪略不載。因此，長本上諭檔所錄臣工經歷事蹟單，不失為重要的傳記資料。在小長本上諭檔內亦抄錄部分清單，例如，「交部議處察議王大臣名單」、「罰俸王大臣名單」、「降級、革職留任處分名單」等。小長本上諭檔內間有初繕本與增繕本，例如咸豐十年閏三月分共計二本，一為初繕本，一為增繕本，惟兩本所載各道上諭前後次序不同，內容詳略亦異，或載或不載。以閏三月初六日為例，初繕本上諭計四道，增繕本上諭計五道，其中相同者二道，增繕本另有三道上諭為初繕本所不載，見於實錄者僅二道。易言之，小長本上諭檔所載雖多為明發諭旨，惟因實錄等官書並未全錄，仍有其價值。

在長本上諭檔中含有大長本上諭檔，其簿冊寬約二九公分，長約三八公分，現存大長本上諭檔，始自清世宗朝，自雍正元年至九年止，僅一冊，俱為怡親王胤祥而特頒的諭旨。嘉慶年間以降，全年一冊或二冊，但現存數量不多。據嘉慶二年分所附簽條的記載，大長本上諭檔的數量，計嘉慶二年一本，六年正月至六月一本，十四年一本，十七年一本，二十年正月至三月一本，二十二年一本，合計共六本，其他各朝數量亦甚少。嘉慶二年分大長本上諭檔外封面左上角書明「上諭」字樣，內封面先書「外紀」二字，後又塗抹改書「上諭」二字。外紀簿爲內閣漢票籤處的重要檔冊，因其所記多爲外省臣工摺奏事件，故稱爲外紀簿。嘉慶二年分大長本上諭檔內封面既誤書「外紀」字樣，則大長本上諭檔應爲漢票籤處的檔冊。所記爲內閣奉上諭、奉旨及奉敕旨事件，其中多不見於實錄。例如嘉慶二年正月初二日癸卯，大長本上諭檔抄錄內閣奉上諭四道，其中戶部侍郎台布暫署江西巡撫印務一道，清仁宗實錄改繫於正月初五日丙午，其餘三道上諭，實錄合併爲二條，且文字簡略。正月初四日乙巳，馮光熊具奏壽民婁奎年逾百齡，奉上諭賞給六品頂戴，清仁宗實錄不載此道上諭。其餘諭旨，實錄多未載。部分諭旨雖見於實錄，但刪略頗多，例如嘉慶二年九月初二日，大長本上諭檔奉上諭云「勒保奏連日痛勦賊匪洞洒、當丈兩處，擒獲首逆王囊仙、韋七綹鬚一摺，覽奏欣慰。勒保自攻克安有山梁之後，於八月初九至十四等日督率官兵，奮勇擊勦，攻克張奇下蝦扎菁及長冲上蝦扎菁二龍口等處山梁，殺賊三千七百餘名，生擒三百七十餘名，並殲擒賊目岑朝英等二十餘人，即于十五日分兵八路，同時進勦。賊匪於洞洒、當丈兩處堅築城垣，屯聚守險，抵死拒抗，官兵悉力奮攻，殲賊無數，賊人放火自焚，經都司王宏信、千總保洪玉、把總楊國仁等將首逆王囊仙、韋七綹鬚即韋朝元從火中擒出，所有洞洒、當丈賊巢全行洗蕩，除打仗殲戮外，共燒斃一二萬人，生擒男婦大小二千六百餘口，並無一名漏網。此次勒保連日乘勝進勦，分別攻擊，將士等俱各奮躍爭先，並無片刻停留。勒保督率弁兵擒渠掃穴，調度有方，深可嘉尚，著格外加恩封爲侯爵，用昭懋賞，所有八路領兵出力之文武將領等官俱著查明咨部從優議敘。此內原任總兵永寧、知府慶徠，於進攻洞洒時將外城墻垣挖開，始能擁進多人，乘勢拆毀，尤為奮勇可嘉。永寧前於雲南永昌鎮內辦理猓黑事宜，未能妥協，曾經革職，著加恩即以副將補用，慶徠著加恩以道員陞補。至都司王宏信於賊匪窮蹙之時跳上賊樓，將王囊仙於火中拖出，千總保洪玉、把總楊國仁、兵丁張啓祥亦首先撲火而入，將七綹鬚擒住，實為奮勇出力。王宏信著以尤吉（遊擊）即用，保洪玉著以守備即用，楊國仁著以千總即用，張啓祥著以把總即用。至此次打仗官兵鄉勇土練人等，著勒保查明首入賊巢並分外出力者，著加恩各賞給兩月錢糧口糧，其餘著各賞給一月錢糧口糧，以示獎勵，摺併發，欽此。」（註三六）清仁宗實錄亦載此諭，其文如下：「勒保奏報，攻克洞洒、當丈苗寨，生擒首逆王囊仙、韋七綹鬚，殺賊千餘，燒斃賊衆萬餘，生擒男婦千六百名口。得旨嘉獎，晉封勒保三等侯爵。并諭軍機大臣等，此時首逆既擒，其附和苗寨，自必望風震懾，官兵乘勝直前，永豐冊亨之圍，自可不攻而解。但王抱羊一犯，與王囊仙俱係起事首逆，必當一併擒獲。勒保應趁此兵威，曉諭降苗，令其搜捕縛獻，以淨根株。其餘被脅悔罪苗民，妥為駕馭安撫，俾安生業，將此諭令知之。」實錄又載「以生擒王囊仙等功，已革總兵官永寧以副將用，知府廣徠以道員用，都司王宏信以遊擊用。餘出力員弁，下部議敘，賞兵丁兩月錢糧。」（註三七）將清實錄與大長本上諭檔互相對照後，得知實錄所載上諭是將內閣奉上諭與寄信上諭合併摘敘，並將內閣奉上諭分載兩處。大長本上諭檔摘錄勒保原奏甚詳，實錄所載上諭經刪略潤飾後，語焉不詳。

勅旨是皇帝諭告臣工的一種文書，嘉慶初年，在大長本上諭檔內所錄勅旨是太上皇帝清高宗特降的諭旨。例如嘉慶二年二月初七日因皇后崩逝，清高宗特降勅旨。清仁宗實錄記載勅旨原文云「諭內閣，本日皇后薨逝，一切典禮，仰蒙皇父太上皇帝特降勅旨，加恩照皇后例舉行（下略）。」大長本上諭檔於勅旨全文前標書「乾隆六十二年二月初七日奉勅旨」字樣。清高宗踐作之初，曾焚香禱天，若得在位六十年，即當傳位嗣子，不敢上同聖祖紀元六十一載之數。乾隆六十年九月，清高宗在位已周甲，冊立皇十五子嘉親王爲皇太子。嘉慶元年正月元旦，舉行內禪大典，歸政之後，大權仍然不移，仁宗徒擁虛位而已。仁宗即位後雖改元嘉慶，但高宗仍以乾隆年號頒降諭旨。例如嘉慶二年正月十七日，大長本上諭檔記載云「乾隆六十二年正月十七日，內閣奉勅旨，著皇帝於二月初二日御經筵，所有應行典禮，該衙門照例預備，欽此。」是月二十七日，亦載云「乾隆六十二年正月二十七日，內閣奉勅旨，朕於三月初四日吉同皇帝啓鑾巡幸盤山，所有一切事宜，著各該衙門照例預備，欽此。」大長本上諭檔抄錄高宗退位後所頒佈的諭旨，爲數不少，不失爲重要的史料。

除大長本上諭檔以外，另有小長本上諭摘由簿，寬約一六公分，長約二三公分。例如嘉慶元年至二十三年正月止，左上書「上諭」字樣，其內容爲上諭的摘要，以人物爲主，記載各員調補、加銜、議叙、降級、革職、議處、休致、開缺等事件。以嘉慶二年分爲例，正月二十二日：甘肅布政使著楊揆補授，防禦西林泰著賞戴藍翎。二十四日：著派福長安揀選。二十七日：雲南按察使著孫藩補授等等，都是據明發等諭旨按月日摘記而成的事蹟冊。此類上諭摘由簿實即國史館爲纂修列傳而摘抄上諭的簿冊。例如乾隆二十七年分小長本上諭簿，左上角書寫「上諭」字樣，其首頁起則爲「蘇楞額傳稿」。蘇楞額姓那拉氏，內務府正白旗滿洲人，乾隆二十七年六月，由官學生補授筆帖式。小長本上諭簿所載傳稿，即始自乾隆二十七年，而止於乾隆五十九年十二月補授兩淮鹽政止。自嘉慶元年以下則抄錄有關蘇楞額調補陞遷的各道上諭，至道光七年四月二十四日病故止。乾隆、嘉慶兩朝含有分卷刊行的木刻本上諭簿，內分載有關軍政、兵律、職制、郵驛、廄牧等項的諭旨，似為上諭館所刊刻的簿冊。光緒朝末葉另增鉛字排印本的上諭簿，係據邸報等剪貼而成者，內含宮門鈔、上諭、交旨、交片、電報等項文書。

六　寄信上諭檔

寄信上諭檔簡稱寄信檔，是清代辦理軍機處專載寄信上諭的重要檔冊。其簿冊寬約一八公分，長約二九公分。現存寄信上諭檔，始自乾隆初年，全年一冊至三冊不等，乾隆末年以降，增為每季一冊，全年四冊，寄信上諭習稱廷寄，其名沿用已久，但就檔案記載而言，則從嘉慶十一年以後始正式改書廷寄檔。自道光朝以降，或每季一冊，或每月一冊。清代廷寄制度究竟始於何時？異說紛紜，莫衷一是。「簷曝雜記」謂辦理軍機處廷寄諭旨始自雍正年間，其格式為張廷玉所奏定（註三八）。但在雍正七年辦理軍機處正式設立以前，上諭已有以寄信方式發下的例子。雍正元年，川陝總督年羹堯用兵青海期間，世宗屢降諭旨，指授兵略，其中「字諭年羹堯」的硃筆特諭（註三九），就是以寄信方式封發。康熙年間行在總管字寄王以誠的文書（註四〇），其格式與辦理軍機處設立以後的字寄已極相近。而且在康熙、雍正年間，寄信諭旨或寄自內閣，或寄自親信廷臣，不必一定寄自軍機大臣（註四一）。易言之，廷寄制度不僅先於辦理軍機處的設置而存在，就是在辦理軍機處設立以後，廷寄也不是限於軍機大臣所專用的文書（註四二）。終世宗一朝，廷寄格式並未畫一，或稱「寄字」（圖版壹貳），或稱「字寄」。其出名寄信的大臣，或詳列官銜姓名，或但書姓氏。至於廷寄的封發，並非全由兵部火票馳遞，或由赴任大員攜帶，或由齎摺家人捧回，或隨督撫奏事之便封入報匣寄出，乾隆年間，辦理軍機處的組織逐漸擴大，職權日重，章程益詳，軍機大臣面奉諭旨事件更多，廷寄制度漸趨畫一。因寄信對象官職的高低，而有字寄與傳諭的分別。「樞垣紀略」云「寄信，外間謂之廷寄。其式，行經略大將軍、欽差大臣、將軍、參贊大臣、都統、副都統、辦事大臣、領隊大臣、總督、巡撫、學政，曰軍機大臣字寄；其行鹽政、關差、藩臬，曰軍機大臣傳諭，亦皆載所奉之年月日，徑由軍機處封交兵部捷報處遞往，視事之緩急，或馬上飛遞，或四百里，或五百里，或六百里加緊，皆於封函上註明。其封函之式，字寄者右書辦理軍機處封寄，左書某處某官開拆；傳諭者居中大書辦理軍機處封，左邊下半書傳諭某處某官開拆，皆於封口及年月日處鈐用辦理軍機處印。」（註四三）但字寄與傳諭的分別，是乾隆以來的制度。在雍正年間，所有寄信上諭，俱稱字寄或寄字，尚無傳諭與字寄的畫分。傳諭格式，首先書明奉上諭日期，次書上諭內容，文末書明「軍機大臣遵旨傳諭某官某人」字樣，傳諭對象姓名例應全具。其寄信對象，非常廣泛，並不限於外任大員。廷寄制度普遍採行後，無論密諭或一般諭旨，多以寄信方式封發。明發與寄信的主要分別，已不在諭旨的機密與否，凡應交內閣發抄的諭旨，即屬明發上諭，凡無需發抄或僅諭令一二人知道或辦理事件，即以寄信方式發出。臣工摺奏，除循常例行公事批諭發還外，凡奉硃批「即有旨」，或「另有旨」

的摺件，俱交軍機大臣閱看，並擬寫寄信上諭，進呈御覽，經述旨後封入紙函，鈐蓋辦理軍機處銀印，交兵部加封，由驛馳遞。部分寄信上諭檔，附有簽條，註明封寄日期等項。例如乾隆十三年三月二十八日大學士伯張廷玉等奉上諭字寄浙江巡撫方觀成，在寄信上諭檔內附書「前件，三月二十九日兵部加封寄，四月初一日保定府奉到，本月初二日奏覆，兵部火票，詳督院代繳。」（註四四）其餘或註明「摺匣內寄」，或書明「信匣寄」，或由「摺匣內順寄」，或「兵部加封寄」，俱註明封寄及奉到月日。嘉慶以降，廷寄又分成一般性的字寄與奉密諭的密寄二類。道光三十年十一月，軍機大臣遵旨酌擬辦理軍機處補充章程九款，分別懸掛於隆宗門內，圓明園如意門內軍機堂及滿漢章京直房，其中對寄信上諭的規定如下：字寄中遇有機密查辦事件，軍機大臣承旨後，派章京一二員即在堂上繕寫密封呈遞發下後，仍由堂上用印封交兵部領去，將底稿押封封記，俟查辦事竣後再行撤封登檔，如有漏洩，即由軍機大臣查明繕寫章京嚴參。其尋常寄信草稿，由堂改定後，仍令繕稿章京上堂領取分繕；逐日改定寄信草稿俱責成每日值班章京與領班章京公同檢齊焚銷；每日明發諭旨同奏摺交內閣發鈔，寄信印封夾板交兵部，驛遞速議事件，傳知各中書司員等至軍機章京直房承領，其未至傳領時間，不得進入軍機直房（註四五）。

從寄信上諭檔的記錄中可以瞭解軍機大臣擬寫諭旨的過程，例如乾隆三十四年七月分內載軍機大臣的奏片云「查湖廣解滇馬匹疲瘦，寄信吳達善、揆義、方世傳明白廻奏諭旨一道於六月二十二日隨經略報寄去，今據方世傳覆奏摺內有會同督臣吳達善之語，而湖北有督撫尙未奏到，臣等擬寫詢問吳達善諭旨進呈，謹奏。」軍機大臣所擬寫呈覽的寄信上諭原稿如下；「大學士劉字寄湖廣總督吳，乾隆三十四年七月二十一日奉上諭，前以湖北湖南解滇馬匹俱有疲瘦，因降旨該督撫，令其明白廻奏。今據方世儁將湖南辦理不善緣由覆奏，且摺內已有會同總督吳達善之語。湖北距京較湖南爲近，吳達善何以轉未奏到，著再傳旨詢問，令將馬匹疲乏之故，即行查明據實覆奏，並將因何遲延緣由一併奏聞，欽此，遵旨寄信前來。」（註四六）軍機大臣所擬寫的諭旨，不限於寄信上諭，明發上諭亦由其擬寫。寄信檔乾隆四十六年正月二十九日記載云「奏事太監傳旨通永道員缺著劉錫嘏補授，欽此。但查劉錫嘏係直隸通州人，理合請旨，另行簡放，謹奏。」軍機大臣又奏云「查李調元係四川人，謹擬寫補放通永道諭旨進呈，謹奏。」是日頒發明發上諭云「乾隆四十六年正月二十九日，內閣奉上諭，直隸通永道員缺，著李調元補授，欽此。」是年五月內軍機大臣奏云「臣等擬寫寄信陳輝祖、楊魁、富綱諭旨一道進呈，並擬寫富綱來京陛見明發諭旨一道，發下時應存記，俟陳輝祖等覆奏到日再行發抄，謹奏。」寄信檔內記載五月二十二日明發上諭與寄信上諭各一道。軍機大臣每因擬旨欠當而受嚴斥。例如乾隆四十七年二月初五日尚書和珅字寄欽差大學士公阿桂等籌辦河工事宜一道，奉硃筆增改，在寄信上諭原稿附書云「此旨所書太不成章，故改抹者多，即寄去時南紅門駐蹕行圍後御筆。」具題本章及部議事件，寄信上諭例不敍入。乾隆十二年九月初五日，雲南巡撫圖炳阿奏稱「爲謹遵聖訓事，乾隆十二年七月二十八日，臣齎摺家人回滇，接到大學士張，尚書傅封記，內開字寄各省督撫提督，乾隆十二年五月二十二日，奉上諭，朕命軍機大臣等寄信傳諭之旨云云，欽此，遵旨寄信前來等因，封寄到臣，竊惟直省事務蒙我皇上睿鑒精詳，更荷體念群臣，俾易遵循辦理，特令軍機大臣等寄傳諭旨，告誡訓誨，間有降旨詢問，及令督撫等商酌辦理，臣工欽奉之後，自當倍加謹密，若於該部議之案及具題本章，竟以恭叙宣露，殊非愼重機宜。今蒙聖訓詳明，臣惟有恪遵辦理。嗣後奉到寄信欽傳諭旨，除無庸部議之案，敬謹叙入外，其凡應部議及具題本章，概不恭叙，另將寄信之處具摺奏明（下略）。」（註四七）

在寄信上諭檔內附錄文書，種類繁多。例如咸豐八年夏季檔內附錄「查開准駁各夷條款」，共開列二十七款，其前三款原文如下：一哦夷請准報事人由旱路行走恰克圖，並代備器械等語，已令仍由海道行走，鎗礮等件，毋須代爲豫備；一哦夷請增添口岸已允照各國一體在五口通商，其黑龍江查勘地界，仍由該處辦理；一哦夷請進京駐紮等語，道光年間各夷和約內並無進京一條，此次哦夷創議與體制不合。其餘各款所載中外交涉事項，俱爲探討清季外交的重要史料（註四八）。寄信上諭檔內亦含有「知會」，例如嘉慶九年十月十五日軍機大臣奉上諭寄信予告大學士王杰，並在寄信上諭末附書「知會」一件云：「辦理軍機處爲知會事，本日寄信予告大學士王，酌量今多明春來京諭旨印封一件，並賞匣一個，貴撫接奉後，即由驛飛遞至韓城轉交可也，爲此知會。」寄信上諭檔內亦抄錄傳旨事件，例如咸豐八年春季檔載「交工部，本日軍機大臣面奉諭旨，現在察哈爾都統西淩阿帶領鳥槍兵一千名，由密雲一帶前往山海關，所有應用鉛丸火藥，著工部迅速籌撥，寬爲豫備，照例解往，欽此，相應知照貴部欽遵辦理可也，此交。三月初七日。」軍機大臣遇毋庸寄信傳諭事件，即以函札告知。例如寄信檔乾隆四十六年二月二十七日抄錄啓文云「啓者本日面奉諭旨前令富勒渾押解王燧來京，今富勒渾已放河南巡撫，著即馳赴河南接印後，即至五臺行在請訓。至押解王燧，該省自有耑員，並有沿途接送員弁，且王燧曾任道員，一路自應知法，可毋庸富勒渾親身押解，此旨不值傳諭，爾等札知富勒渾可也，欽此。大人接奉此諭，即當遵照辦理，不必形諸章奏，專此不一。董、和、福、梁、福，仝具。」〔註四九〕此外亦抄錄供詞、清單等，俱爲珍貴資料。在寄信上諭檔中含有譯漢寄信檔，是由滿文諭旨譯成漢文。例如道光十六、七年分譯漢寄信檔，註明「祥泰、增保譯」。其格式與漢文寄信上諭相近。例如道光十七年九月二十日寄信上諭全文爲：「軍機大臣字寄察哈爾都統賽，道光十七年九月二十日，奉旨，賽尚阿奏因腿生疙瘩（瘡）疆坐駝轎出口查演官兵技藝一摺，着信知賽尚阿令伊安緩行走，善爲調養，將官兵技藝據實查演，欽此，欽遵，爲此寄信。」〔註五〇〕咸豐八年分譯漢寄信檔抄錄四月十七日軍機大臣字寄理藩院諭旨一道，於年月日後書寫「奉旨」字樣，並於文末書寫「爲此字寄」字樣，與一般字寄格式略異。漢文上諭中「奉上諭」與「奉旨」事件不同，但就滿文而言，並無區別，俱作：hese wasimbuhangge。道光朝以降，另有勦捕廷寄檔，或每季一册，或每月一册。清末電報採用後，又有電寄檔。俱爲清代記載諭旨的重要檔册。

七　結　語

清初承明舊制，以內閣總理政務，承宣綸音。清世宗雍正七年，因用兵西北，經戶部設立軍需房，以密辦軍需，雍正十年，辦理軍機事務印信頒行後，因使用日久，遂改稱辦理軍機處〔註五一〕。雍正十三年十月，清高宗御極後，裁撤辦理軍機處，其軍機事務，改由總理事務王大臣兼理。乾隆二年十一月，復設軍機大臣，辦理軍機處恢復建置。其組織日漸擴大，職權益重，範圍廣泛，一切承旨書諭，不論寄信或明發諭旨，以及各項文移，莫不總攬，辦理軍機處的職掌，已不限於掌理戎略或運籌決勝，事實上已成爲清代中央政府的執政機構。軍機大臣綜理軍國機務，日直禁庭，以待召見。內外臣工摺奏，面奉指示，擬寫諭旨；翰林院所擬祭文及內閣所擬敕旨，亦下辦理軍機處審定（註五二）。同光初年，每日摺奏批旨，俱由軍機大臣代書。因此，軍機大臣所任最爲嚴密，亦最繁鉅。清代上諭檔，除記載各類諭旨外，並附錄種種文書，其中多由軍機大臣承辦。因此，上諭檔册，實爲研究清代中央政治結構的重要資料；探討辦理軍機處的職掌及其發展，上諭檔册，尤爲珍貴史料，本文所述，僅就其犖犖大者，舉例說明，俾於清代檔案的使用稍有裨益。

註　釋

（註　一）拙撰「清高宗乾隆朝軍機處月摺包的史料價值」，「故宮季刊」第十一卷，第三期，頁二九至三七，民國六十六年春季。

（註　二）拙撰「清世宗與奏摺制度的發展」，國立臺灣師範大學歷史學報，第四期，頁二〇九至二一八，民國六十五年四月

（註　三）梁章鉅纂輯「樞垣紀略」，卷一，頁一七，嘉慶十四年十二月初六日上諭。

（註　四）「欽定大清會典」卷三，頁二，光緒二十五年刻本，台灣中文書局。

〔註 五〕「福垣紀略」卷一三，頁一二。
〔註 六〕方本上諭檔，乾隆五十年正月初七日，內閣奉上諭。
〔註 七〕「清高宗純皇帝實錄」卷一二九九，頁二。
〔註 八〕章中和著「清代考試制度資料」，頁五，民國五十七年七月，文海出版社。
〔註 九〕方本上諭檔，乾隆五十一年十二月初一日，刑部題本。
〔註一〇〕「明清史料」戊編，第一本，頁二一，國立中央研究院歷史語言研究所；「台灣省通志稿」卷九，頁九〇，朱一貴供詞。
〔註一一〕方本上諭檔，乾隆五十三年四月二十七日，富勒渾等供詞。
〔註一二〕拙撰「清初天地會與林爽文之役」，「大陸雜誌」第四十一卷，十二期，頁一三，民國五十九年十二月。
〔註一三〕「清高宗純皇帝實錄」卷一二九五，頁九，乾隆五十二年十二月庚戌，上諭。
〔註一四〕方本上諭檔，乾隆五十三年十月二十四日，禁燬書清單。
〔註一五〕「清高宗純皇帝實錄」卷一二九二，頁一〇，乾隆五十二年十一月初三日丙寅，上諭。
〔註一六〕方本上諭檔，乾隆五十二年十一月初二日，更定諸羅縣擬寫縣名清單。
〔註一七〕蕭一山著「清代通史」第二篇，卷下，頁四〇四。民國五十二年二月，商務印書館。
〔註一八〕吳相湘著「晚清宮廷實紀」頁九八。
〔註一九〕金承藝撰「奕訢受封恭親王始末」，「中央研究院近代史研究所集刊」第一期，頁三四九，民國五十八年八月。
〔註二〇〕方本上諭檔，道光三十年正月十七日，內閣奉上諭。
〔註二一〕方本上諭檔，光緒二年九月十一日，致英國國書。
〔註二二〕「清高宗純皇帝實錄」卷一二七一，頁四，乾隆五十一年十二月戊午，冊封鄭華詔。

〔註二三〕方本上諭檔，乾隆五十年正月初八日，咨文。
〔註二四〕方本上諭檔，光緒元年七月二十五日，咨文。
〔註二五〕拙撰「清高宗乾隆朝軍機處月摺包的史料價值」，「故宮季刊」第十一卷，第三期，圖版六「吏部知會」，民國六十六年春季。
〔註二六〕方本上諭檔，乾隆五十一年十月初一日，辦理軍機處知會。
〔註二七〕方本上諭檔，道光三十年二月初四日，寄信上諭。
〔註二八〕「清文宗顯皇帝實錄」卷三，頁五，道光三十年二月丁卯，寄信上諭。
〔註二九〕小方本上諭檔，道光三十年二月初一日，論摺記事。
〔註三〇〕郭廷以編著「近代中國史事日誌」第二册，頁一〇二四，民國五十二年三月。
〔註三一〕譯漢上諭檔，咸豐二年三月二十四日，慕陵碑文。
〔註三二〕「欽定大清會典事例」，卷一五，頁六，紀載綸音。
〔註三三〕「清文宗實錄」卷三二六，頁一一，咸豐十年七月二十三日乙卯，硃諭。
〔註三四〕長本上諭檔，同治十三年六月分，事蹟單。
〔註三五〕「清史稿」列傳二百，曾國荃，頁三。
〔註三六〕大長本上諭檔，嘉慶二年九月初二日，上諭。
〔註三七〕「清仁宗睿皇帝實錄」卷二二，頁一至頁三。
〔註三八〕趙翼著「簷曝雜記」，卷一，頁三，壽春白鹿堂重刊本，中華書局。
〔註三九〕「年羹堯奏摺專輯」中冊，頁七四九，民國六十年十一月，國立故宮博物院。
〔註四〇〕「掌故叢編」，聖祖諭旨，頁一〇。民國五十年五月，國風出版社。

（註四一）拙撰「清代廷寄制度沿革考」，「幼獅月刊」第四十一卷，第七期，頁六八，民國六十四年七月。
（註四二）傅宗懋著「清代軍機處組織及職掌之研究」，頁三四七，民國五十六年十月，嘉新水泥公司文化基金會。
（註四三）「樞垣紀略」卷一三，頁一二至一三。
（註四四）「乾隆廷寄」㈠，頁三。民國六十三年六月，廣文書局。
（註四五）方本上諭檔，道光三十年十一月初九日，辦理軍機處增訂章程。
（註四六）寄信檔，乾隆三十四年秋季檔，寄信上諭。
（註四七）軍機處檔月摺包，第二七七二箱，第一〇包，一二六七號，乾隆十二年九月初五日，圖爾炳阿奏摺錄副。
（註四八）廷寄，咸豐八年夏季分，四月十七日，「查開准駁各夷條款」。
（註四九）寄信檔，乾隆四十六年二月二十七日，啓。
（註五〇）譯漢寄信檔，道光十七年九月二十日，字寄。
（註五一）拙撰「清世宗與辦理軍機處的設立」，「食貨月刊」第六卷十二期，頁二三，民國六十六年三月。
（註五二）張德澤撰「軍機處及其檔案」，「文獻論叢」論述二，頁六〇，民國五十六年十月，台聯國風出版社。

圖版壹　內閣奉上諭

嘉慶六年五月初九日

嘉慶六年五月初九日內閣奉
上諭京師地安門外舊有明成化年間所建
文昌帝君廟宇久經傾圮碑記尚存特命敬謹重
修現已落成規模聿煥朕本日虔申謁 行九叩禮敬 因思
文昌帝君主持文運 福國佑民崇正教闢邪說 靈蹟最著海內崇奉與
關聖大帝相同允宜列入祀典用光文治著交禮
部太常寺將每歲應 春秋 於何時致祭 之典 及一切儀文仿
照
關帝廟定制詳查妥議具奏欽此

Plate I: Edict promulgated through the Grand Secretariat (June 19, 1801)

欽命四書題詩題

達巷黨人曰大哉孔子

子曰道不遠人人之為道而遠人不可以為道

詩云伐柯伐柯其則不遠執柯以伐柯睨而

視之猶以為遠故君子以人治人改而止忠

恕違道不遠

慶以地

賦得雨洗亭皋千畝綠　得皋字五言八韻

光緒二十一年乙未科宗室會試

欽命四書題詩題

居敬而行簡以臨其民

賦得君臣一氣中　得親字五言八韻

光緒二十一年乙未科會試

欽命四書題詩題

主忠信　上論語

優優大哉禮儀三百

居天下之廣居立天下之正位行天下之大道

得志與民由之

Plate 2: Questions set in the Metropolitan Eyamination (1895)

圖版叁　進士等第單　光緒二十四年

一甲進士三名

○夏同龢　貴州人　年二十四歲　一甲一名進士　覆試一等一名　朝考一等二十九名

○夏壽田　湖南人　年二十八歲　一甲二名進士　覆試一等三名　朝考一等三名

○俞陛雲　浙江人　年三十一歲　一甲三名進士　覆試一等三十六名　朝考一等二十八名

宗室進士三名

○宗室文斌　正藍旗人　年二十九歲　二甲八十四名進士　覆試二等一名　朝考一等四十六名

○宗室壽福　鑲藍旗人　年二十四歲　二甲八十八名進士　覆試一等二名　朝考二等九十九名

宗室舒榮○　鑲紅旗人　年二十八歲　二甲一百二十一名進士　覆試一等一名　朝考二等三十九名

滿洲進士六名

○蔭　桓　滿洲人　年二十五歲　二甲十七名進士　覆試二等十二名　朝考一等四十四名

○阿　聯　滿洲人　年三十六歲　二甲七十一名進士　乙未覆試三等八十名　朝考二等三名

○志　琮　滿洲人　年二十五歲　二甲七十二名進士　覆試二等九十六名　朝考二等四十三名

Plate 3: List ranking *chin-shih* examination candidates (1898)

圖版肆 知會

嘉慶六年五月十八日

辦理軍機處為知會事所有查審塗改刑部公
文一案經本處會同步軍統領明 於五月十
八日具奏奉
旨依議欽此相應將原奏一件並塗改刑部原文一
件一併封寄
貴將軍
貴侍郎查照辦理為此知會
五月十八日

Plate 4: Intra-government lateral communication (June 28, 1801)

圖版伍 劄文

乾隆五十四年正月初八日

辦理軍機處為劄覆事昨有賚到職貢圖一卷
四庫書一本本處于初六日業經收訖俟辦理
完竣再行寄交該總管各歸原處安設可也須
至劄者
右劄熱河總管准此
乾隆五十四年正月初八日

Plate 5: Intra-government lateral communication (February 2, 1789)

圖版陸　書啓

嘉慶二十四年八月初四日

敬啟者奉
旨令 津 等傳知
聖躬右臂微痛初一初二兩日手指微腫運用不能
自如外省奏摺俱奉
旨令 蔭溥 代批初三日已照常
批摺初四日更覺平復本年順天鄉試密封各本正
副考官俱係
御筆書寫籤內其同考官十八員因字數稍多恐致
過勞於開列各單內將同考官及彈壓副都統
監試御史外簾官俱用
硃筆圈點分別
派出此本到闈時奉
旨令密行拆封不可宣露即令內閣學士照向例批
寫再行齎赴
午門前宣讀特此佈
聞順請
台安

盧托戴文
全頓啟
八月初四日

Plate 6: Intra-government lateral communication (Sepenber 22, 1819)

圖版柒　奏片

光緒二十四年五月初四日

本日總理各國事務衙門奏代遞主事康有為
條陳摺又康有為奏進呈
孔子改制考摺並書一函奉
旨留尚書許應騤奏遵
旨明白回奏摺奉明發
諭旨一道侍讀學士徐致靖奏請廢八股摺又奏嗣
後用人行政一切外洋交涉事件請
明詔宣示片均奉
旨存謹將原摺片恭呈
慈覽謹
奏

五月初四日

Plate 7: Grand council memorandum submitted to the Empress (June 22, 1898)

圖版捌　卜辭

乾隆五十一年二月初五日

丙午二月初五日巳時占逃賊

天后　丑巳

青龍　未丑　元六元　陰寅　元常　卯辰　巳白

六合　酉卯　卯酉卯　后丑　午空

元武　卯酉　貴子　未青

螣亥　戌酉申勾

朱　六

支上酉為旬空其陰神為卯元武加之元武為賊卯為林木賊應在多樹木之處占逃亡看遊都巳日以丑為遊都天后加丑疑為陰人所庇而丑之陰神為未巳日以未為魯都青龍加之以青龍貴神冲天后宜可擒獲惟酉係旬空元武卯遂生空鄉或此賊已伏冥誅如果尚藏深林密箐之地則須填實旬空或係酉日酉月擒獲也擒賊要勾陳得力勾陳加申臨於寅寅係東北方元武卯臨於酉酉為西方應令東北方之人向西擒賊也

臣吉夢熊謹占

Plate 8: Report on divination (March 4, 1786)

圖版玖　上諭登記檔

嘉慶九年九月初九日

Plate 9: Page from the Register of Imperial Edicts (Octobor 12, 1804)

圖版壹零 譯漢上諭

道光二十七年正月十三日

十三日奉

必須交書房查明汗語方妥

上諭庫倫辦事大臣德勒克多爾濟回任道路尚覺

較遠著加恩賞驛傳合良由沮路行欽此

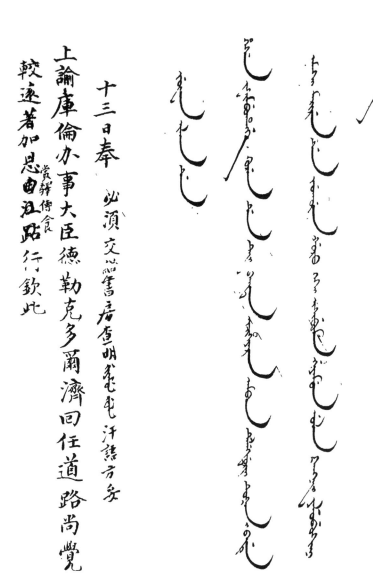

Plate 10: Page from the Record Book of Imperial Edicts translated from the Manchu (February 27, 1847)

圖版壹壹

滿蒙藏漢文敕書 光緒三年正月初四日

此單係正月初四日大人們見

帶下照 硃圈填寫 諭旨

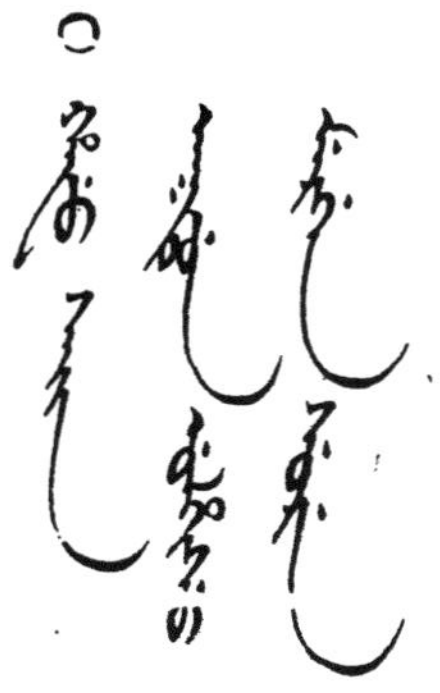

智慧
信敏
達善

此件係松溎奏濟嚨呼圖克圖掌辦商上事

務一年期滿洵堪勝任懇請

賞給

敕書一摺著照所請濟嚨呼圖克圖准其掌辦商

上事務並加

恩賞給達善名號俟前輩達賴喇嘛送布彥時再

行發給

敕書

Plate 11: An Imperial Command Edict written in Manchu, Mongol, Tibetan, and Chinese (February 16, 1877)

圖版壹壹B

滿蒙藏漢文敕書

光緒三年正月初四日

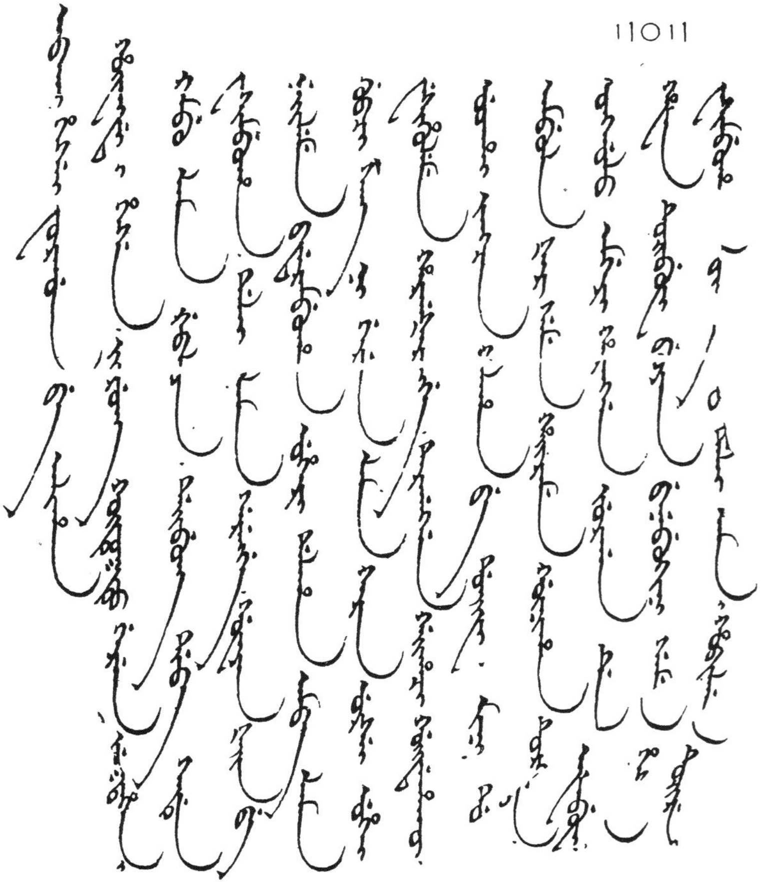

此件係鐵祺調補正紅旗漢軍副都統所遺正白旗蒙古副都統鍾泰補授鍾泰所署正黃旗漢軍副都統載慶署理

Plate 11: An Imperial Command Edict written in Manchu, Mongol, Tibetan, and Chinese (February 16, 1877)

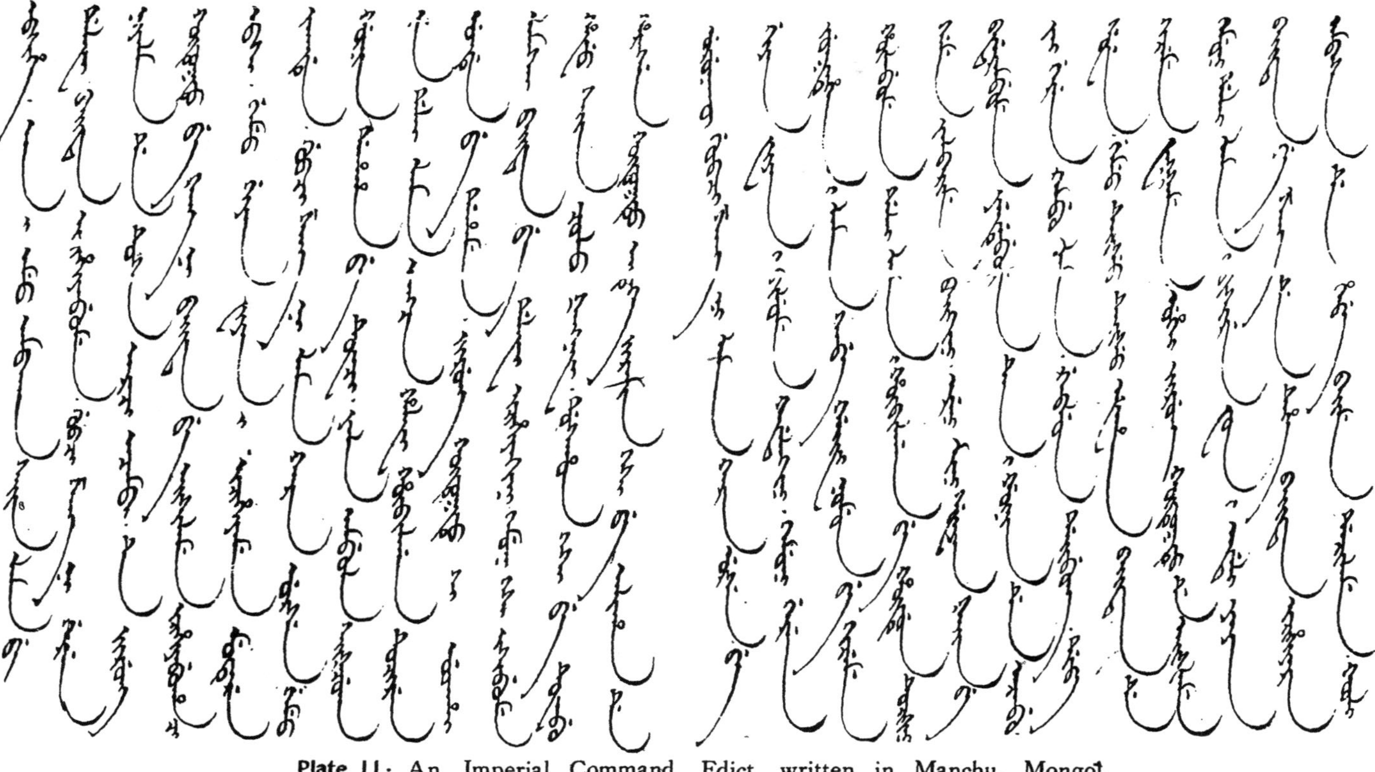

圖版壹壹 C 滿蒙藏漢文敕書 光緒三年正月初四日

Plate II: An Imperial Command Edict written in Manchu, Mongol, Tibetan, and Chinese (February 16, 1877)

圖版壹壹D 滿蒙藏漢文敕書 光緒三年正月初四日

Plate 11: An Imperial Command Edict written in Manchu, Mongol, Tibetan, and Chinese (February 16, 1877)

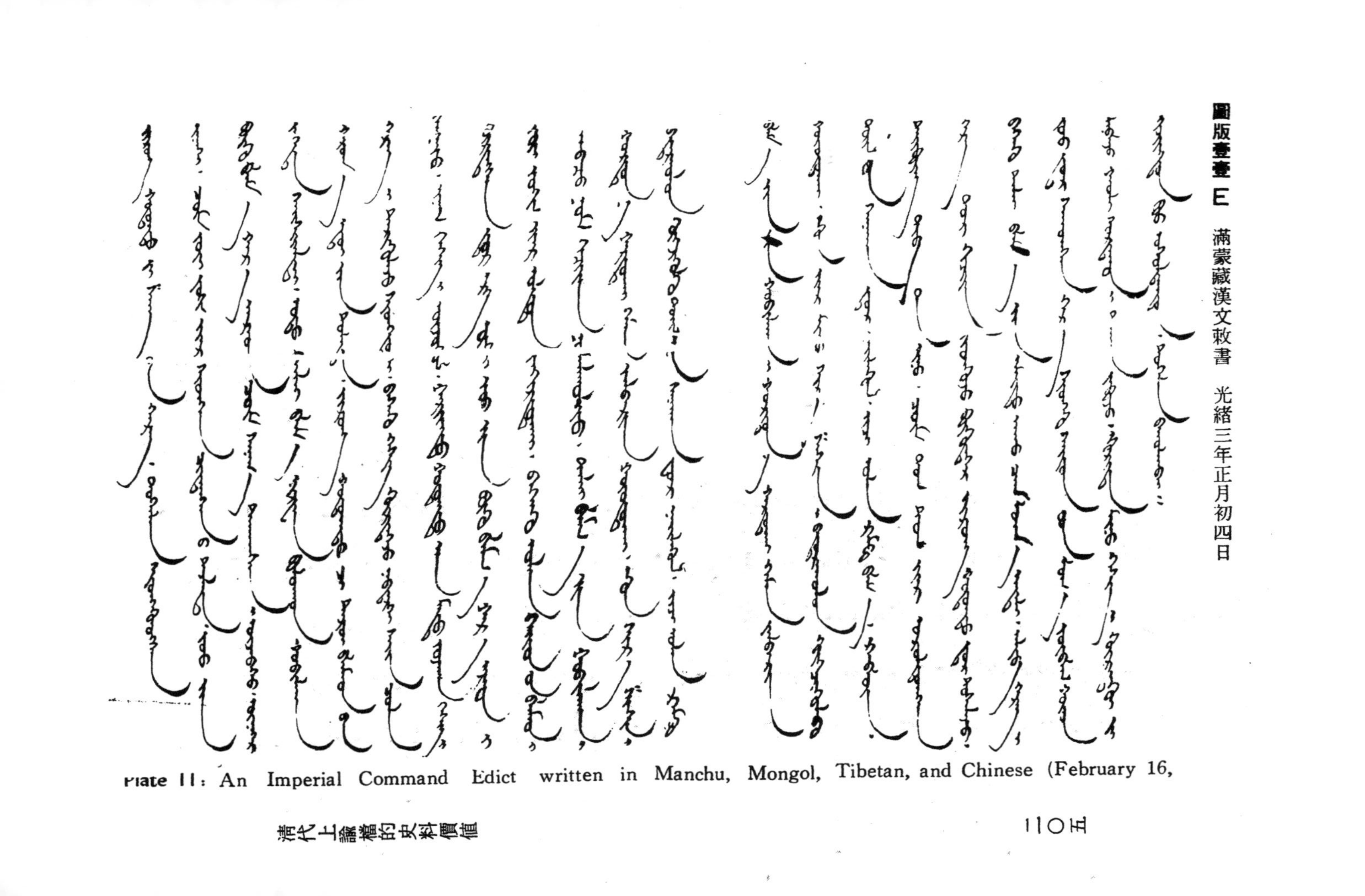

圖版壹壹 E 滿蒙藏漢文敕書 光緒三年正月初四日

Plate 11: An Imperial Command Edict written in Manchu, Mongol, Tibetan, and Chinese (February 16,

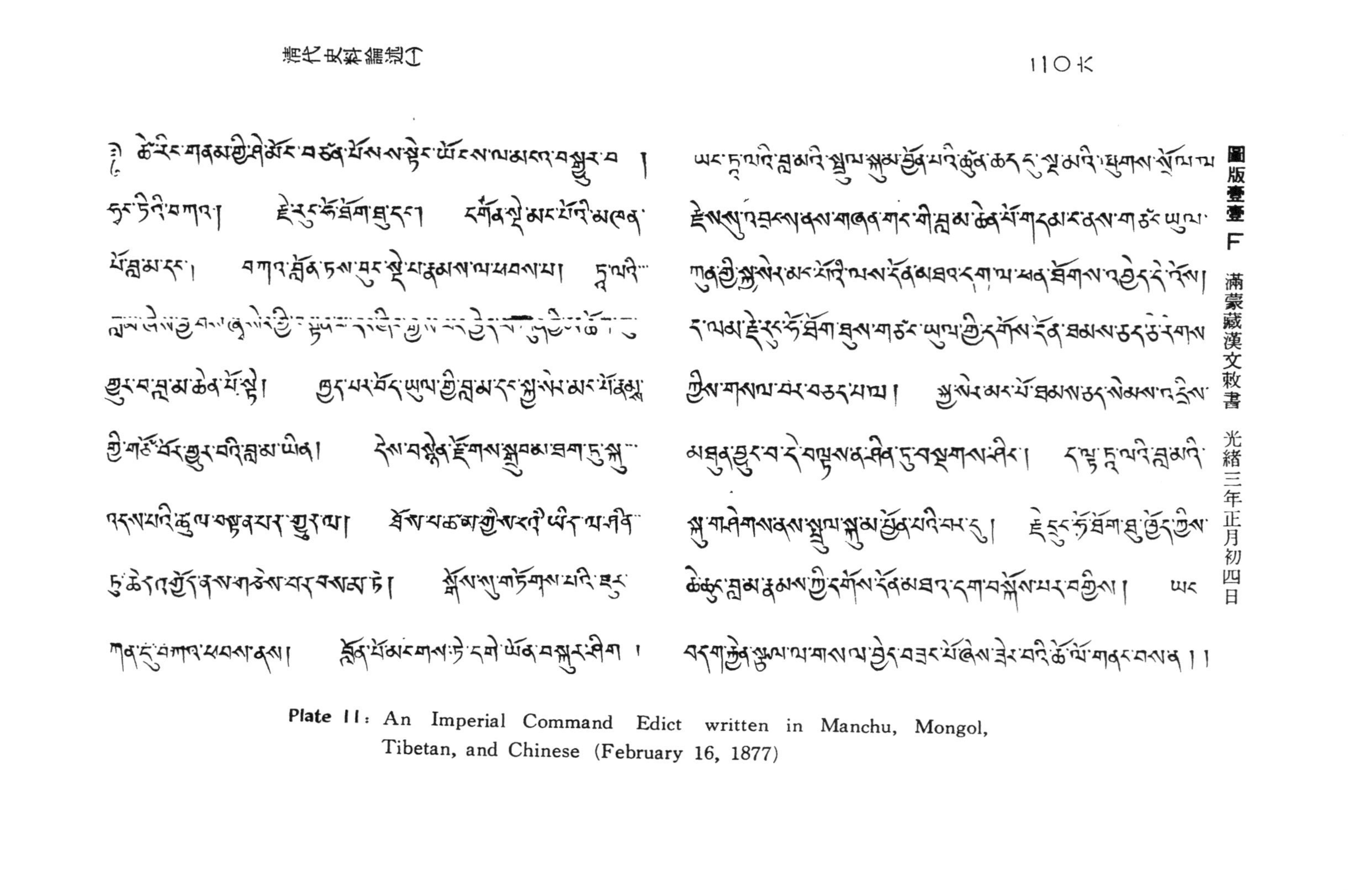

圖版壹壹F　滿蒙藏漢文敕書　光緒三年正月初四日

Plate 11: An Imperial Command Edict written in Manchu, Mongol, Tibetan, and Chinese (February 16, 1877)

圖版壹壹 G 滿蒙藏漢文敕書 光緒三年正月初四日

དེའི་ཐུགས་དགོངས་པ་དང་བསྟུན་པར་གྱིས་ཤིག །ཧོ་ཐོག་ཐུ་ཀྱེད་གནང་སྤྱིན་
ཆེན་པོ་ཁུར་དུ་བླངས་པས་རང་དབང་མེད་པར་བོད་ཀྱི་སྐྱེ་སེར་འབར་ནམས་ལེགས
པར་བསྐྱོང་ཤིག །སླར་ཡང་དགོན་སྡེ་མང་པོའི་བླ་མ་རྣམས་དང་ལྷན་ཅིག་ཏུ །
ཏཱ་ལའི་བླ་མའི་ཡང་སྲིད་ཀྱི་མའི་སྐུ་སྐྱུར་དུ་གསལ་བར་ཐོན་པའི་ཆེད་དུ་དམིགས
ཏེ་སྐུ་རིམ་དང་སྨྱུར་ཐོན་གསོལ་འདེབས་སོགས་ལ་འབད་པར་གྱིས་ཤིག །
འདིན་དེ་དེང་ཀྱི་ཞྭ་སེར་གྱི་བསྟན་པ་ཤིན་པོ་ཆེ་དང་ཞིང་རྒྱས་ལ་ཡུན་རིང་དུ་གནས
པ་སོགས་དེའི་ཐུགས་ཡུལ་དང་མཐུན་པར་དགོས། ཡང་སློབ་མཁན་པོ་བླམ
བཀའ་བློན་ཏས་པུར་སྡེ་པ་རྣམས་ཀྱིས་སོ་སོ་ལ་གཏད་པའི་ལས་དོན་ལ་ཤིན་ཏུ
འབད་པ་དང་། ལྷན་དུ་སེམས་གཅིག་གྲུབ་ཏེ་རུ་ཧོ་ཐོག་ཐུ་ལ་ཕན་པར
བརྩོན་བྱེད་ནས། དོན་མི་ཟ་ཏཱ་ལའི་བླ་མ་ཞལ་བཞུགས་པའི་དུས་ལྟར་ཅི་དོན
ཐམས་ཅད་གཙོར་ལ་འཚོད་པའི་ལམ་པད་དང་བསྒྲུབ་བྱེད་ནས། ལྷ་མའི་
ལུགས་སྲོལ་གྱི་རྗེས་སུ་འཕྲར་ཏེ་ཧག་ཏུ་དའི་གནང་སྤྱིན་སྐུགས་ནས་འབད
[illegible]

Plate II: An Imperial Command Edict written in Manchu, Mongol, Tibetan, and Chinese (February 16, 1877)

圖版壹壹H 滿蒙藏漢文敕書 光緒三年正月初四日

奉天承運

皇帝詔曰諭濟嚨呼圖克圖及各寺堪布喇嘛噶布倫戴琫第巴等達賴喇嘛闡揚黃教為闔藏喇嘛之表率僧俗人衆所共尊乃受戒未久遽聞圓寂朕心深為悼惜前已有旨令該衙門派員齎送布彥惟達賴喇嘛之呼畢勒罕未經出世以前仍須曉事喇嘛一人掌辦闔藏事務方資裨益今濟嚨呼圖克圖自代辦商上事務以來均臻妥協僧衆無不悅服深堪嘉尚現在達賴喇嘛之呼畢勒罕尚未出世所有闔藏事宜即著該呼圖克圖悉心掌辦並加恩賞給運善名號以示優隆該呼圖克圖受此厚恩務將闔藏僧俗人等妥為撫馭並著率領各寺喇嘛虔誦經卷祝禱達賴喇嘛之呼畢勒罕及早出世以副朕維持黃教之至意至衆堪布喇嘛噶布倫戴琫第巴等均應恪慎將事各盡厥職於闔藏一切上事宜幫同濟嚨呼圖克圖並諮稟駐藏大臣照例遵辦俾得常承恩眷勉之毋忽

特諭

此係頒給濟嚨呼圖克圖等清漢敕書底於正月初九日大人們見面時隨奏片一併帶上帶下回來處將奏片併清文敕書底交蒙古堂領去

Plate 11: An Imperial Command Edict written in Manchu, Mongol, Tibetan, and Chinese (February 16, 1877)

圖版壹貳 寄信上諭

道光三十年二月二十七日

軍機大臣 字寄

湖廣總督裕 廣西巡撫鄭 貴州巡撫喬

廣西提督閔 道光三十年二月二十七日奉

上

諭本日（昨）據鄭祖琛閔正鳳馳奏楚匪竄擾戕害備（摘交起）

弁逃回楚境仍飭兵勇追勦並將擒獲要犯先行

正法一摺（摘交止）覽奏已悉湖南逆匪滋事屢次竄往廣（所辦深屬可嘉）

西龍勝等處均經該省文武督率兵勇奮力攻擊

屢有殲擒雖將備弁兵間有傷亡究係認真堵禦

迫險立功乃湖南省並（竟）未勦捕壘經裕泰馳奏未

據聲敘殲擒若干是湖南將弁之不能調度兵勇（不過舉其大概情形鋪張聲勢一奏塞責）

之不用命已可概見現在賊匪業已竄至湖南通

道縣屬該處路通貴州若不亟籌堵勦深恐勾結

茴猺蔓延日甚裕泰業已馳至武岡州著仍遵前
旨散其黨羽激勵紳勇認真搜捕務將首要各犯
迅就殲擒儻再遷延觀望任聽庸劣將弁畏葸不
前貽誤事機試思統轄兩省責無旁貸其能當此
重咎否耶至匪蹤逃逸靡定並著鄭祖琛喬用遷
閱正鳳各遵前旨多派弁兵分投截拏尤在杜其
勾結庶可剋日殲除諒該撫等必能不失機宜也
摘文起
其廣西省擊賊被戕之署慶遠協都司事守備鄧
宗武署提標中營守備事千總蘇秉華署提標右
營千總事把總周榮奮勇捐軀均堪憫惜著加恩
均照各署銜賜卹傷亡兵勇並著查明咨部議卹
摘文止
餘著照所擬辦理將此由四百里各諭令知之欽
此遵
旨寄信前來

遞上
御筆添改發下並 發下
御筆條另行鈔錄呈覽另繕再述
留添改一件 發下另繕之件 堂諭照原底再繕
並遵
御筆添改發去

Plate 12: Court Letter (April 9, 1850)

清太祖武皇帝實錄敍錄

清太祖武皇帝實錄四卷四册，分裝兩函，紅綾封面，白鹿紙，朱絲欄楷書，每半頁九行，行二十三或二十五字不等，無序、表、凡例、目錄。按清太祖實錄，始修於太宗時。天聰九年八月，畫工張儉、張應魁合繪太祖實錄圖告成。因與歷代帝王實錄體例不合，尋命內國史院大學士希福、剛林等以滿蒙漢三體文字改編實錄，去圖加諡。崇德元年十一月，纂輯告成，題爲「大清太祖承天廣運聖德神功肇紀立極仁孝武皇帝實錄」，凡四卷，是爲太祖實錄初纂本。世祖順治初年，重繕太祖武皇帝實錄，原本遂佚。本院所藏此帙，書中於康熙以降諸帝廟諱俱不避，當卽順治年間重繕之本也。聖祖康熙二十一年十一月，特開史局，命大學士勒德洪爲監修總裁官，明珠、王熙、吳正治、李霨、黃機等爲總裁官，仿太宗實錄體式，重修太祖實錄。辨異審同，增刪潤飾，釐爲十卷，並增序、表、凡例、目錄，合爲十二卷。二十五年二月，書成，題爲「大清太祖承天廣運聖德神功肇紀立極仁孝睿武弘文定業高皇帝實錄」。世宗雍正十二年十一月，復加校訂，酌古準今，辨正姓氏，畫一地名，歷時五載，高宗乾隆四年十二月，始告成書，卷端題詞於睿武下加端毅欽安四字。計實錄十卷，序、表、凡例、目錄三卷，合爲十三卷。大學士鄂爾泰、張廷玉、徐本俱任校對總裁。

太祖實錄，屢經重修，盡刪所諱，湮沒史蹟。武皇帝實錄，雖因太宗每出己見，增損舊檔，杜撰史事，惟其爲有清一代初纂實錄，宜其最近眞相。書法質樸，譯名俚俗，於清代先世，亦直書不諱，仍不失滿洲舊俗。高皇帝實錄，經聖祖以降歷朝再三改修，整齊體裁，斟酌損益，雖有正誤之功，究難掩諱飾之過。武皇帝實錄卷二頁三，詳載哈達國主孟革卜鹵私通嬪御，謀逆伏誅事云：

「太祖欲以女莽姑姬與孟革卜鹵爲妻，放還其國。適孟革卜鹵私通嬪御。又與剛蓋通謀，欲篡位，事洩。將孟革卜鹵、剛蓋與通姦女俱伏誅。」

高皇帝實錄卷三頁五，雖載哈達國王謀逆伏誅一節，却盡刪其私通嬪御之跡云：

「其後，上欲釋孟格布祿歸國。適孟格布祿與我國大臣噶蓋謀逆事洩，俱伏誅。」

高皇帝實錄卷十頁二一，於大妃殉葬太祖出自被迫之記載，諱而不錄。其文云：

「先是，孝慈皇后崩後，立烏喇國貝勒滿太女爲大妃。辛亥辰刻，大妃以身殉焉，年三十有七。」

武皇帝實錄卷四頁三二，於諸王逼令帝后殉葬，帝后支吾不從一節，記載尚詳。原文云：

「帝后原係夜黑國主楊機奴貝勒女，崩後，復立兀喇國滿泰貝勒女爲后。饒豐姿，然心懷嫉妒，每致帝不悅，雖有機變，終爲帝之明所制留之。恐後爲國亂，預遺言於諸王曰：『俟吾終，必令殉之』諸王以帝遺言告后，后支吾不從。諸王曰：『先帝有命，雖欲不從，不可得也。』后遂服禮衣，盡以珠寶飾之，哀謂諸王曰：『吾自十二歲事先帝，豐衣美食，已二十六年，吾不忍離，故相從于地下，吾二幼子多兒哄、多躲當恩養之。』諸王泣而對曰：『二幼弟吾等若不恩養，是忘父也，豈有不恩養之理。』于是后於十二日辛亥辰時自盡，壽三十七。」

私通嬪御，事不雅馴，固皆刪除。逼殺繼母，褻瀆聖德，例不應書。侍婢殉葬，后妃等名，其事瑣屑，更非漢俗，故俱不載。武皇帝實錄卷二頁五，載中宮皇后納喇孟古薨。原文云：

「中宮皇后薨。后姓納喇，名孟古姐姐，乃夜黑國楊機奴貝勒之女，年十四適太祖。其面如滿月，豐姿研麗，器量寬洪，端重恭儉，聰穎柔順。見逢迎而心不喜，聞惡言而色不變。口無惡言，耳無妄聽。不悅委曲讒佞輩，脗合太祖之心，始終如一，毫無過失。太祖愛不能捨，將四婢殉之。」

高皇帝實錄卷三頁八，改中宮皇后為孝慈皇后，不載后名。刪四婢殉后事，增不預外事條，贊語辭藻，已逐句潤飾。其文云：

「孝慈皇后崩。后姓納喇氏，葉赫國貝勒楊吉砮女也，年十四，歸上。儀範端淑，器度寬和，莊敬聰慧，不預外事，詞氣婉順。譽之不喜，縱聞惡言，而愉悅之色，弗渝其常。不好諂諛，不信讒佞。耳無妄聽，口無妄言。殫誠畢慮，以奉事上。始終盡善，及崩，上悼甚。喪殮祭享，儀物悉加禮。」

武皇帝實錄載滿洲款明，語多卑順。高皇帝實錄已盡刪對明敬詞，於戰爭勝負，誇張尤甚。天命四年三月，薩爾滸之役，明兵三路喪師。武皇帝實錄卷三頁四，但載其結果為「戰三路兵時，我兵約折二百人。」高皇帝實錄卷六頁一四，增飾已多。其文云：

「是役也，明以傾國之兵，雲集遼瀋。又招合朝鮮、葉赫，分路來侵，五日之間，悉被我軍誅滅。

宿將猛士，暴骸骨於外。士卒死者不啻十餘萬，舉國震動。我軍迅速出師，臨機決策，將士爭先，天心佑助，以少擊衆，莫不摧堅挫銳，立奏膚功。策勳按籍，我士卒僅損二百人。自古克敵制勝，未有若斯之神者也。」

武皇帝實錄成書既早，字義未當，同名異譯，固屬不免，惟高皇帝實錄屢經潤飾，史實已晦。其增錄上諭而不見於武皇帝實錄者竟達五十三道之多。其餘增删隱諱之處尙多，無煩縷擧。

民國二十一年一月，本院曩在北平曾以武皇帝實錄排版印行，凡五十三頁，每半頁十四行，行三十五字，卷末附列勘誤表。五十八年多，臺北臺聯國風出版社影印者，卽據其本。惟本院當年付排時，恐汚損原繕本，特予重鈔，錯誤頗多，見於卷末勘誤表者已五十餘處，其餘因鈔寫或排印錯誤而未校出者，實更倍之。同名異譯，原本疏漏。重鈔鉛印，舛錯尤多。淸國姓或作愛新覺羅，或作愛新覺落。夜黑國主或稱揚機奴，或稱楊機奴。癸丑年九月初六日，太祖「以金盃賜酒」，鉛印本誤作「以金盔賜酒」。漏字脫詞，更屬常見。校勘不精，疏漏實多。且段落未分，亦無句逗，擡寫違式，致原本面目，已難窺見，實不足饜學者之望。是後，本院雖曾議及與太宗文皇帝實錄初纂本重加影印，欲合北平圖書館所藏世祖章皇帝實錄初纂本爲淸代前三朝初纂實錄，惟書未成而北平已淪陷，其事遂寢。本院爲保存史料原來眞貌，俾有助於淸史之硏究，爰將原繕本武皇帝實錄四卷，影印行世，或可慰鴻碩於萬一。

大清太祖承天廣運聖德神功肇紀立極仁孝武皇帝實
錄卷之二
己亥年正月東海兀吉部內虎兒哈部二酋長王格張
格率百人來貢土産黑白紅三色狐皮黑白二色貂皮
自此兀吉虎兒哈部內所居之人每歲入貢其中酋長
箔吉里等六人乞婚
太祖以六臣之女配之以撫其心時滿洲未有文字文移
往來必須習蒙古書譯蒙古語通之二月
太祖欲以蒙古字編成國語榜識厄兒得溺剛盖對曰我
等習蒙古字始知蒙古語若以我國語編創譯書我等
實不能
太祖曰漢人念漢字學與不學者皆知蒙古之人念蒙古
字學與不學者亦皆知我國之言寫蒙古之字則不習
蒙古語者不能知矣何汝等以本國言語編字為難以
習他國之言為易耶剛盖厄兒得溺對曰以我國之言
編成文字最善但因翻編成句吾等不能故難耳
太祖曰寫阿字下合一媽字此非阿媽乎（阿媽父也）厄字
下合一脉字此非厄脉乎（厄脉母也）吾意决矣尔等試

寫可也于是自將蒙古字編成國語頒行創制滿洲文
字自
太祖始
三月始炒鐵開金銀礦是時哈達國孟革卜鹵與野黑
國納林卜祿因隙搆兵力不能敵孟革卜鹵以三子與
太祖爲質乞援
太祖命非英凍剛盖二人領兵二千往助納林卜祿聞之
遂令大明開原通事齎書與孟革卜鹵曰汝執滿洲來
援之將挾贖質子盡殺其兵如此汝昔日所欲之女吾
即與之爲妻二國仍舊和好孟革卜鹵依言約夜黑人
于開原令二妻往議
太祖聞之九月發兵征哈達
太祖弟恭兒哈奇貝勒曰可令我爲先鋒試看若何
太祖命領兵一千前進行至哈達國哈達兵出城拒之恭
兒哈奇按兵不戰向
太祖曰有兵出城迎敵
太祖曰此來豈爲城中無備耶怒喝恭兒哈奇貝勒曰汝
兵向後即欲前進時恭兒哈奇貝勒兵尚阻路迯遶城

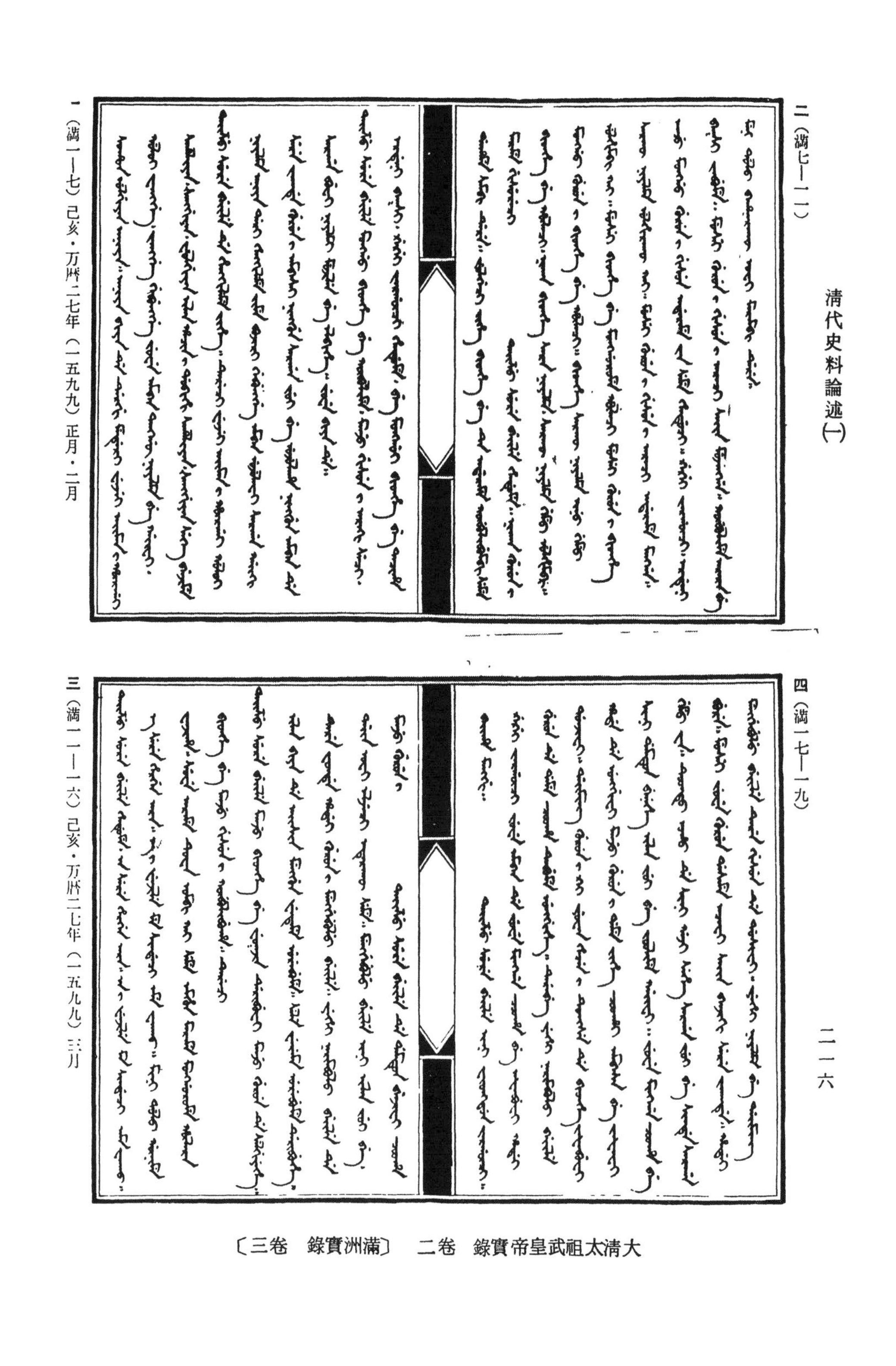

一（滿一—七）己亥・万曆二七年（一五九九）正月・二月

二（滿七—一二）

三（滿一一—一六）己亥・万曆二七年（一五九九）三月

四（滿一七—一九）

大清太祖武皇帝實錄　卷二　〔滿洲實錄　卷三〕

清太宗漢文實錄初纂本與重修本的比較

清初議修太宗文皇帝實錄，始於順治六年正月，世祖命大學士范文程、剛林、祁充格、洪承疇、馮銓、甯完我、宋權等充總裁官，學士王鐸、查布海、蘇納海、王文奎、蔣赫德、劉清泰、胡統虞、劉肇國等充副總裁官，並擇於是月初八日開館。惟順治八年十月二十四日，內國史院大學士希福等奏稱「恭惟我太祖武皇帝開創豐功，太宗文皇帝嗣位，即命儒臣纂成實錄，功德昭如日月，謨烈垂諸奕禩。臣等伏思太宗文皇帝德業弘遠，益擴丕基，必備載史册，求爲法守，用昭我皇上孝思。且皇上躬親大政以來，事事恪遵太宗心法，纂修實錄大典，尤不可緩，謹請皇上勅行，期於速竣，則太宗功德彰於永久，而皇上承先之志彌光。伏乞特頒勅諭，飭臣衙門纂修，應用官員人役，臣等另疏具奏。」（註一）據此可知大學士范文程等並未遵旨於順治六年正月初八日如期開館，其正式開館係始於順治九年。是年二月初一日，世祖宴纂修太宗實錄官於禮部，且聖祖仁皇帝實錄亦載「順治九年纂修太宗文皇帝實錄」字樣（註二）。是年九月初八日，命內國史院學士魏天賞、詹事府少詹事兼侍講學士高珩、李呈祥充副總裁官。順治十年正月十九日，以內翰林秘書院大學士陳名夏充總裁官。順治十二年二月十二日，內翰林國史院侍讀黃機以太宗文皇帝實錄纂輯告成，奏請特命諸臣詳加校訂（註三）。其書題爲「大淸太宗應天興國弘德彰武寬溫仁聖睿孝文皇帝實錄」，凡四十卷，每卷一册，附目錄一册，此卽太宗文皇帝實錄漢文初纂本，書中於聖祖以降諸帝名諱，直書不避（註四）。世祖命和碩鄭親王等重加校閱，未及蕆事。康熙六年十一月二十三日，聖祖命內秘書院大學士班布爾善等校對太宗文皇帝實錄。康熙十二年八月，命圖海爲監修總裁官，勒德洪、明珠、李霨等爲總裁官，特開史局，蒐討訂正。康熙二十一年九月二十二日，重修告竣，繕錄成編，題爲「大淸太宗應天興國弘德彰武寬溫仁聖睿孝隆道顯功文皇帝實錄」。其書合凡例目錄滿洲蒙古漢文各六十七卷，是爲康熙年間重修本。雍正九年十二月二十日，纂修聖祖仁皇帝實錄告成。十二年十一月二十九日，大學士鄂爾泰等因三朝實錄內人名地名字句與聖祖仁皇帝實錄前後未曾畫一，奏請派滿漢大臣率同簡選翰林官員，重加校對。世宗命大學士鄂爾泰、張廷玉、協辦大學士工部尙書徐本爲總裁官，理藩院右侍郎班第、內閣學士索柱、岱奇、勵宗萬爲副總裁官，開館訂正，酌改繕寫。高宗卽位後，命諸臣繼續辦理，乾隆四年十二月初十日，恭校繕竣，題爲「大淸太宗應天興國弘德彰武寬溫仁聖睿孝敬敏昭定隆道顯功文皇帝實錄」，合凡例目錄滿洲蒙古漢文各六十八卷，卽所謂乾隆年間重修本，亦卽定本太宗文皇帝實錄。書中凡遇聖祖玄燁、世宗胤禛名諱，俱行改避，易玄爲黑，易胤爲廕。

清代改纂實錄，屢見不鮮。太宗實錄一再重修，盡删所諱，以致史事湮沒不彰。順治八年閏二月二十八日，刑部尙書固山額眞公韓岱等審議剛林等罪狀，其第七款云「將盛京所錄太宗史册，在在改抹一節，訊之剛林。據供纂修之時，遇應增者增，應減者減，删改是實，舊稿尙存。」（註五）張國瑞氏於「

故宮博物院文獻館現存清代實錄總目」書中謂「考清代實錄之纂修，始於天聰朝，當時以滿文為主，漢蒙文則係照譯。及至乾隆四年，將太祖太宗世祖三朝實錄重加校訂，內中記事多有刪節，人名地名譯音亦求畫一。」（註六）惟雍正乾隆年間但在畫一人名地名或潤飾字句而已，其重修刪改，實成於康熙年間。乾隆三年十月初四日，高宗諭云「雍正十二年十一月內，皇考以太祖太宗世祖三朝實錄中，人名地名字畫音句之屬，有與聖祖仁皇帝實錄未曾畫一者，特命大臣等敬謹查對，酌改繕寫，以昭示萬年。朕卽位之初，諸臣正在辦理，因將恭加列祖尊諡字樣增入書中。惟皇祖實錄未有重修之處，是以恭加尊諡，未曾增入。朕思四朝實錄，理應畫一，皇祖實錄內，應將恭加尊諡增入，方與列祖相符。目今正值重繕列祖實錄之時，敬將恭加皇祖尊諡，增入實錄內，每卷只須換寫前後兩幅（下略）。」（註七）方甦生氏於「清實錄修改問題」一文中略謂康熙纂修三朝實錄，前後歷時二十載，而雍乾校訂，合三朝漢滿蒙文三體，凡六百餘卷，僅歷五載而成，較之康熙速度四倍，雖或人員多寡不同，要亦因前者為重修，刪削增飾，須加蒐考，後者則僅校訂字畫音句，畫一人名地名而已。在乾隆四年校訂告成後，仿前明例，將康熙舊本，焚之蕉園，惟康熙修纂三朝實錄，未嘗焚稿，故順治所修兩朝舊本，仍存閣庫，康熙未定稿，流落民間，說者遂執傳鈔稿本，以較校訂本，遂謂「乾隆朝善改舊修實錄。」（註八）康熙六年，內閣檔案殘題稿述聖祖重修太宗實錄動機甚詳，原稿云「題為請旨事，康熙六年十一月十二日，皇上召臣等至內殿諭前修太宗文皇帝實錄內有字義未當，姓名舛錯者，可詳閱具奏。臣等欽遵諭旨，將第一套滿字五卷另行謄錄，應更改者更改繕寫，恭呈御覽訖。（嗣因）今臣等續改第二套將原檔（陸續）與（原）前修（副本）實錄詳加校勘，不惟字義未當，姓名舛錯，且有前後顛倒者，有（原檔所載）於例應存而遺漏者，有瑣屑事務，例不應書而書者，有一事前後重複者，（有不書干支止書年月日者）至于年日干支並未書載（有）且滿漢文對勘，有詞義舛錯不合者，有（滿漢）詞義雖合，而漢文近於俚俗，（且）並語氣未順者。實錄一書載我太宗文皇帝聖德神功，垂（後）萬世，（實）允係大典，諸如此類，（似）應增應損，似應重修。」（註九）清太宗實錄初纂本，書法質樸，譯名俚俗，成書既早，宜其較近眞相，本文即在就太宗實錄順治初纂本與乾隆重修本，互相校勘，列舉其犖犖大端者，以窺其梗概。

在清太祖努爾哈齊時期，其所轄族衆有「女直」、「建州」、「珠申」、「滿洲」、「金」、或「後金」等稱號。市村瓚次郎氏以「滿洲」名稱爲清太宗皇太極所僞造，稻葉君山氏亦稱其採用「滿洲」二字，始於編纂崇德朝實錄之日，以前遺錄及文書，實無此說（註一〇）。惟舊滿洲檔「荒字檔」萬曆四十一年九月已載「女直滿洲國淑勒崑都崙汗」字樣，其字體爲完全無圈點老滿文，其爲天聰六年以前之記錄，應屬無疑。清太宗即位以後，仍常自稱爲「滿洲國汗」或「大金國汗」，其與明朝或朝鮮往返文書，亦屢見不鮮。神田信夫氏於「滿洲國號考」一文中指出原來國號引起衆人注意，係對國外，非對國內。「金」譯成滿文爲「愛新」，「愛新國」字樣主要係與明朝及朝鮮往返文書中所使用，在天聰十年四月改國號爲「大清」以前，對外仍稱「愛新」，惟其滿洲語卻爲「滿洲」，故於往返文書以外部分俱用「滿洲」，太宗改元以後，其「金」或「滿洲」國號遂不復使用（註一一）。稻葉君山氏稱太宗諱金之國號而改爲清，其主要理由爲太祖統一諸部時欲擇一共同思想之象徵，故沿襲前金舊號，以激動女眞人之氣。太宗既併內蒙古，征服朝鮮，漢人歸降日衆，太宗雖屢次與明議和，明人多以宋金前事爲鑒，拒與和好，爲避免引起漢人之反感，遂廢棄「大金」舊號（註二二）。清太宗實錄初纂本多據舊滿洲檔逐條譯成漢文，故爲一種未定稿，其保留「金國」稱號之處仍多，聖祖時爲調和滿漢，亟力避免使用「金國」字樣，重修本遂將「金國」改稱「滿洲」或「我朝」，如：天聰五年十二月二十四日，初纂本卷八，頁二六，載參將甯完我上疏云「萬一有亂政者，言漢制不宜行於金國，又不免將開創嘉謨，中道廢止矣。」重修本卷十，頁二三，改稱「萬一有亂政者，言漢制不宜行於我朝，又不免將開創嘉謨，中道廢止矣。」將「金國」改稱「我朝」。同日，初纂本卷八，頁二八，又載甯完我疏云「至於服制一節，是汗陶鎔金漢之第一件急事，金國之人，語言既同，貴賤自別，若夫漢官只因不會金語，嘗被罵詈，嘗被辱打，至傷心墮淚者有之。」重修本卷十，頁三五，載「至於服制一節，是皇上陶鎔滿漢之第一要務，滿洲國人，語言既同，貴賤自別，若夫漢官祇因未諳滿語，嘗被訕笑，或致凌辱，至傷心墮淚者有之。」將「金語」改稱「滿洲語」，「金國」改稱「滿洲國」。天聰九年十二月初十日，初纂本卷二一，頁一〇，載「朝鮮國王致書滿洲汗」，同日又載朝鮮國王致書「金國汗」，同月二十日，亦載「金國汗」答書朝鮮國王，重修本俱將「金國汗」字樣刪略不載。崇德元年八月初三日，初纂本卷二三，頁八，載「蓋州城守官，於城門上見一匿名帖。送至云，爾金國官蔡永年，通同明國。」重修本亦將「金國」字樣刪略不載。金源是否即係滿洲，異說紛紜。天聰七年八月十四日，初纂本卷一二，頁二四，載滿洲國天聰汗諭朝鮮國王云「布占太來自蒙古，乃蒙古苗裔，斡兒哈與我俱係女直國大金之後，祖居彼地（中略）。

若謂斡兒哈與我不係一國，非大金之後，請擇一知故事者來，予將世系詳爲說明，若再不相信，觀金遼元三史而世系自明矣。」重修本卷一五，頁二一，載「布占泰來自蒙古，乃蒙古苗裔，瓦爾喀與我，俱居女直之地，我發祥建國，與大金相等，是瓦爾喀人民原係我國人民也。」重修本以滿洲與大金相等，諱稱女直國大金之後。三田村泰助氏謂「滿洲在萬曆末年時攻下葉赫，統一女直民族成功以後，改變成對外稱本國爲後金國，對內稱爲珠申。」（註一三）天聰九年十月十三日，重修本卷二五，頁二九，載太宗上諭云「我國原有滿洲、哈達、烏喇、葉赫、輝發等名，向者無知之人，往往稱爲諸申。夫諸申之號，乃席北超墨爾根之裔，實與我國無涉。我國建號滿洲，統緒綿遠，相傳奕世，自今以後，一切人等，止稱我國滿洲原名，不得仍前妄稱。」易言之，以珠申爲女直部族稱號，自此以後遂明令禁止使用。惟同月二十四日，初纂本卷二〇，頁四八，仍載太宗上諭云「諭衆於朝曰，國名許稱滿洲，其固山貝勒下人許稱某固山貝勒家諸申云。」據此可知「諸申」之名稱仍然存在。「清三朝實錄採要」所載內容相近，文字略異，太宗實錄重修本則刪除此段記事。黃彰健氏於「滿洲國國號考」一文中稱「由於諸申（女眞）已含有奴才一義，所以他不許人稱他爲女眞，而只許人稱他爲滿洲。女眞人在貝勒家仍稱諸申，但其實所征服的女眞人，仍從其主人之名而稱滿洲。」（註一四）

太宗實錄初纂本成書較早，保存史料較多，重修本每因隱諱而刪略史事。天命十一年八月二十六日，初纂本卷一，頁八，載蒙古廓兒沁國吐舍兔汗聞太祖崩殂，遣使弔喪，並致書云「前生積善，上天作君，至尊、至強、至明汗更易，奧把台吉 吐舍兔汗之名也 奉書以慰衆貝勒云，昔察希兒把敦汗主四方，握七寶，數盡則必亡，雪山白獅，其力甚大，若限到則亦死，深海內其寶無窮，及龍之死，雖有寶亦不能救，以至寶尤愈之身，如石之擲而委去也。汝國主父汗，捨寵姬愛子，視之不見，呼之不應而遂崩。歷來帝王之死，號泣亦不能復生，汝盍勉遵先汗所遺之規，所行之跡，修內圖外。寡婦守貞，始爲烈女，孤子創業，方稱奇男，宜專治國政可也。」廓兒沁吐舍兔汗國書俚俗不雅，且其口氣竟以上國自居，待滿洲如屬邦。重修本改繫其事於是年九月二十六日，刪略尤多，其文稱「蒙古科爾沁土謝圖汗奧巴，遣使來吊太祖喪，並致書，勸上節哀。」天聰八年正月初一日，初纂本載太宗往大貝勒家拜節云「上行三跪九叩頭禮，大貝勒令其子芍托阿格跪奏曰，上行九拜，異日必生九子，一統天下，永享遐齡，共樂太平。」重修本卷一七，頁二，載「詣大貝勒代善第拜之，以代善兄行，有加禮。代善令其子碩託跪奏曰，上恩優渥，臣無以報，惟願上富壽多男，一統天下，永享太平。」太宗位居人君，仍向代善行三跪九叩頭禮，且因九拜而生九子，近乎無稽之談，重修本遂諱而不載。同年八月二十四日，初纂本卷一五，頁三四，載明崇禎皇帝以諭帖揭於北樓，以間諜滿洲，其書云「我國人有得罪逃去及陣中被擒，欲來投歸者，若拏汗來，賞金萬兩，封萬戶侯，得貝子來，賞金三千兩，陞金吾衞官，即不能如此，隻身來歸，亦令永享富貴，滿洲蒙古一體恩養。」懸賞拏人，明代官書，記載甚詳，重修本卷一九，頁三六，但稱「我國人有得罪逃去及陣中被擒，欲來投歸者，不拘漢人滿洲蒙古一體恩養。」天聰九年正月二十二日，初纂本卷一八，頁六，載「揷漢兒國袞出格生格戒桑，奉掌高兒土們固山福金來附，途中私自配合。上曰，此非臣下所宜爲，遂命拆離，乃賜後附奇他特撤兒貝爲妻。」重修本卷二二，頁七，載「以察哈爾掌高爾土門固山事福金，賜祁他特車爾貝爲妻。」太宗將業已私自配合之福金，強爲拆離，改賜後附之人，重修本遂諱而不載。天聰九年二月初八日，初纂本卷一八，頁一九，載沈佩瑞奏稱「我國兵馬威武奮揚，別無可慮，但恐軍餉或不敷耳。臣係南人，素曉龜卜，凡事吉凶，可以豫斷。近思屯田一事，於新春正月十五日，虔誠灼得一卦，殊爲可喜，是以敢在汗前言之，我國不必窮兵深入，徒勞無益。」預斷吉凶，近乎迷信，故重修本將沈佩瑞素曉龜卜一段刪去不載。同年八月二十五日，初纂本卷二〇，頁一六，載「和芍兒額夫妻格格，不遵禁約，私養娼妓在外，一娼縊死於祖可法妻弟之家。」舊滿洲檔多次記載娼妓（gise hehe）之事，重修本卷二四，頁二三，改稱「初額駙和碩圖所尙公主不遵訓誡，致一婦人縊死於祖可法妻弟之家。」其訓誡爲何，不得其詳。同年十二月初三日，初纂本卷二一、頁一〇，載「莽古兒泰貝勒六子邁答里、光衮、查哈量、阿哈塔、舒孫、噶納亥，得格壘貝勒之子鄧什庫等俱爲庶人。初滿洲國本族婦女及伯母叔母嫂等，皆無嫁娶之禁，後汗以亂倫嚴禁之。莽古兒泰，得格壘二貝勒既行悖逆之事，卽爲仇敵，因令衆貝子願者便娶莽古兒泰二妻，和格貝勒納其一，姚托貝勒納其一，得格壘貝勒一妻，阿吉格貝勒納之，其餘侍妾竝罪犯之妻妾，俱各配人。」重修本卷二六，頁一〇，僅載「莽古爾泰六子邁達里、光衮、薩哈聯、阿克達、舒孫、噶納海，德格類子鄧什庫等俱降爲庶人，屬下人口財產入官。」滿洲婚姻舊俗，已難窺之。崇德七年七月初三日，初纂本卷三九，頁四，載「正黃旗厄里克涇其父婢女生子，又滿洲壯丁十七名，止編兵三名。」重修本卷六一，頁二五，惟載「正黃旗額爾克所屬滿洲壯丁十七名，止編甲三名。」重修本每因事不雅，諱而不載，且因刪略，以致史事不詳。崇德元年十月十五日，初纂本卷二三，頁二九，載和碩睿親王、和碩豫親王往征明國，至錦州臨近下營，城內善友崔應時為首，同五十人議定差胡有升持書來投，書內歌謠詳述滿洲為大金之後，並謂牛八即朱家刼數已盡，大金後代天聰皇帝應運坐殿北京，掌立世界乾坤。其書云：「天荒地亂亦非輕，古佛牒文下天宮，紫薇大金臨凡世，天聰世間侵北京，奉佛天差一帝王落凡住世，大破乾坤，只因牛八江山絕盡，今該大金後代天聰，掌立世界乾坤。普天匝地，大地人民，久等明君出現，救度男女，總歸一處，東有四處金兵皈順，北有挿酋降伏皈順。此主不非輕，天差下世，替舊換新，改立乾坤，重立世界。牛八江山功滿回天宮，天聰掌教，各位諸佛諸祖下世，擁護當今天聰皇上掌教，從混沌分下世界乾坤。天降眞印，南朝皇帝時蹇，失落西夷之手，五百年間興赴皈天聰掌立，后會彌勒大地乾坤，好人落凡，通你金身，不敢言出。天下十三布政，都有賢人，救苦觀音，護你掌教。陝西秦地，出一眞佛，通着乾坤，要見金身，終日兩泪悲傾。昨有山西平陽府西河王府，差四人來到遼東，單請天聰，掌立世界。四人五月到彼今至未回山西，等候眞君，見君一面，訴說前因。我山西平陽府人民，久等君到，收聚人民，只用三四千人馬，各處地方歸順我王，同上北京坐殿。南省、湖廣、四川、浙江、福建、廣東、廣西、齊通山西平陽府一人，串同四夷，夥同一處，扶天聰掌教乾坤，能扶一主，不扶二主。此字請主另差金兵，多則一萬，少則五千，關王顯聖，領你親到山西平陽府城縣道，接一好人，來到燕京，扶你坐殿。若他不到，你金殿還遲三四月，接他到彼見你金身，刹那之間，重立中京，天下人民，齊來皈投一朝帝王，因你掌立天下，多人難曉。山陝秦晉，聖地出一明人，夜夢境中觀你金身，他要見你，山遙路遠，難以來到，久等至今。乾坤變亂，該你大破燕京，四面八方，齊來護你坐殿。觀世音菩薩，空中顯化，高叫天聰。我朝眞印，今差送你，不能曉的。崇禎功圓果滿，刼盡回宮，該你掌教。天差揷香，親送眞印，救苦觀音菩薩，彌勒菩薩，各佛諸祖，都在空中擁護，送印執掌乾坤，此兵數萬，得進北京，不是非輕。觀音菩薩顯化，領你大兵進墻，你怎得知，二千五百大刼以盡，該你大金掌立天下，非同小可。金兵西夷，只是各處搶奪東西財物，不能成大事，要你親來領兵，分付各營金兵，守至某處，戰得燕京，此寶無窮。關東八城，兵馬盡都西征調去，空缺城池，清虛冷淡，你要領兵，淨行大路，不用費力，八城山關，北京天下，十三布政，若你不得，你把我擎拏殺床與衆諸將觀看，自願死矣。放着現成世界，不會用兵，只顧貪財，不是大人作事。天下兵馬，見了金兵，膽戰心寒，等就丙子丁丑，該天聰北京坐殿，百戰百勝，無人敵鬬。東勝神州，出一帝王，名大金，前有大元大明二帝，不滿五百年間，而大金皇上隆興，恢復舊治，掌立乾坤，是彌勒佛出世，天下人民改換，天聰掌立世間乾坤，天差各位神兵，九曜星官，二十八宿，三十六祖，四十八祖，五十三佛，六代菩薩，關王領兵助陣，八十一洞眞人，三千徒衆，子路顏回，齊來出世，同助天聰掌立，大破燕京，八方兵馬，一處聚兵，盡死在你手，天兵天將，現將大金，從赴舊位，等就刼年，該你出世，山海關津，各處地方，都有敗壞，破一家乾坤粒碎，成一家大金，復興替舊換新，改立乾坤天年大事，盡都知聞，百般依吾，見見成成，佛說大慈悲救苦觀音，護大金乾坤立世，普天下天聰超生，若不是天年時盡，誰肯言這箇年成。普天下黎民都有，都只在夢中光陰，末刼年天差下俺護大金，掌立乾坤夢中境無所不曉，只在心訴與誰聽。你在東天隔兩岸，我在西不敢動身，終日家睡思夢想，眼睜睜望的眼昏，擎住泪不敢言語，痛傷心肚內成汪，捨死命在要去了，丟家鄉妻兒苦辛。為我王乾坤世事，從立天改換年成，大鬧四海運州城捨損黎民，天年盡該你掌教，你的心從改一番，別比那前朝古帝，另立你世間乾坤，只天年你通曉，天差你紫薇星君，換新春另立世界。天下臣等候明君，破燕京牛八退位，立中京你在夢中，神安年新換世界，長安界大破西秦，收吾體調理大事，別量我臭亂僕根。從累劫混沌分下，初立世又是一同。戊午年天差下你，塵世間收聚緣人，薄福的刀兵收去，有緣的護你為君。二十年干戈不定，纔等到丙子年成，發大兵燕京大戰，破燕京好座龍墩。你動非同小可，天佛差玉皇勑令，八方境齊都護你，普天下你總收攏，只些事吾都知到，懷在心久等為君，說乾坤禮儀穿龍袍脚登雲履，要行吾天朝大事，留髮戴網帽，想當初不得我天朝，照依你金兵削髮度日。今得天朝，照依大明皇帝官員衣巾，大小頭領從新改立，一樣相同。先日大凌河，我為你打發一人，到你營送信，叫你拏住此人，不要鬆放，誰想你撒了手放了來，那時不放他回來，北京早得了，不等到如今。只一遭他領兵西征，崇禎陞他都元帥，天下官員，盡與他管，總隨領兵還有你心，天下大事說不盡。看了此字急發大兵，你領徑走大路，無人阻隔，送信人打發一人回來，我只里好防，八城得一城，都是現成，別比前番，一擁到關，安住大兵，立下營寨，不用費力，八城急隨，堵住路口，他何處逃走，千萬急來。天佛牒文，玉皇勑令，護你為君，分付金兵，不愛財物，得了金鑾寶殿，坐住龍墩，另立新春，從換官員，殺盡不平男女贓官，改換世界，赴皈舊位，另掌乾坤。我今說下，大金原根，大元大明，不滿五百年間，大金皇上，赴興恢復舊治。今五百年間，必有聖人生者，我皇上是也，萬萬餘眷。」道人崔應時原書長達二千餘言，固嫌冗長，惟臣民建白有關政事者，實錄當書。因書中所載多道教釋氏玄機，且屢言滿洲爲大金之後，重修本卷三一，頁一四，遂刪其全文，但云「先是和碩睿親王多爾袞、和碩豫親王多鐸往征明國，至錦州下營，城內有道人崔應時者，爲首與其黨五十人同謀，造爲歌謠，其書數千言，大約言明國當滅，我朝當興，宜速進兵，攻取山海等關之意。」崇德四年七月十六日，初纂本卷三一，頁五，載「是日，宴中，以和碩睿親王於濟南德王府中所得龍卵一枚，及龍卵作成二碗，命衆觀之。」重修本不載此事，民間關於龍蛋傳說，由來已久，修史諸公或以其荒誕不經，故刪略之。

初纂本語法質樸，文字俚俗，重修本以其語氣未順，詞義不當，而逐句潤飾，以致史事常見失真之處。清太宗即位後，積極向外發展，屢次對外用兵，且廣納叛民，故賞賜甚厚，初纂本詳載頒賞人員，物件名稱及數量，重修本多將物件數目刪除不載。如：天聰六年七月初五日，初纂本卷十，頁一一，載「各衞蒙古貝子辭歸，上賞孫都稜，打喇亥、兀格善納哈處、生格、伊兒都契、木章、敖漢七貝子，每人蟒緞十疋，紬二十疋，木豸土昧之子、喇嘛石希二臺吉各蟒緞四疋、紬六疋，擺松俄着力格兒、布戶瘦思二人各蟒緞一疋、青布八疋，哈兒馬、豸桑，吐舍兒三人各蟒緞一疋、青布六疋，敦多惠、代把土魯、脫格脫和、賴沙、都思哈兒五人各蟒緞一疋、青布七疋，葉速特、胯喇徹徹里格二部十二貝子各緞一疋、青布八疋，吐舍兒額夫、嘉賴特、都兒白特三衞貝子各蟒緞十疋、緞二十疋，卜他七、哈談把土魯蟒緞五疋、素緞十疋，喇嘛石希蟒緞四疋、緞六疋，胯喇沁部代打喇漢、畢拉石、喇什希布三人各蟒緞二疋、緞三疋、青布二十疋，把特馬蟒緞一疋、緞二疋、青布十疋、善巴蟒緞一疋、青布八疋，瑣訥木蟒緞一疋、緞二疋、青布十疋，巴嶺衞滿柱石里蟒緞一疋、青布十疋，阿祿衞四子部各蟒緞五疋、緞六疋，蒙古貝子受賞謝恩。」重修本卷一二，頁一四，載此事甚簡略，其文作「外藩蒙古貝勒孫杜稜等辭歸，各賜緞有差。」舊滿洲檔於賞賜物件記錄甚詳，重修本或以其事屬瑣屑，故不應書。天聰元年正月二十八日，初纂本卷二，頁二〇，載阿敏貝勒答高麗書云「辛酉年，我來拏毛文龍，凡係漢人，拏獲殺死。」因恐引漢起人反感，重修本卷二，頁一六，改作「辛酉年，我軍攻勦毛文龍，惟明人是問。」且將其事改繫於是月二十七日。天聰五年六月十九日，初纂本卷七，頁七，載大貝勒代善第五子巴喇瑪病痘卒，太宗從避痘處欲往吊，大貝勒聞知，再四遣人請止曰「上未出痘，不可來。」重修本卷九，頁八，改稱「聖躬關係重大，臣民仰賴，蒙上溫慰。我安敢不節哀，無煩車駕親臨也。」崇德二年七月初五日，初纂本卷二六，頁四，又載太宗諭旨云「前朝鮮既平，朕因未出痘，懼而先回。」重修本俱將太宗未出痘之事刪略不書。天聰六年正月十九日，初纂本卷九，頁九，載太宗以蒙古人門都等膂力絕倫，善角觝，各賜以號。其文云「賞悶杜豹皮外套一領，賜名阿兒思朗即獅子也、吐失兒卜庫即善跌交，賞都魯麻虎皮外套一領，賜名章卜庫即象也。賞特木德黑虎皮外套一領，大刀一口，緞一疋，賜名巴兒把土魯卜庫即虎也。」重修本卷一一，頁一一，作「賞門都豹裘一，賜號阿爾薩蘭土謝圖布庫，杜爾麻虎裘一，賜號詹布庫，特木德赫虎裘一、大刀一、緞一、賜號巴爾巴圖魯布庫。」重修本爲使語氣通順，而將旁註獅、象、虎等不雅字樣刪略之。阿兒思朗或阿爾薩蘭，其原義即獅子，滿文讀作"arsalan"，經重修本刪略後，其原義已難知曉。

初纂本以數序記事，祇書年月日，不書干支，重修本則改書干支。初纂本有記年月而闕日者，亦有但記年而闕月者，重修本爲整齊體裁，俱爲補朔。初纂本記事，有記月而日期不詳者，重修本多繫以干支，且初纂本原書日期，重修本改繫異日，以致與原書日期互有出入。如：淸太祖崩殂後，皇太極即位，頒詔國中，初纂本未書明日期，重修本則將「頒漢官漢民勿逃詔」改繫於天命十一年九月甲戌，將「頒不復新築城郭以恤民力詔」改繫於是月丙子，將「頒編漢人戶口諭」改繫於是月丁丑。初纂本卷二，頁一〇，將太宗與諸貝勒遊幸次於遼河岸一事，繫於天聰元年四月初八日，重修本卷二，頁一二，改繫於三月初八日乙亥。初纂本卷四，頁六，載天聰三年二月二十日，太宗駕次遼陽，遍閱寺廟，次東京城外，並遣阿什打喇漢納哈處等齎詔往諭蒙古各處歸降貝勒。重修本將太宗次遼陽改繫於二月二十三日己酉，次東京城外改繫於二月二十四日庚戌，將諭蒙古貝勒改繫於三月初二日戊午。太宗命儒臣分爲兩直，繙譯漢字書，初纂本卷四，頁八，繫於天聰三年四月，未書日期，重修本卷五，頁一一，繫於四月初一日丙戌。副將石廷柱率兵往黃骨島殺明兵二百名，初纂本卷四，頁一二，繫於天聰三年五月二十三日，重修本卷五，頁一五，改繫於是月二十四日戊申。初纂本卷四，頁一七，載天聰三年九月二十二日「蒙古胯喇沁國布兒亥都台吉進緞幣來朝，上欲與大兵，先差人往諸歸降蒙古貝子處，令各率兵來會。」重修本卷五，頁二一，將布兒亥都改作布爾噶都，其來朝日期與初纂本相同，惟將差人往諭蒙古貝勒改繫於九月二十三日甲辰。初纂本自天聰十年四月起改稱崇德元年，重修本自五月起始改元崇德。初纂本卷三〇，頁二五，載崇德四年二月三十日「高太監祖總兵，由寧遠差官三員，率兵九百，座船十隻，往援杏山。」案是年二月爲小月，故重修本卷四五，頁二〇，改繫其事於三月初一日戊午。初纂本卷三四，頁二三，載崇德五年十二月初三日命和碩睿親王等率官兵往代圍錦州之和碩鄭親王，初四日，安平貝勒下肫泰、傅喇塔、葉什、石賴、尼滿等五人首告本貝勒，重修本將遣兵往代鄭親王事改繫於是月初四日庚戌，而將首告安平貝勒事改繫於是月初三日己酉，兩事舛錯倒置，其餘類此者，不勝枚舉。

初纂本所載人名地名，多俚俗不雅，即聖祖所稱姓名舛錯者，重修本皆加以潤飾，前後畫一。如：蒙古喀爾喀，初纂本作「胯兒胯」，查薩克圖汗，初纂本作「扎撒兔汗」、侯痕巴圖魯，初纂本作「喉恨把土魯」，車徹克圖，初纂本作「扯成兔」。大致而言，初纂本所載人名地名與清太祖武皇帝實錄譯法相同，其重修本則與高皇帝實錄相同。如：「大清太祖武皇帝實錄」卷四，頁三，載「太祖未即位時先娶之后生長子出燕，賜號阿兒哈兔土門，次子帶善，號古英把土魯。繼娶后所生莽古兒泰，得格壘，中宮皇后生皇太極，即天聰皇帝也。繼立之后生阿吉格，多里哄，號默里根歹青，多躲號厄里克出呼里。皇妃生阿布太，又三妃生五子阿拜，湯古太，塔拜，巴布太，巴布亥。」「大清太宗文皇帝實錄」初纂本卷一，（一），亦載「初太祖武皇帝微時，先娶哈哈納扎親爲后，生長子出燕，先號洪把土魯，後號阿兒哈兔土們，次子帶善，號古英把土魯，繼娶滾代，生二子，莽古兒泰，得格壘。孝慈昭憲純德貞順成天育聖武皇后孟古姐姐生皇太極，即上也。繼立之后阿把亥，生三子，阿吉格，多里洪，多躲。多里洪號默里根歹青，多躲號厄里克出呼里。皇妃賴生阿布太，又三妃生五子，阿拜、湯古太、塔拜、巴布泰、巴布亥。」「大清太宗文皇帝實錄」重修本與「大清太祖高皇帝實錄」譯音一致，「出燕」改作「褚英」，「帶善」改作「代善」，「得格壘」改作「德格類」，「阿吉格」改作「阿濟格」，「多里洪」改作「多爾袞」，「多躲」改作「多鐸」，「阿布太」改作「阿巴泰」，「巴布亥」改作「巴布海」。太宗實錄重修本復將「武皇帝」改稱「高皇帝」，所有后妃女子之名俱刪去不載，后「哈哈納扎親」改作「元妃佟甲氏」，「滾代」改作「富察氏」，「孝慈武皇后孟古姐姐」改作「孝慈高皇后葉赫納喇氏」，「阿把亥」改作「大妃烏喇納喇氏」，「皇妃賴」改作「側妃伊爾根覺羅氏」，例繁不備舉。初纂本以太宗皇太極爲太祖武皇帝第四子，與「滿洲實錄」所載相同，重修本則將皇太極改爲太祖高皇帝第八子。由太宗實錄初纂本與清太祖武皇帝實錄體裁、書法、譯音等俱相同而觀之，似可推知兩書告成時間相距甚近，其史館纂修人員多未更動。初纂本所載人名地名與重修本歧異之處，亦屢見不鮮。初纂本卷二，頁一三，載天聰元年正月十四日滿洲兵進攻義州，愛同把土魯潛入先登，義州判官崔夢亮死之。重修本將「愛同把土魯」改作「巴圖魯艾博」，「崔夢亮」改作「崔鳴亮」。天聰元年二月初六日，初纂本卷二，頁二三，載滿洲兵至鳳山下營，重修本將「鳳山」改作「平山」。天聰元年五月十五日，初纂本卷二，頁二八，載太宗命綏占、兀格二人至錦州城議和，「綏占」舊滿洲檔作"suijan"「兀格」作"uge" 重修本則將「兀格」改作「劉興治」。同月二十八日，初纂本卷二，頁四一，載錦州之役，滿洲遊擊宗室拜山等入陣中，被創而死。案覺羅與宗室有間，清高宗上諭曾屢次述及，重修本則將「宗室拜山」改爲「覺羅拜山」。天聰五年五月初三日，初纂本卷七，頁二，載漢人張喜綴從寧遠逃來，重修本將「張喜綴」改作「張士粹」。天聰五年七月二十八日，初纂本卷七，頁一六，載「昔大金伐宋，宋將有李顯忠者，曾敗金兵十三陣。」重修本將「李顯忠」改作「宗澤」。天聰八年三月十二日，初纂本卷一八，頁四，載副將尚可喜差都司金汝貴上奏，重修本將「金汝貴」改作「金玉奎」。崇德四年四月初六日，初纂本卷三〇，頁三六，載「是日，將所留紅衣砲四位及輜重營兵命五衞兵護送至屏城。重修本將「屏城」改作「藩城。」崇德七年三月二十九日，初纂本卷三八，頁二三，載朝鮮咨報日本國情，述及江戶及德川家康事，重修本將「江戶」改作「江滸」，「家康」改作「甲康」。由前擧數例可知重修本將滿蒙人名地名因譯音舛錯或詞義不雅而重加畫一外，部分漢人姓名亦經修訂。在譯音方面，初纂本與重修本有同名異譯者，如初纂本所載「羅特」，因滿蒙發音問題，常於「羅」字前加置「俄」或「厄」音始易讀出，故重修本將「羅特」譯作「厄魯特」（urut）。至於官職等名稱，初纂本多據舊滿洲檔用漢音譯出，重修本則將其原義譯出。如：漢語之「護衞兵」，滿文讀作“bayara”，初纂本所載「擺牙喇」，重修本俱改作「護軍」。輕重之重，滿文讀作“ujen”漢音譯如「烏眞」，漢語之兵士，滿文讀作“cooha”漢音譯如「超哈」，初纂本所載之重兵作「烏眞超哈」（ujen cooha），實即清太宗時期歸附後編成之「漢軍」，重修本遂將「烏眞超哈」改作「漢軍」。漢語之「承當」或「承擔」，滿文讀作“aliha”漢音譯如「阿力哈」，初纂本所載「阿力哈超哈」（aliha cooha），意即滿洲蒙古之騎兵，重修本亦將「阿力哈超哈」改作「騎兵」。漢語之「專管」或「專擔」，滿文讀作“enculehe”漢音譯如「恩出勒赫」，初纂本所載「恩出勒黑牛彔」（enculehei niru），重修本改作「專管牛彔」。地名方面，亦有類似之處，如：漢語之「湖泊」，滿文讀作“omo”漢音譯如「鵝模」，初纂本所載「大兒鵝模」，重修本改作「大兒湖」。漢語之「地方」或「路」，滿文讀作“golo”初纂本所載「撓羅戈羅」，重修本改作「鬧雷地方」。漢語之「黑龍江」，初纂本作「查哈量兀喇」（sahali-yan ula），重修本改作「黑龍江」，類此之例甚多，無煩備舉。

初纂本太宗實錄記載史事，多據舊滿洲檔譯出漢文，康熙以降諸帝重修實錄時，史事較爲清楚，故有補記或改正之處，間可補初纂本之疏漏。天聰元年正月二十七日，初纂本卷二，頁一九，載滿洲兵至中和，高麗二使，一係元帥姜弘禮之子，一係參將朴國英之子，朴國英滿文作“piyoo gui ing”同年七月，初纂本將「朴國英」改作「朴蘭英」，前後不一致，重修本將「姜弘禮」改作「姜宏立」並將「朴國英」畫一作「朴蘭英」，案朴國英與朴蘭英實係兩人。天聰元年五月十二日，初纂本卷二，頁二六，載「錦州城紀太監、趙總兵差守備一員、千總一員來探上意。」重修本將紀太監改作「太監紀用」，趙總兵作「總兵趙率教」。天聰五年正月二十八日，初纂本卷六，頁七，載「去歲秋，成吉思汗之四弟，與其子姪，率國遠來歸服。」成吉思汗若指元太祖，則其四弟當必身歿已久，故重修本改作「去年秋，成吉思汗四弟之後裔，舉所部來歸。」初纂本記事，每多追憶之處，以致前後間有重複者，重修本或加刪略，或加釐正。如：天聰元年八月二十二日，初纂本卷二，頁五二，載「牛莊城守來報遼河有明船十隻，我差船三隻，小船六隻，向前不動，三固山人欲與之戰，遙見西船相繼而來。上命姚托貝勒率八大人，領兵三百往探之，至其處。探子回報曰，來船據住遼河，止有小船三隻，大船一隻，入潮溝，被吾守邊大人東什路、法篤、代答、哈兒答、他兒畢希五人，領兵夾攻，盡獲之，殺守備一員，千總二員，百總二名，共二百餘人。」同年九月初二日，初纂本又載「明朝徐參將領船十隻，至三岔河。先遣船四隻入潮溝探消息，被守邊步兵分截水口，獲船兵二百，盡殺之。」重修本以其前後重複，將九月初二日獲船兵事刪除不載。「大清太祖高皇帝實錄」增錄上諭多達五十三道，俱不見於「大清太祖武皇帝實錄」，「大清太宗文皇帝實錄」重修本增錄上諭及史事之處亦不少。如：天聰二年正月初五日丁卯，重修本卷四，頁二，載「上諭侍臣曰，喪葬之禮，原有定制。我國風俗，殉葬燔化之物過多，徒爲糜費，甚屬無益。夫人生則資衣食以爲養，及其死也，以人間有用之物爲之殉化，死者安所用之乎。嗣後凡殉葬燔化之物，務遵定制，勿得奢費。」初纂本及舊滿洲檔俱不載此道上諭。且其上諭與天命十一年諸王逼令太祖大妃殉葬，盡以珠寶飾之，及侍婢殉葬故事，實大異其趣。天聰三年二月十三日己亥，重修本卷五，頁八，載「先是，修陵寢未成，奉太祖梓宮，暫安瀋陽城內時，有僧名陳相子者，私率徒衆於梓宮前，旋繞誦經。護守官奏聞，上使問其故。相子對曰，我誦經者，欲求佛引太祖英靈，受生善地耳。上曰，太祖神靈，上升於天，豈待衆僧禱求，始受生善地耶，自來惑衆罔民者，皆此輩僧人也，因下相子於所司，杖四十，勒令還俗爲民。」此事不見於初纂本。天聰四年二月二十二日壬申，重修本卷六，頁二四，載「上諭貝勒諸臣曰，明之土地人民，天已與我，是其民即我民也，以我之人民而我顧加以侵暴，則已服之國，將非我有，他國人民，亦無復有來歸者矣，爾鎮守諸貝勒衆臣，宜嚴飭我國軍士，毋侵害歸順之民，儻有違悖，該管牛彔額眞以下，俱治罪。」初纂本不載此道上諭，「舊滿洲檔」繫其事於二月十四日。重修本記事有見於初纂本而敘述較詳者。天聰四年二月十四日甲子，初纂本卷五，頁一八，載「上於三年十月征明朝，至是年二月而回，次於灤河，三日，凡攻戰有功者分別陞授。」重修本卷六，頁二三，則載「上自天聰三年十月征明，抵燕京，轉克遵化、永平、灤州、遷安諸地，至是班師。命貝勒阿巴泰、濟爾哈朗、薩哈廉偕文臣索尼、寧完我、喀木圖率正白、鑲紅、正藍三旗將士，鎮守永平府。文臣鮑承先、白格率鑲黃、鑲藍二旗將士鎮守遷安縣。以灤州係邊地，命固山額眞圖爾格、納穆泰爲帥，偕文臣庫爾纏及高鴻中率正黃、正紅、鑲白三旗將士守之。又命察哈喇爲帥，偕文臣范文程率蒙古八旗將士，鎮守遵化，於是駐蹕灤河，留軍三日，敘將士戮力行間，攻克城池功。分別陞職。」增載史事甚詳，俱不見於初纂本。

清初史館人員增損舊檔，杜撰史事，屢見不鮮。清太宗實錄，經聖祖以降歷朝輾轉重修，整齊體裁，斟酌損益，辨異審同，畫一譯名，增刪潤色，湮沒史實，雖有正誤之功，究難掩諱飾之過。其初纂本未經校訂，字義欠當，同名異譯，重複史事，瑣屑俚俗，固屬瑕中之疵，惟其成書旣早，保存史料較豐，實不失爲清初較可信之官方紀載。

註釋

〔註　一〕「大清世宗章皇帝實錄」，卷六一，頁一五。順治八年十月戊辰，據希福等奏。

〔註　二〕「大清聖祖仁皇帝實錄」，卷二二，頁二三，康熙六年七月己巳，據禮部議奏。

〔註　三〕那志良撰「故宮博物院所藏的清實錄」，參見大陸雜誌史學叢書第二輯，第四冊，「明淸史研究論集」，頁二一四二。大陸雜誌社印行。那氏謂太宗實錄，順治九年正月初纂，告成年月失載，惟據光緒會典事例順治十二年載太宗文皇帝實錄業已告成字樣，謂其告成時期當在順治十二年以前。

〔註　四〕康熙二十一年九月二十二日，聖祖御製「太宗文皇帝實錄序」云太宗文皇帝實錄，舊編六十有五卷，蒐討訂正後，卷帙如舊，似非指初纂本而言。

〔註　五〕「大清世祖章皇帝實錄」，卷五四，頁二三，順治八年閏二月乙亥上諭。

〔註　六〕張國瑞編「故宮博物院文獻館現存清代實錄總目」，頁一，民國二十三年十一月出版。

〔註　七〕「大清高宗純皇帝實錄」，卷七八，頁八，乾隆三年十月癸未上諭。

〔註　八〕方甦生撰「清實錄修改問題」，輔仁學誌，第八卷，第二期，頁一四二，民國二十八年十二月出版。

〔註　九〕徐中舒撰「內閣檔案之由來及其整理」，明清史料，第一本，頁一〇，國立中央研究院歷史語言研究所，民國六十一年三月再版。

〔註一〇〕但燾譯「清朝全史」，頁六九，民國四十九年九月，臺灣中華書局。

〔註一一〕神田信夫撰「滿洲國號考」，「故宮文獻」，第三卷，第一期，頁四七—四八。民國六十年十二月，國立故宮博物院印行。

〔註一二〕但燾譯「清朝全史」，頁五七—五八。

〔註一三〕三田村泰助著「清朝前史之研究」，頁四七三，東洋史研究叢刊之十四，昭和四十年十月出版。

〔註一四〕黃彰健撰「滿洲國號考」，見中央研究院歷史語言研究所集刊，第三十七本，頁四七〇，民國五十六年六月。

大清太宗應天興國弘德彰武寬溫仁聖睿孝文皇帝實錄卷之二十

天聰九年乙亥。七月初三日揷漢兒國。額勒克空戈落部下阿乞兔台石奏曰。我國主。天命既盡而殁。惟上福大。故我國全歸上。善之時台石又詰其本國衆大臣曰。汝等當汗在日位尊於我。及汗殁。遂棄汗之妻子先奔。何以謂之大臣。衆皆慙。上見衆有慙色。乃勸止之

GENERAL DESCRIPTION OF THE CH'ING DYNASTY ARCHIVES IN THE COLLECTION OF THE NATIONAL PALACE MUSEUM

(*Summary, for Chinese text see pp. 五七 to 六六*)

Chuang Chi-fa

There are 204 crates of Ch'ing dynasty archives in the collection of the National Palace Museum. They are divided as follows: Palace Archives 宮中檔, 31 crates; Grand Council Archives 軍機處檔, 47 crates; Ch'ing Dynasty Historiographer's Office 淸史館, 61 crates; Diaries of the Emperor's Movements and Utterances 起居注册, 50 crates; Imperial Annals 本紀, 9 crates; Veritable Records 實錄, 2 crates; Imperial Mandates 詔書, 1 crate; Letters of Credence and Old Manchu Archives 國書及舊滿洲檔, 1 crate; Miscellaneous Archives 雜項檔, 2 crates. These documents constitute extremely valuable material for the study of Ch'ing history. In the following summary each of these archives will be briefly described.

In the Palace Archives 宮中檔, the most significant materials are the Palace Memorials 奏摺 which bear the original imperial endorsements 硃批。Most of these memorials were written in Chinese, but there are a few in Manchu. More than 156,000 items survive from the long period stretching from the K'ang-hsi reign, when the Palace Memorial system began, to the end of the dynasty.

The Grand Council Archives 軍機處檔 can be divided into four main types of materials: regular record books which were set up keep track of government affairs, the Grand Council's copies of the Palace Memorials, routine official correspondence sent to the Grand Council from all over the empire (知會 and the like), and special archives which were set up to keep records for special non-recurring situations 事檔。Of these four categories, materials in the first two survive in the greatest number.

The Document Registry 隨手登記檔 (sometimes abbreviated 隨手簿 or 隨手檔) is a good example of a record book which was maintained on a continuing basis.

It is a log book in which the Grand Council clerks each day listed the names of the authors of the incoming Palace Memorials 奏摺, their enclosures 夾片, and any accompanying lists 清單, maps, or confessions. The contents of the memorials and their enclosures were summarized briefly, but the imperial endorsements were copied out in full. In addition, the outgoing edicts 諭旨 for the day were summarized in greater length, sometimes being given as much as nine or ten lines of space. The Document Registry was bound in two volumes per year in earlier reigns, four volumes per year later on. Four volumes survive from the last two years of the Ch'ien-lung reign, 50 volumes from the Chia-ch'ing reign, 14 volumes from the Tao-kuang reign, 64 volumes from the T'ung-chih reign, and 20 volumes from the Kuang-hsü reign (no volumes survive from the Hsien-feng and Hsüan-t'ung reigns). Although certain kinds of memorials and edicts were not entered in this record book, the great majority were, which makes it a very useful reference for the modern scholar.

The Secret Archives 密記檔 are another set of record books dealing with fines, confiscations of property, and restitutions for shortages incurred by officials while in service in official posts. Four volumes survive from the late Ch'ien-lung and early Chia-ch'ing reigns.

The Record Book of Secret Edicts 寄信檔 contains copies of one kind of imperial edict which was drafted by the Grand Council. These edicts, often referred to as "Court Letters" 廷寄 because they were dispatched from the Inner Court 內廷, concerned imperial instructions on military affairs, secret government investigations, and other matters which were not to be publicly promulgated. Starting with the Ch'ien-lung period there are one or two volumes per year, but beginning with the late Tao-kuang period there are four or more volumes per year.

The Public Edicts 明發上諭 were also copied into record books, of which one or two survive per year beginning with the Tao-kuang reign. These edicts were drafted by the Grand Council and then promulgated throughout the empire under the aegis of the Grand Secretariat 內閣。They concerned topics of general interest such as relief programs, promotions and demotions of officials, and the like.

Other regularly maintained archives of this first category of the Grand Council Archives include Audience Records 引見檔 and The Record Book of Court Officials' Recommendations based on their Discussions of Memorials from Provincial Officials 議覆檔。Such recommendations were made when the emperor ordered further discussion of a problem raised in the memorial of a provincial official. The memorial could be referred to the Grand Councillors 軍機大臣, to one or more of

the Six Boards 六部, or to various combinations of these groups to discuss and report back. Replies were generally made in the form of memorials submitted to the emperor and the recommendations embodied in these new memorials were then reconsidered by the emperor.

In addition to the regular record books, the Grand Council Archives also contain an estimated one hundred thousand Grand Council copies of Palace Memorials. These copies date from the last seven reigns of the dynasty, beginning with the Ch'ien-lung period. After a memorial had deen read and endorsed by the emperor it was registered in the Document Registry 隨手登記 and then copied by clerks of the Grand Council. It is these copies which surive in such large numbers.

The Special Record Books 專檔 held in the Grand Council Archives consist of books into which the documents concerning special non-recurring situations were copied. For example, there is such a set of record books on the Taiping Heavenly Kingdom. Some of the other special record books concern the military campaigns of the Ch'ien-lung period: the two Chin-ch'tian Campaigns 金川檔, the Burma Campign 緬甸檔, the Annam Campaign 安南檔, and the Gurkha War 廓爾喀檔。 There is also a record book on an early Miao suppression campaign 苗匪檔, and one from the early Chia-ch'ing period with material on both the White Lotus and Miao campaigns 勦捕檔。 All sorts of documnts were copied, in chronological order, into these record books: Public Edicts 明發上諭, Secret Edicts 寄信上諭, depositions resulting from prisoner interrogations, memoranda from the Grand Councillors to the emperor, and the like. They are an invaluable source for studying the topics which they cover and contain materials which vastly outnumber the currently available printed sources.

The records of the Ch'ing State Historiographer's Office 清史館 constitute another large mass of material now held by the National Palace Museum. The most important of these are the drafts for the Annals of the Imperial House 本紀, Biographies 傳, Tables 表, and Essays 志。 There are also other compendia which were in writing the official history of the Ch'ing period: Record Books of Imperial Edicts 上諭簿, Registries of Imperial Endorsements on Routine Memorials 絲綸簿, Extra Records 外紀簿, Monthly Record Books of Palace Memorials 月摺檔, General Registries of Official Documents and General Personal Name Lists from the Genral Registries 長編總檔總册, Sacred Instructions 聖訓, and Summaries of Routine Memorials 史書。

The Annals of the Imperial House have their origin in the old custom of recording history by years. They contain records of all sacrifices to Heaven,

punitive expeditions, general amnesties, bestowing the rank of empress, relief of calamities, etc. The Annals of the Imperial House now in the collection of the National Palace Museum start from the ascension to the throne of Ch'ing T'ai-tsu and continue down through the Kuang-hsü reign. They are divided into those written in Chinese and those written in Manchu.

The Veritable Records 實錄 are also written in both Chinese and Manchu, with a few in Mongol. The Ch'ing Dynasty copies of the Veritable Records now in the National Palace Museum collection comprise the reigns of ten emperors from 1616 to 1874. The Veritable Records are not the same as the Diaries of the Emperor's Movements and Utterances 起居注册。The latter were compiled as the events recorded took place, while the former were compiled only during the following reign. The Diaries in the collection of the National Palace Museum run from the K'ang-hsi through the Hsüan-t'ung periods, with one or two volumes per month. Those written in Manchu are more numerous.

Imperial Mandates 詔書 are proclamations on subjects such as ascending the throne and bestowing the rank of empress. Each one is written in both Chinese and Manchu.

The Letters of Credence 國書 are the instruments by which Ch'ing diplomats were accredited to such foreign courts as those of Korea, Japan, Russia, Annam, Burma, Belgium, Spain, Portugal, and the Vatican.

The Old Manchu Archives 舊滿洲檔 in the National Palace Museum comprise forty giant volumes. These are the secret records from the time before the Manchu conquest. Three types of Manchu script can be found in these volumes: the early form of Manchu, Manchu of the intermediate period, and a form resembling the new Manchu which later came into everyday use. These documents are valuable not only for a study of Manchu social and economic life before the conquest but also the process of linguistic development from the old to the new Manchu language.

Since 1965 when the National Palace Museum was rebuilt in Taipei, the Director, Dr. Chiang Fu-tsung, has taken a special interest in these valuable documents. As a first step, a team of specialists was engaged to catalogue the archives. In the fall of 1968 the organization was enlarged and a Documents Section established within the Department of Books and Documents. Photolithic publication of the archives was started in 1972, including such volumes as **The Old Manchu Archives** 舊滿洲檔, **The Veritable Records of Nurhaci** 清太祖武皇帝實錄 **Selected Memorials from the Tao-kuang to the Kuang-hsü Periods** 道咸同

光四朝奏議，**The Memorials of Yüan Shih-k'ai** 袁世凱奏摺專輯，and **The Memorials of Nien Keng-yao** 年羹堯奏摺專輯。

Sice December 1969 a quarterly journal, **Ch'ing Documents at the National Palace Museum** 故宮文獻季刊 has been published. It contains both learned articles and photomechanical reproductions of original documents.

(Translation of Chinese summary: Beatrice S. Bartlett and Lothar Ledderose)

AN EXAMINATION OF SOME REVISIONS OF THE YUNG-CHENG *CHU-P'I YÜ-CHIH* BASED ON THE PUBLISHED MEMORIALS OF O-ERH-T'AI*

Chuang Chi-fa

Part I: A brief introduction to the Yung-cheng "Chu-p'i yü-chih"

At the beginning of the Ch'ing, the memorial system used for making official reports to the emperor was based on precedents inherited from the Ming. The system was ofted described with the phrase *kung-t'i ssu-tsou* 公題私奏 using the *t'i-pen* 題本 form for reporting on public or official matters, the *tsou-pen* 奏本 form for private or unofficial matters. When a *t'i-pen* memorial was submitted, an official stamped the memorial with the seal of his office, but when a *tsou-pen* private memorial was submitted, no seal of office was used. Nevertheless, both types of memorial went through the Transmission Office *T'ung-cheng shih-ssu* 通政使司 on their way to the emperor.

After Ch'ing Sheng-tsu (K'ang-hsi) ended the regency and personally took over his government, he realized that the old memorial system was not functioning efficiently. He instituted improvements designed to give the emperor more direct access to information. Utilizing a form similar to the old *tsou-pen* private memorial form inherited from the Ming, he ordered his provincial officials to employ the new palace memorial *tsou-che* 奏摺 form, a type of memorial which was sealed up and sent directly to the emperor without prior reading by other officials (such as those of the Transmission Office). No matter whether the topic was in the public or private category, if it was to be handled as an important or secret affair it had to be reported by the *tsou-che* palace memorial form. This meant that subjects embraced by the palace memorials might include

* The Chinese text of this article appears on pp. 21 to 44. This summary and translation of selected sections and examples was made in consultation with the author

topics such as those about which the memorialist had reservations (things which if officially reported as facts in formal official memorials such as *t'i-pen* might later be used against him), requests for changes which might constitute breaches of official regulations, and discussions of sensitive topics which should not be included in *t'i-pen* because they might then be too widely circulated to too many offices in Peking.

When a palace memorial was submitted, it was the regulation that the reporting official was to write it out in his own hand; the language and the style of the text had to be those of the memorialist himself. The author of the memorial was not to confer with others about it, nor was he to divulge the contents to others. The secret imperial rescript which came back in reply was also not to be shared with others, and fellow officials were forbidden to make inquiries about the contents of an imperial rescript.

When the palace memorials came to the palace, they were also treated with the utmost secrecy to guard against breaches of confidential information. Princes and officials at the capital might personally take their palace memorials to the Imperial Study *Nan shu-fang* 南書房 and hand them over to the person in charge of receiving reports, *Kung-pao shou-ling* 宮報首領,[1] or they might send them to the palace gate to be turned over to the eunuchs in charge of memorials who would then take them in to the emperor. Memorials from the provinces could be delivered in one of two ways: if they contained information on highly important matters they could be sent by the imperial post; the others had to be brought to the capital by highly trusted personal servants or lowel level military personnel. After the emperor had read a palace memorial and inscribed it with the imperial rescript, it was returned to the original memorialist.

The K'ang-hsi Emperor took a strong interest in local affairs. While he worked hard at the capital, he expected his local officials to work hard making reports on all the details of local affairs. Everything that came to their attention was to be reported to the throne. It was said that

1. All footnote references should be read in the Chinese text.

they were to serve as the emperor's arms and legs and eyes and ears in the provinces. All local news, good and bad, had to be brought before the emperor. The returned memorials, containing the imperial rescripts replying to what had been written and other imperial instructions for the memorialist, created a close relationship between the emperor and his far-off officials. Thus the achievements and efficiency of the early Ch'ing government were displayed in its new memorial system.[2]

On December 20, 1722, the K'ang-hsi Emperor died. One week later the Yung-cheng Emperor ascended the throne, and a week after that, an imperial edict was issued ordering the civil and military officials of both the capital and the provinces to return all the imperially rescripted memorials, known as *chu-p'i yü-chih* 硃批諭旨 to the capital for storage. On penalty of a severe punishment it was forbidden to retain or destroy any of these memorials. Everything had to be returned.[3] This command applied not only to the K'ang-hsi period memorials of the past but also to all future palace memorials as well. Even if a memorial had received only a one or two-character rescript, such as "Read," *lan* 覽 or "I am well," *chen an* 朕安 it could not be retained by the memorialist or destroyed, but had to be returned to the capital. While the Yung-cheng Emperor was on the throne, officials faithfully sent back their memorials within the prescribed time limits and the documents were stored in the palace in great numbers. The present palace memorial collection for the Yung-cheng period now housed in the National Palace Museum in Taipei, amounting to 22,300 Chinese language and 890 Manchu language palace memorials, derives from this early directive issued by the Yung-cheng Emperor.

In 1732, the Yung-cheng emperor took note of the many years of palace memorials which he had rescripted and ordered certain inner court officials to make copies, revising the texts as necessary. The work was not finished during the Yung-cheng reign and had to be continued in the Ch'ien-lung period. But the new emperor did not dare introduce any of his own ideas into the project, so it continued to be carried out according to the dictates of his father. In 1738, the work finally appeared in print

in eighteen cases *han* 函, 112 portfolios *chih* 帙, and 360 *chüan* 卷. With the exception of the ninth and tenth cases, which were each composed of eight fascicles *ts'e* 冊, the other sixteen cases were each composed of six fascicles. All the memorials represented in the collection were submitted by provincial and not capital officials, the total numbering 223 men. In most cases one man's memorials were spread out over several fascicles, but occasionally the memorials of several men were combined in one fascicle. At the beginning there was the special vermilion edict *chu-pi t'e-yü* 硃筆特諭 prepared by the Yung-cheng Emperor; an epilogue by the Ch'ien-lung Emperor was placed at the end of the work. The publication also included a list of the editors, collators, proof-readers and archivists involved in the project. The full name of the work was *Shih-tsung Hsien Huang-ti chu-p'i yü-chih* 世宗憲皇帝硃批諭旨,[4] but it was generally more simply called *Chu-p'i yü-chih*, and in this translation will be referred to as CPYC.

Palace memorials *tsou-che* and their supplementary memorials *chia-p'ien* 夾片 nearly always received imperial vermilion comments, sometimes written in the upper margin, sometimes beside a character or phrase in the original memorial, and sometimes on the extra folds at the end of a memorial. Such rescripts were known as *yü-pi chu-p'i* 御筆硃批 or *chu-p'i shang-yü* 硃批上諭. A memorial bearing a vermilion rescript was called a *chu-p'i tsou-che* 硃批奏摺. A memorial which had been returned to the palace for storage, *ch'eng-chiao chu-p'i tsou-che* 呈繳硃批奏摺 was also known more briefly as a *kung-chiao chu-p'i* 恭繳硃批. In addition to memorials bearing imperial rescrpts, the published CPYC also contained special edicts written with the vermilion brush on separate pieces of paper; these were known as *chu-pi t'e-yü* 硃筆特諭 Thus the name of the collection, *chu-p'i yü-chih* 硃批諭旨, derives from the combination of three types of materials which it contained: *chu-p'i tsou-che*, *chu-p'i shang-yü*, and *chu-pi t'e-yü*.

The order in which the memorials were presented in the CPYC may puzzle the user until it is understood that beyond a chronological arrangement of each writer's memorials there was no particular order. The

collection contains a great many memorials. The order in which the Yung-cheng Emperor checked through a man's memorials and sent them out for copying was the order in which they finally appeared in the CPYC. Ch'ien-lung did not undertake any rearrangement.

Among the 223 memorialists represented in CPYC, the lowest ranking civil officials were a prefect *chih-fu* 知府 [rank 4B] and a first-class sub-prefect *t'ung-chih* 同知 [rank 5A], as exemplified by the prefect of Yen-chou, Shantung, Wu Kuan-chieh 吳關杰, and the first-class sub-prefect Liao K'un 廖坤, who was posted at Hsiang-yang. Other civil officials whose memorials were included in the collection held positions at least as high as taotai 道臺 [rank 4A] or higher. Men with higher provincial positions such as officials deputed to investigate and reorder local customs *Kuan-feng cheng-su shih* 觀風整俗使, provincial education commissioners, provincial judicial commissioners, treasurers, governors, and governors-general were of course included in the collection.

The lowest military officials in the collection were colonels *fu-chiang* 副將 [rank 2B] and brigade generals *tsung-ping* 總兵 [rank 2A]. Other higher military officials represented include deputy lieutenant-generals, lieutenant generals, provincial commanders-in-chief, and Manchu generals-in-chief. Among all these were several instances where memorials were submitted jointly by more than one man. If these joint memorialists were separately added to the list, the number of memorialists included in CPYC would swell to more than 230.[5]

The palace memorials selected for inclusion in CPYC were known as "already published," *i-lu* 已錄, but they amounted to only ten to twenty percent of all the palace memorials submitted in the Yung-cheng period. A second selection, prepared for publication but in the end never printed, was known as "not yet published," *wei-lu* 未錄. The remaining memorials were put in a group known as *pu-lu* 不錄, "not to be published." The memorials in this last group were held back for many reasons. Some had received no imperial rescript; others had rescripts written with inelegant wording. Some memorials were rejected because the Yung-cheng Emperor did not like the memorialist—Nien Keng-yao is an example of a man

who fell under the imperial suspicion and whose memorials were accordingly entirely eliminated from the collection. Many memorials were eliminated because they contained official secrets.[6]

The success of the palace memorial system is fully displayed in the system as it operated during the Yung-cheng period. On the one hand, Yung-cheng broadened the system to allow more people to memorialize. Even middle level provincial officials were granted the right to memorialize the throne with palace memorials. On the other hand, the Yung-cheng Emperor used the system for a variety of purposes: to gather information, to obtain advice, and, through the lengthy rescripts he wrote on the memorials, to instruct his officials.[7] In fact, the chief imperial motive for the publication of CPYC appears to have been not so much to display the memorials contained in the collection but rather to transmit the contents of the imperial rescripts to a wider audience than the original memorialist. By this means the Yung-cheng Emperor hoped to convey his views on many facets of public administration not only to his provincial officials but also to many other kinds of readers as well. The publication of CPYC was one of many steps he took to publicize his ideas and influence the people. In his original preface to CPYC, the Yung-cheng Emperor wrote:

> In rescripting the palace memorials, sometimes with only several tens of characters, sometimes with several hundred characters, and occasionally with as many as one thousand characters, I always gave only my own opinions at the time, which I cannot guarantee to have been correct always. My aim was to instruct men in what is good, to warn against evil, to express views on pacifying the people and taking care in dealing with members of office staffs, to instruct men in the methods of rectifying their behavior and benefiting the livelihood of the people, to apprise them of what is auspicious and what is calamitous, and to urge them to hold fast to sincerity and rid themselves of falseness.

In his book *Communication and Imperial Control in China: Evolution of the Palace Memorial System 1693–1735*, Professor Silas H. L. Wu also referred to the fact that the chief function of the palace memorial.

system in the K'ang-hsi period was to get local information to the emperor, but that the purpose of the system in the Yung-cheng period was enlarged to include bringing the emperor's views to the bureaucracy and even to all the people: "In 1732, when [the Yung-cheng Emperor] published his famous *Chu-p'i yü-chih*, he intended to educate not only his officialdom, but all of Chinese society."[8]

CPYC, largely a collection of provincial (rather than capital) memorials, is an historical source which cannot be ignored by those who study the Yung-cheng period. Basically it is the record of correspondence between the emperor and his provincial officials. As such it very clearly displays the personalities of the men involved. Even though what was written by the memorialists quantitatively amounted to more than what was written by the emperor, nevertheless it is the imperial responses which give these memorials their extraordinarily high value as historical sources today.

The CPYC collection can profitably be used for research into local affairs. In particular, because the collection was largely composed of palace memorials rather than routine reports *t'i-pen*, it contains sensitive information which at the time the reports were written was deemed inadvisable to include in the routine system. At the same time, memorials in the CPYC collection also contained scattered pieces of sensitive information affecting the dignity of the court, and therefore constitute a valuable source for studying that aspect of the events of the Yung-cheng period.[9]

It is a point worth noting that when the documents in CPYC are compared with their originals in the palace archives, it will be found that not only were the texts of the memorials revised before publication, but also that the imperial rescripts themselves underwent rewriting. This considerably reduces the value of CPYC as an historical source. At the present time the palace memorial collection of the National Palace Museum includes 334 memorials submitted by O-erh-t'ai 鄂爾泰, 289 of which appeared in CPYC. The earliest of these were written when O-erh-t'ai was Kiangsu Treasurer; they also include memorials which he wrote as Yünnan Governor and Yün-kuei Governor-general. Thus the period of time which O-erh-t'ai's CPYC memorials embrace extends from 1723 to

1731. It is the purpose of this article to compare these originals with their published versions in CPYC in order to identify and analyze the editorial revisions which were made in the course of publication.

Part III: Some examples of how the texts of O-erh-t'ai's memorials were altered before appearing in CPYC

A comparison of the archival and published versions of CPYC memorials will reveal that both the texts of the memorials and the contents of the imperial rescripts were revised for publication. Editorial revisions of the memorials largely consisted of pruning the lengthy originals to bring them down to a manageable size for publication. The result was, however, that many details, seemingly inconsequential at the time that the CPYC was edited but possible of great interest to modern scholars, were eliminated from the CPYC. The editorial approach to imperial writings was different; being deemed the most important part of the collection, they were rarely condensed. But they were altered—chiefly by making them sound more elegant—before publication (see Part V).

In this section only a few of O-erh-t'ai's published *i-lu* memorials are compared with their CPYC versions in order to give the reader an idea of the kinds of details which may be found only in the original texts of archival memorials. It must be remembered, however, that there were also many *wei-lu* and *pu-lu* memorials (approximately fifteen thousand in the archival collection of memorials of the Yung-cheng period) which never appeared in the CPYC in any form and which are not described here at all. Those which are described here date from the years that O-erh-t'ai was in the southwest and therefore deal with the Miao frontier problems which figured so importantly in his work in this period.

During the Yüan and Ming, the Miao people living in the southwest of China had been a constant obstacle to smooth provincial government in those areas. The early Ch'ing efforts to deal with the southwest included an intensification of an old policy known as *kai-t'u kuei-liu* 改土歸流, transferring authority from local tribal headmen to regular Chinese govern-

ment officials. As early as 1692, the Miao headman Lu 祿, located in the Szechuan prefecture of Tung-ch'uan 東川, had made a contribution of his land to the government as part of the *kai-t'u kuei-liu* system. In the early years of the Yung-cheng period, before O-erh-t'ai was appointed Yünnan Governor, the Yün-kuei Governor-general Kao Ch'i-cho 高其倬 had also already taken positive action with this policy on the Miao frontier. Most accounts of innovative strong policies on the Miao frontier and even of military actions undertaken by the governors and governors-general prior to O-erh-t'ai's designation as Yünnan Governor were omitted from the CPYC. The effect of this set of revisions was to give O-erh-t'ai the credit for new, strong, innovative policies when actually most of what he did had already been initiated by his predecessor.

For example, during the fourth month of YC3 (1725), Kao Ch'i-cho memorialized that he was dealing with Miao matters as follows:

> Most of the Miao in the Ch'ang-chai 長寨, Che-kung 者貢 and Sun-chiao Shan 筍焦山 area of the Kuang-shun Department 廣順州 in Kueichow are of the Chung-chia 仲家 tribe and are robbers by nature. There are several hundred villages in that area which lie near Ch'ang-chai and the other places, and which have cooperated with them in underground activites. They are strung out over several hundred *li* of impassable mountain ravines in a large number of small settlements, all maintaining contact with each other. The local government officials are stationed at a great distance from them with the result that these Miao hamlets are totally beyond the reach of the law. We ought to send in more troops and set up more patrol stations in the area.[18]

This memorial received the imperial rescript "Let it be done as recommended" *i-i* 依議. In a later memorial dated YC4/4/9 (May 10, 1726), O-erh-t'ai cited this earlier description in one of his own memorials on the Miao situation. But by the time that CPYC was being edited, Kao Ch'i-cho had fallen into disfavor and had been demoted, so the part of O-erh-t'ai's memorial where he had quoted Kao Ch'i-cho was completely excised from CPYC.

Excisions such as the above were made because the official involved no longer enjoyed Yung-cheng's favor. Another reason for making excisions

in CPYC was that as a rule secret imperial directives could not be quoted in publications given wide circulation. For example, on YC4/8/6 (September 1, 1726), O-erh-t'ai submitted a memorial asking that the Miao pacification be carried out with a policy of subjecting both the regular Chinese officials and the tribal headmen to civil service assessments of proficiency in office. In this memorial he also states:

> Previously, in connection with the Wu-meng incident, I was honored to receive imperial instruction ordering the transfer of authority from tribal headmen to Chinese government officials *kai-t'u kuei-liu.* This truly displays Your Majesty's bountiful intentions and compassionate methods for dealing with border peoples. What we officials sought to do is to understand Your Majesty's general intentions and apply these principles to other cases. Even if Your Majesty does not issue explicit instructions about a campaign of action for us to act on, when we consider the general outline [of Your Majesty's views] and then take the situation into account, those tribal authorities which can be replaced will be replaced, those which cannot be replaced will not be replaced but will temporarily be left as they were.[14]

The significance of this excerpt is that O-erh-t'ai, in carrying out the policy of replacing tribal authorities with Chinese officials on the Miao frontier, was actually only executing imperial orders. The policy was not created by or given fresh impetus by O-erh-t'ai, but rather emanated from the emperor in the first place. Yet the CPYC presentation of memorials on this topic was such that the emperor's responsibility for the *kai-t'u kuei-liu* policy at this time was not made clear. The reason for this was the imperial directive forbidding the citation of secret edicts in routine memorials; CPYC, like certain routine memorials, was to be given wide distribution in the bureaucracy, therefore the kind of information quoted above had to be removed from it. In addition, it is likely that by 1732, when CPYC was being compiled, the Yung-cheng Emperor did not wish to be publicly charged with responsibility for this policy. So he permitted the CPYC version to give credit to O-erh-t'ai instead.

Some CPYC excisions were made simply in the interest of cutting the original texts to bring the work down to a manageable size for

publication. For example, O-erh-t'ai often precisely identified the military units and the numbers of men in each which he intended to employ in a certain campaign, yet these identifications and figures generally did not appear in CPYC. In a memorial dated YC4/12/21 (January 12, 1727), O-erh-t'ai enumerated the troops he proposed having ready at the frontier for transfer to the front: 1,000 from the Green Standard army brigade, 500 from the left regiment, 300 from the right regiment, 200 from Hsün-chan 尋霑, 800 from the Wei-ning 威寧 brigade, 200 from the Ta-ting 大定 regiment, and 200 from the Pi-ch'ih 畢赤 battalion.

In his original palace memorial, O-erh-t'ai also stated:

> From Wu-meng to Ch'eng-tu is about 1900 *li*. Even the most ordinary documents are delayed in transmission [because of this distance]. Moreover, if we send tribesmen on special missions they are likely to be set upon and robbed by local bandits. Sometimes the local yamen clerks obstruct the flow of documents. Heaven is high and the government offices are far away; the conditions of the masses below are only with difficulty communicated on high. Now, fortunately, the wise and benevolent compassion of our Son of Heaven has permitted us to restore Tung-ch'uan prefecture of Szechuan to the control of Yünnan. Wu-jeng and Tung-ch'uan are contiguous prefectures only 600 *li* from Yünnan-fu, the capital of Yünnan province. They have been restored to the control of Yünnan in accordance with their desires. Their annual payments of wheat, which amount to 120 taels when commuted into silver, will revert to the Yünnan Treasury.

The return of Wu-meng and Tung-ch'uan to Yünnan was a significant point in the redrawing of administrative boundaries in the southwest. O-erh-t'ai's memorial, therefore, is an important historical document. But the CPYC version of this memorial condenses what was summarized and quoted above into the following few phrases:

> Huang Shih-chieh 黃士傑 has submitted reports from [the Miao leaders] Lu Wan-chung 祿萬鍾 and Lu Ting-k'un 祿鼎坤, which state that Wu-meng is adjacent to Tung-ch'uan and only 600 *li* from the capital of Yünnan province, and that this prefecture wishes to be restored to Yünnan province in accordance with regulations.[15]

When O-erh-t'ai was dealing with the Miao in the southwest, he

often received reports from his military subordinates about military actions and raids which he had not himself witnessed, and he often included these in his reports to the throne. The following information about a Miao raid was drawn from several such reports and reported to the Yung-cheng Emperor by O-erh-t'ai, but none of these details appeared in CPYC. The story concerns the Black Kuo 猓黑 a Miao tribe of Wei-yüan 威遠, Yünnan and adjacent areas, who did not have lands under cultivation nor possess settled homes; instead they depended on hunting and plunder for their livelihood. During the night of YC5/1/17 (February 7, 1727), a group of several hundred Black Kuo from Chen-yüan 鎭沅 suddenly appeared at the local government office and set fire to it. The Wei-yüan First-class sub-prefect Liu Hung-tu 劉洪度 was killed in the fracas. A major, Yang Kuo-hua 楊國華, reported the matter to O-erh-t'ai, who cited Yang's account in one of his own memorials to the throne:

> On YC5/1/17 the Black Kuo and some men from Chen-yüan first looted a place called Pao-mu Well 抱母井 and then that night, during the fourth watch [2:00-4:00 a.m.] descended on the prefectural city, setting fire to the office, injuring officials, stealing tax money, and releasing prisoners.

A colonel, Chang Ying-tsung 張應宗, also submitted a report which was cited by O-erh-t'ai:

> At the *ssu* hour [9:00-11:00 a. m.] on YC5/1/18 [February 8, 1727] some people of Chen-yüan prefecture, with the Departmental Police Warden and Jail Master Wang T'ing-hsiang 王廷相, who was from a place called An-pan Well 安板井, and the so-called tribal official of Che-le-tien 者樂甸, Tao Lien-tou 刀聯斗, brought his household to the military post station at Ching-tung-yang Li 景東仰里 to report that there were several hundred Black Kuo who on the evening of the 17th had gone to both Chen-yüan prefecture and An-pan Well and cut off all roads, surrounding the area and robbing and pillaging. He reported that they fled in this direction. The people they met on the way told them of the bandit horde which had burned Liu's prefectural offices and the military buildings at the salt depot to the ground. A great many troops and people were injured. At present a thousand people have gathered seeking help.[16]

Local military men submitted many detailed reports of this Miao dis-

turbance and O-erh-t'ai included them in his reports to the emperor. None appeared in CPYC.

Another kind of detailed information about the Miao campaigns which is to be found in O-erh-t'ai's original memorials but not in the published CPYC is the names of Chinese traitors who sided with the Miao in their rampages. In his original reports, O-erh-t'ai named more than thirty Chinese who had been involved in the Wei-yüan incident on the night of YC5/1/17; they had joined forces with the Miao and committed many outrages, even doing harm to Chinese troops and local Chinese salt well workers. But all names of this sort of Chinese traitor were withheld from CPYC.

In due time, O-erh-t'ai saw to it that the more important of the Miao marauders were apprehended; others voluntarily surrendered, bringing with them, as O-erh-t'ai reported it, a contribution of two batches of salt taxes, "one of 85 taels, 3 coppers, the other of 73 taels, 3 coppers." Another renegade trapped an accomplice in crime, put him in chains, and delivered him to the local military. A group of ten Black Kuo were described as having been captured on a hilltop called Ya-sai-p'o-t'ou 牙賽坡頭. A squad leader captured some Miao at Hu-meng stockade 戶猛寨. In addition, many others, all named in O-erh-t'ai's original memorials were reported as having been caught. But these names were also eliminated from CPYC.

Several times O-erh-t'ai ordered both civil and military officials to arrest Lu Wan-chung, the Miao headman at Wu-meng, but Lu had fled to another place and was not willing to come forward. Accordingly, O-erh-t'ai ordered the local officials to confiscate Lu's possessions, and in a memorial dated YC5/5/10 (June 28, 1727) he described some of the items which his men had uncovered and confiscated:

> I am herewith submitting a list [of the items seized]. In addition, I also deputed Liu Ch'i-yüan 劉起元 and Ku K'uo-chi 賈擴基 to make a thorough investigation and not permit anything to be hidden. Their subsequent searches brought many items to light, unearthed one by one. Even though there may still be some items which escaped our attention, this is impossible to

know for certain. Whatever could be discovered has been seized and nothing remains. For example, we found five seals for the prefecture of Wu-meng which had been granted to them by the Ming dynasty Board of Rites. There were also Ming official insignia such as silver tallies, silver lances emblazoned with phoenixes and snakes, gold and silver pots and bowls ... jewelry made of pearls, coral and agate, embroidered satin, and clothing and accessories for daily use. We have still not been able to ascertain where they stored their money, but we expect to find where it is hidden within a short time.

A great many items were enumerated in O-erh-t'ai's list (which is only excerpted above). This kind of information is useful in studying how the Ming and Ch'ing governments dealt with the Miao headmen, but such information did not appear in CPYC at all.

In his memorials, O-erh-t'ai gave many details about the Ch'ing campaign against the Miao and about the nature of the Miao themselves. Many of these details, of great interest to the modern scholar, were eliminated from CPYC. For example, in a memorial of YC8/3/26 (May 5, 1730), O-erh-t'ai described the process by which the Ch'ing armies made their way on campaign in the area of a river:

Using aboriginal troops to feign defeat while actually lying in ambush, we dealt with the enemy from five directions. More than thirty Miao were killed with cannon on the battlefield; those who were injured were too numerous to count. The Miao at first retreated and occupied Lung stockade 隴寨. We then carried out an energetic pursuit. We seized their boats, attacking and crossing the river. Our men were filled with courage; they forced their way to the stockade gates, killing and injuring several Miao.

O-erh-t'ai's original memorial also added:

We were just withdrawing when suddenly we saw flames beating against the sky in the stockade on the north bank of the river. When we investigated we learned that the recently pacified Miao of Chiu-t'un 九坉, because of their past maltreatment at the hands of the Lai-niu 來牛 Miao [who were occupying the north bank stockade], were taking this opportunity to avenge their old grievances and simultaneously display the sincerity of their surrender [to the Ch'ing].

O-erh-t'ai also said that on the 25th he had dispatched troops to set ambushes on the south bank above and below the Lai-niu stockade. He

continued:

> We had only a few soldiers and had not gone very far from our camp and were on the south bank when we saw several thousand Miao swarming like bees on the north bank. We discharged our guns and yelled, attacking and deceiving them[into thinking we were more numerous than we were]. But the Miao discovered that we did not have many troops, so they came across the river to the south bank. Accordingly, we set off signal guns so that our three groups of men would converge on them simultaneously. Our men fought with courage, killing several tens of Miao with their gunfire. Furthermore, countless numbers of Miao, who had been wounded, fled by leaping into the water and were drowned. The Miao used javelins to wound two of our men, but when our troops saw this they were incited to even greater effort. Seizing the Miao boats they crossed the river in pursuit. Discharging their muskets they again killed several tens of Miao; then, moving in closer, they chopped off the heads of five Miao. Next they searched the bamboo grove, finding and killing two Miao. At sunset we withdrew our men.[17]

The details of O-erh-t'ai's original reports are of great value to scholars studying Miao frontier affairs in the Yung-cheng period. Yet many of these details still lie buried in the original memorials because they did not appear in CPYC.

Part IV: How depositions were handled in CPYC

The palace archives *kung-chung-tang* 宮中檔 contain a great many depositions which were sometimes submitted as memorial enclosures *kung-tan* 供單 and sometimes summarized in the memorials themselves. They constitute excellent first-hand source material for research. When O-erh-t' ai was dealing with Miao problems in the southwest, he secured many confessions from captured Miao prisoners and reported them in his memorials to the throne, but most of them were entirely eliminated from CPYC. These depositions largely contain fragmentary details. At the time of the Miao campaign they were important to the pursuit of the campaign, but by the time the Yung-cheng Emperor was considering publication of CPYC, the Miao problems with which O-erh-t'ai had been so

intensely concerned five and ten years earlier were long since over and done with. Accordingly these detailed depositions were omitted from CPYC.

An excerpt from a confession reported by O-erh-t'ai and excluded from CPYC follows. It concerns the Wo-ni 窩泥 Miao tribe who lived in southern Yünnan, in the vicinity of Ch'e-li 車里, of whom O-erh-t'ai had written:

> Even though members of the Wo-ni tribe possess the form of men, they are stupid by nature; there is no difference between them and wild beasts. They use rivers as moats, the tea hills form their line of defense, and they dwell deep in the ravines of impenetrable mountains. They make their living by picking tea leaves, or alternatively, take to plunder.[22]

On YC5/4/6 (May 26, 1727), the Wo-ni chieftain Ma Pu-p'eng 麻布朋 led a crowd of Wo-ni to seize strategic passes at Man-k'o 慢課 and Man-lin 慢林. They robbed and killed passers-by; a large number of itinerant tea merchants were wounded or killed. Seventy of the marauders were apprehended by government troops and questioned. The deposition of Tsao Pi-tzu 糟鼻子 and Ma Pu-p'eng stated:

> On YC5/4/6 Ma Pu-p'eng went to the stockade Mang-chih chai 莽芝寨 to hold discussions with Che Lao-erh 者老二; they thereupon killed Wang Chiang-hsi 王江西, Li Ching-tung 李景東, and a man surnamed Ch'en 陳 from Shih-p'ing 石屏. In front of the earth god temple gates they killed a man surnamed Chang 張 of I-hsi 迤西, and on the brick road at Hsiao-man 小蠻, they killed Chao Hsien-han 趙先翰. The bodies have already been buried.

Other confessions taken at the same time revealed names of other men felled in this killing spree, which was said to have been ordered by Ma Pu-p'eng. It is possible that details of this sort might be useful to scholars studying these border peoples. To obtain them, the original memorials must be consulted, for confessions of this type only rarely were summarized or included in CPYC.

Part V: How the writings of the Yung-cheng Emperor were revised before being published in CPYC

After a palace memorial was submitted to the emperor, it usually received an imperial vermilion rescript. These were sometimes written in between the lines of the original memorial, sometimes on the fold or folds at the end, and occasionally even on the face of the memorial. All of these rescripts were in some way attached to the original memorial itself. Another type of imperial response to memorials was written in the imperial vermilion on separate pieces of paper, in which case it was known as a *chu-pi t'e-yü* 硃筆特諭. These several types of imperial writings varied from only a few characters in length to several hundred characters. In addition to writing characters, the emperor sometimes expressed his intense concern for a passage in an original memorial by a kind of underscoring—circles or lines drawn beside the characters.

Nearly all the vermilion writings in the CPYC underwent revision before publication. Sometimes these revisions were made because the original imperial words were too coarse; sometimes they were made because the Yung-cheng Emperor, writing late with only dim light at hand, had used wrong characters or made other mistakes. Sometimes revisions had to be made because the emperor had been too spontaneous or too casual, writing down whatever came into his mind. At the time that CPYC was being edited for publication these imperial writings were gone over, phrase by phrase, character by character. Usually the editorial changes in imperial writings differed from the treatment given the texts of the memorials themselves in that the imperial rescripts were polished and made more literary, whereas the memorial texts were condensed with large sections omitted entirely. Nevertheless, there were also instances where what the Yung-cheng Emperor had written was deemed embarrassing or unsuitable for publication. In these cases, large sections of imperial writing could be omitted from CPYC.

For an example of how one imperial rescript was changed by the CPYC editors, the original and CPYC versions of an O-erh-t'ai memorial

of YC 2/6/8 (July 27, 1724) may be profitably compared. The imperial rescript on this memorial was very long. Although its meaning remained unchanged in the CPYC version, the language of the published text was polished and elegant, in contrast with the direct and ordinary speech used in the original. For instance, the three characters for "what you have done," *ni so-tso* 你所作 in the original were changed to the more elevated sounding *erh liao-li* 爾料理 in CPYC. A little further on, Yung-cheng erroneously used the character *fa* 罰, when he should have used a different *fa* 法; the CPYC editors corrected the mistake. In some instances the emperor's words were considered repetitive or irrelevant and the redundant phrases were shortened or removed, A four-character phrase meaning "gradually, one by one," *hsü-hsü chien-tz'u* 徐徐漸次 was shortened to *chien-tz'u*. The plaintive phrase, "What would be the point of doing that?" *mei-ch'ü chih-chi yeh* 沒趣之極也 was completely stricken out, the emperor's meaning being clear in the earlier phrases.

LIST OF ILLUSTRATIONS

AN ANALYSIS OF THE "MONTHLY MEMORIAL PACKETS" OF THE CH'IEN-LUNG REIGN PERIOD*

Chuang Chi-fa

Before the founding of the Grand Council 軍機處, the Yung-cheng Emperor sent important palace memorials 奏摺—those concerning taxes and military finance, for example—to the relevant boards for copying and filing. In 1729, the seventh year of the Yung-cheng reign, the Military Finance Bureau or *Chün-hsü fang* 軍需房 was formally established by the Board of Revenue 戶部 to handle military affairs. During the Ch'ien-lung reign the Grand Councillors 軍機大臣 enjoyed close relations with the emperor and effected his edicts. The scope of the duties assigned the Grand Council increased daily and as the nation became more and more involved in military affairs under the Ch'ien-lung Emperor, the organization expanded in size and the work increased in volume. Memorials from officials both within and without the court (Plate 5) were regularly referred to the Grand Councillors for discussion and, in the case of memorials which received the imperial rescript *Ling-yu chih* 另有旨 ("There is a separate decree"), they would draft the imperial edicts which would be dispatched as court letters (*chi-hsin* 寄信 or *t'ing-chi* 廷寄).

The Grand Council clerks copied the palace memorials in order to have copies on hand for reference. These copies were stored in packets, a separate one being used for each month; the packets thus came to be known as *yüeh-che pao* 月摺包 or "monthly memorial packets." The documents filed therein were not limited to copies of palace memorials, however, and

* The Chinese text on which this summary is based appears on pages 19 through 39.

in fact, many different types of documents appear. Sometimes even the originals can be found.

Another type of document contained in the packets is the *tsou-ti* 奏底 or *che-ti* 摺底, a memorial submitted on behalf of a third party (*tai-tsou* 代奏). There are also *lüeh-chieh* 略節 or materials which were submitted during imperial audiences as summaries of matters discussed. Sometimes unofficial letters exchanged between officials can be found in addition to copies of the official lateral communications which were sent between officials. Most of the latter are communications to the Grand Councillors from officials outside the Council (Plate 6). Other items include copies of court letters, summaries of routine memorials, petitions from lower level to high level officials (Plate 7), and occasionally even diplomatic communi-cations to various foreign countries. Of greatest interest, however, are the enclosures to the palace memorials which include such items as lists, depositions, maps, and credentials (Plates 9 and 10). Some of the docu-ments are written in Manchu (Plate 1) or Tibetan (Plate 2), but most are in Chinese. The Ch'ien-lung period memorial packets also contain some documents from the K'ang-hsi and Yung-cheng periods.

As this investigation has shown, the materials in these packets are extremely rich and can shed much light on the responsibilities of the Grand Council during the Ch'ien-lung reign period.

ILLUSTRATIONS

THE NATURE OF THE CH'ING PERIOD SHANG-YÜ TANG (上諭當) HELD IN THE NATIONAL PALACE MUSEUM ARCHIVES*

Chuang Chi-fa

In addition to the Palace Memorials (*Kung-chung tang tsou-che* 宮中檔奏摺) and the collection of the Grand Grand Council copies of the palace Memorials (*Chün-chi ch'u lu-fu tsou-che* 軍機處錄副奏摺 or the *yüeh-che pao* 月摺包)held in the Ch'ing archives collection of the National Palace Museum, there is also a large number of record books (*tang-ts'e* 檔册). Within the record book collection, the largest category is the various books labeled *Record Books of Imperial Edicts* (*Shang-yü tang* 上諭檔). These in turn may be sub-divided into various other types, as many offices maintained their own records of imperial edicts. Thus the collection contains volumes called *Record Books or Publicly Promulgated Imperial Edicts* (*Ming-fa shang-yü tang* 明發上諭檔), *Record Books of Court Letters* (*Chi-hsin shang-yü tang* 寄信上諭檔), *Record Books* of *Imperial Edicts Translated from the Manchu* (*I-Han shang-yü tang* 譯漢上諭檔), and others. All contain various types of imperial edicts. Another way of describing these record books is to distinguish them according to their physical characterisdics; thus we havei rectangular form record books of imperial edicts (*ch'ang-pen shang-yü tang* 長本上諭檔), large rectangular form record books of imperial edicts (*ta ch'ang-pen shang-yü tang* 大長本上諭檔), small rectangular form record books of imperial edicts (*hsiao ch'ang-pen shang-yü tang* 小長本上諭檔), and a similar series for the square form record books (*fang-pen* 方本). Most of these were maintained by the Grand Secretariat or the Grand Council during the Ch'ing period and supply insights into the central government deliberations of their times. This essay will introduce the various types of record books of imperial edicts to be found in the archives and describe some of their significant contents.

* The Chinese text of this article appears on pages 四九 through 七四.

ILLUSTRATIONS